INSTRUCTOR'S EDITION
Autour de la littérature

Contents

The Fifth Edition

The fifth edition of *Autour de la littérature* retains its unique approach to literature, encouraging students to play and create with the language as they explore both classical and non-traditional French and Francophone literature. The fifth edition consists of thirty-one texts divided into three groups on the basis of difficulty. *Autour de la littérature* is organized in workbook format in order both to facilitate writing activities and to break down the fear and mistrust that many students have of literature. While maintaining the basic style and thrust of previous editions, we have made some changes aimed at responding even more directly to changing student interests.

New to the Fifth Edition

Seven new texts, including: two poems (*Pluie,* Anne Hébert and *Le Dormeur du val,* Arthur Rimbaud), two plays (*Acte sans paroles I,* Samuel Beckett and *Tragédie,* Jean-Michel Ribes), and three short stories (*Leçon d'histoire,* Maryse Condé; *Mon Oncle Jules,* Guy de Maupassant; and *La Maison face à la mer,* Marie-Célie Agnant)

- A new advertisement section, *Publicité: Les vacances au Portugal* and Givenchy new perfume
- Specific suggestions for discussion topics related to each text
- Guides for websites to expand knowledge beyond each of the texts
- Optional comprehension questions to help students read all of the prose passages in the book

Autour de la littérature is intended for use at both the college and the high school levels. The large number and great variety of texts (more than would ever be used in any single course) as well as the "hands on" nature of the activities allow the teacher to make use of the texts in classes of differing emphases and ability levels. The easier texts can be used from the start of third-semester college (and third-year high school) French; the texts of moderate difficulty can work nicely in fourth-semester college (and fourth-year high school) courses; the more difficult texts are most appropriate for fifth-semester college (and fifth-year high school levels). Ultimately, however, the timing and choice of texts depends on your own sense of your students. The book can be used in conjunction with other materials (grammar review, conversation, culture) or on its own as a text in a reading course. The materials are set up to be worked on in small blocks, alternating with other subjects and skills; however, the book is flexible enough to allow for more concentrated work in longer blocks of time.

Introduction

This book is meant to be very different, but the difference might not be apparent to students or teachers at first because it is so simple and straightforward. The difference is in play vs. work, and in playful writing and serious reading vs. spoken dialogues and grammatical recitations. *Autour de la littérature* seeks to place reading and writing back at the center of learning French along with speaking and listening.

We invite students and teachers to play with French words through literature. Playing with words, constructing short poems, stories, and situations, encourages students to break out of patterns of rote memory and set exercises in order to use actively, in new contexts, material acquired in more traditional books. One dream of teachers has been to find literary passages that would coincide perfectly with grammar exercises. Such a dream is probably unrealizable. *Autour de la littérature* is based on the premise that an absence of perfect coordination between grammar and literary passage actually creates a more authentic and challenging learning experience. Because the literary passages are not perfectly coordinated with grammar lessons, students will be constantly asked to recall grammar and vocabulary previously learned. In other words, *Autour de la littérature* cuts across normal progressions of language learning and seeks to contribute to making students truly proficient in reading and writing as well as in speaking and listening. Knowledge of the future tense gained in October takes on urgency for the student two months later if he/she is asked to write about a projected trip. Similarly, expressions learned for talking on the telephone take on new life when the student has to write an imaginary telephone conversation in preparation for a theater piece centered around the telephone.

Thus, rather than distracting from normal activities and from standard textbooks, *Autour de la littérature* is designed to permit students to integrate grammar and vocabulary in new contexts. Although this book introduces students to various forms of literature, the ultimate goal is to integrate literature into the rest of language learning. Literary texts can, and should, increase students' proficiency in all four skills.

Literature in the Classroom

As it is now taught in the United States, literature falls under a very strict canon of texts that are blessed as "literary." The accepted works of French literature include those by major writers such as Racine, Voltaire, Hugo, Baudelaire, Mallarmé, Camus, etc. In recent years, the canon has been expanded to include women and Francophone writers. As all of us know only too well, the distance between the language of a second-year French student and the artistry in *Phèdre* is colossal, and the number of great texts appropriate for a second-year class is quite small.

The gulf between the classics and second-year students' linguistic knowledge is exacerbated by several other obstacles that have made the teaching of literature in language courses a seemingly thankless job. American students often display an inherent fear and mistrust, if not outright dislike, of literature in a foreign language. Our own training and specializations have also led us to see ourselves—or our courses—as either "language" *or* "literature." In addition, American culture places a low premium on literary works in general. One need only ask a ten-year-old child to recite two poems learned in school! In order to overcome these attitudes, we have tried both to expand the very definition of the "literary" and to change the way we teach literature so that students will come to enjoy writing, creating, and examining written texts.

What is literature? Quite simply, letters and words, to recall Mallarmé's famous statement that a sonnet is composed of words rather than ideas—well-crafted, beautiful words, but words nonetheless. The great ideas and memorable themes often associated with literary studies grow out of words. However, if we as teachers try to teach these ideas and themes directly, there is absolutely no assurance that students will understand unless they first grasp the basic meanings of the words, the ways that words can be manipulated to create literary meanings. This book, therefore, strives first of all to encourage students to play with words, to construct stories or plays or poems, and to compare these verbal constructs to French literary texts. Only *after* having experienced the immediacy of writing and then reading the written literary texts are students asked to "think" about the text, to step back and analyze in a more conventional way.

Literary texts are ideal means to initiate students to the cultural traditions that are part of French daily life and the French heritage. Although it is presumptuous to hope that intermediate students can attain the cultural proficiency of a native speaker, reading and writing about texts containing literary language fulfills a need for students to expand their own knowledge of language through contact with different levels of French not readily available in textbooks today. The definition of the "literary" implicit in this book takes into consideration the multiple levels of language and extends beyond the traditional canon to include advertisements, popular theater, films, and songs. These works are considered "literary" because of their mastery of language, because they depend on the same formal and rhetorical conventions that are at the heart of literature (repetition, parallel constructions, oppositions, comparisons, causal assumptions, etc.), and because they are strongly connotative.

At the risk of oversimplifying, we would maintain that textbooks basically deal with *denotative,* unambiguous language and practical, straightforward information about France. Of necessity, first-year books are one-dimensional. French language, literature and culture are, however, *connotative* (suggestive of multiple meanings), ambiguous, comical, ironic, multi-dimensional, and even at times absurd. Literary language and literary texts best express these multiple levels, and literature, which obviously grows out of the language, in turn enriches and renews the language of everyday life. Thus, there is much less of a barrier between everyday life and "high culture" than the academic distinction between language and literature has led us to believe. In the classroom, the inclusion of literature should not be an "add-on" or a "capsule." It should be the harmonious extension and intermingling of the literary and the non-literary.

It must be emphasized that *Autour de la littérature* aims to teach students how to read and write literary language. Although the book does have a secondary aim of teaching students to read critically, it is not meant as a systematic introduction to critical analysis. Nor does it have as a primary goal the mastery of individual texts. Students are expected to get to know the texts well, but they should not be asked to have the complete knowledge of individual texts that we traditionally associate with literary studies. Put in other terms, the texts are sources for playing with and writing different types of languages, not monuments to be explored in every detail.

Organization of the Book

Structure of the Whole

Autour de la littérature is designed for that somewhat amorphous level of study known as "intermediate French." The thirty-one texts are divided into three sections reflecting basic levels of difficulty. The placement of the texts is determined by the following criteria, weighted according to problems inherent to specific texts: length, grammatical complexity, linguistic specificity, conceptual difficulty, nature of the questions. As the book progresses, the texts get longer, the sentences more complex, the vocabulary more specialized, the ideas and literary problems more sophisticated, and the questions more demanding of distance from the text itself. The three sections do *not,* however, correspond to a specific semester or quarter format. Rather, they are rough estimates of levels of difficulty that can be tailored to specific programs and students' abilities.

Each section seeks a balance among selections from the traditional genres—poetry, prose narrative, and theater. In addition, texts from non-traditional areas are also distributed across the three parts: songs, advertisements, and film scripts. This variety, added to the large number of texts (more than one would probably ever use in a typical year), offers considerable flexibility and freedom. Instructors have a great range of choice and can change selections from year to year, depending on their own tastes and on the abilities of each particular class.

Structure of the Individual Parts

Every text is presented in a tripartite format: ***Pré-lecture*** (pre-reading exercises designed to place students in the situation of an author); ***Lecture*** (the text itself followed by questions designed to set up class work on the text); ***Post-lecture*** (writing activities designed to give students the chance to write about or around what they have read). While these three parts do not necessarily correspond to three class days, they do represent a coherent sequence that we would urge instructors to follow, no matter how they may divide the work within each part.

Pré-lecture

The ***Pré-lecture*** is the most important part of this book. It places the students in the situation of an author and asks that they think, write, and talk about a situation that they will encounter in the text. Students who are well prepared through the exercises in the ***Pré-lecture*** will have a basic grasp of the literary text before they read it and will be able to read more actively and independently than students with traditional preparation.

All the exercises are meant to prepare students for the text they are about to read by having them write within the literary situation of the text and by having them work with language before they encounter it in the text. The pre-reading exercises permit the students to use language creatively and playfully. They should be encouraged to use their imaginations as much as possible.

The pre-reading exercises fall roughly into four categories:

1. **Word Associations.** These exercises encourage students to bring together vocabulary already learned and, more importantly, teach them about the connotative powers of language. For example, the word "hand" has a very specific meaning, but students are capable of transforming it into metaphors of hooks, crabs, flowers, and feathers. The word "hand" can also lead students to create a story of murder, mystery, and quick escapes. In the game of associations, students are unknowingly learning how literary language works while reviewing and expanding their vocabulary.

2. **Stories.** These exercises are designed to lift students out of their normal cultural environment and to imagine situations that are not part of their everyday life. For example, they are asked to imagine life in the Middle Ages, or existence in a world destroyed by the Bomb, or washing clothes in an African village.

3. **Dialogues.** These exercises force students to work with familiar cultural contexts.

4. **Grammar.** For the most part, the pre-reading exercises do not deal with grammar. However, in a few cases, where lack of grammatical knowledge would create definite problems, explanations and exercises are included. For example, the early medieval texts are easy to read if one recognizes the **passé simple;** Apollinaire's *Le Pont Mirabeau* becomes much easier to read if one can recognize the use of the subjunctive to express an indirect command.

Most pre-reading exercises are accompanied by a box called ***Vocabulaire utile.*** The words in these boxes vary according to the needs of the text. Sometimes they consist mainly of words taken from the text to be read; in other case, they provide words that will help students talk about the text. These words are included in order to give students ideas and to stimulate their imaginations. However, they should not feel restricted to only that vocabulary; they should be both encouraged to use vocabulary learned from other sources and allowed, when necessary, to look up their own words.

We cannot stress strongly enough the idea that the ***Pré-lecture*** is based on the notions of play, creativity, and imagination. To this end, we would encourage instructors to follow these two rules:

1. Written work from the ***Pré-lecture*** may be corrected, but grades should not be given. Normal grading might perhaps inhibit student experimentation and would prevent the realization that writing can actually be fun.

2. There are no correct answers to the pre-reading exercises. In fact, there are no answers, only writing exercises that take any form the student may invent. Clever students might decide to "cheat" by looking for the answer in the text; however, since the ***Pré-lecture*** does not correspond exactly to the text, such efforts will quite possibly result in wasted time or obviously contrived answers. Even so, such "cheaters" need not be discouraged, for they will have read the entire text on their own! For the other students, the pre-reading exercises will provide an uncommon chance to create funny, silly, absurd, and fantastic little compositions in French.

Lecture / Questions sur le texte

Unlike traditional readers, *Autour de la littérature* does not surround the text with questions on plot, character, rhyming words, décor, etc. Rather, the actual text is left open for the instructor to teach as he/she may feel necessary or desirable. It should be remembered that the purpose of working on the texts is *not* to achieve an exhaustive explanation or to recreate the atmosphere of an advanced literature class.

However, experience has shown that many students do find reading extended prose passages challenging. Consequently, we have made available in this edition comprehension questions designed to insure that every student grasps the basic story line of the plays and short stories included in *Autour de la littérature.* These questions, denoted with integrated web references [marked as such: Q 7–10 www] occurring at logical intervals in the text, are found in the reading tutorial on the companion Website. As a result, students can have the experience of reading the text from beginning to end without interruption, if they so desire, or, if confused, they can consult the questions immediately for help. The questions are accompanied by answers (often two or more correct choices per question) along with references to the text supporting these answers. Students are thus encouraged to read closely and to recognize the richness and complexity of the text.

Once students have completed reading the text (with or without help from the questions), they can then work on the ***Questions sur le texte*** section in the main part of the book. What this section does is to ask the students to retrace one or more elements in the text and, in a sense, to restate the text from the point of view of that trace or element. For example, in *Page d'écriture,* the questions first ask students to retell what is going on in the poem, before they are asked to enumerate transformations that occur. In *Le Retour de Mamzelle Annette,* students compare characters and then associate keywords from the text to each character before finally dealing with the question of narrative point of view. These questions, of a general nature, force the student to look closely at the text without asking him/her to deal with every detail. As the student traces an element of the text (colors, gestures, questions, a particular word), he/she begins to make connections, to find relationships (causal links, similarities, oppositions).

These ***Questions sur le texte*** can be integrated into the class in a number of ways. They can be used for both written and oral work in the same combinations and permutations as the ***Pré-lecture.*** At times, students may be asked to read the questions before they read the text (i.e., so that the questions function as a kind of study guide). At other times, they may simply serve as guides, in the form of notes, for class discussion, or they can be the basis for small group work or even short presentations to the class. We would again urge that instructors not grade the students' work at this stage; these questions and exercises should primarily serve as "raw material" for classroom work with the texts.

One of the potentially most exciting parts of these exercises is their relationship to the ***Pré-lecture.*** By looking at the two sets of replies, by comparing their version of the story or poem or situation with the writer's, students will very often be surprised—either by the accuracy of their anticipation or by the gap between their version and the author's. In both cases, such comparisons can lead to very stimulating discussion.

Post-lecture

The activities in the ***Post-lecture*** come closest to more traditional exercises and compositions: students are expected to write a formal paper for which they will receive a regular grade, and the topics bring together knowledge acquired throughout the previous sections. But there the similarities end. The exercises in the ***Post-lecture*** are divided thus:

1. **Imitations.** These activities ask students to use the literary text as a model and to imitate it by rewriting it in a different context. For example, after reading a medieval text, students are asked to imagine the same family two hundred years later; after working on an advertisement, they are asked to write and explain their own ad; after reading a poem, they may write their own text (in prose or verse) using the vocabulary of the original, but not the same ideas. The imitations provide continuity with the ***Pré-lecture,*** because once again the student is put in the place of the author.

2. **Commentaries.** These activities involve questions similar to those that the student might encounter in an introductory literary course and can vary from a thematic treatment of a poem to an essay on the metaphors in a story. However, even when themes are treated, they are done so as process, and students are expected to show how they develop in the text. These commentaries provide continuity with the ***Questions sur le texte,*** because the student is asked to rework the traces through the text. In the commentaries, the student is no longer an author, but he/she must remain close to the text in order to follow the author's construction of the work.

3. **Oral activities.** Each text is accompanied by one or more topics for discussion. You may wish to begin with students in small groups and then have the groups share their ideas with the full class.

4. **Web explorations.** The new guides for websites offer an exciting and very fruitful way for students to put into action the notion of working "around" the text. Our suggestions vary according to available sites and the nature of the texts. For example, Francophone texts suggest ways for the students to learn more about the specific country, the history of colonization in that country, or in-depth knowledge of the author. Sites following advertisements invite students to look behind the ad and learn more about the advertising world and/or the product itself. The web activities for French literary texts encourage students to learn more about the authors and the literary movements with which they are associated. Students and instructors can use their imaginations on how they want to work with the sites. We would suggest at least three possibilities: 1) as extra-credit work or voluntary explorations beyond the text; 2) as material for class discussion and oral presentations; 3) as the basis for written reports.

The way the instructor grades these imitations, commentaries, and explorations will vary, depending on the nature of the course and the instructor's grading philosophy. To the extent that the main thrust of the course is mastery of various aspects of the French language, some instructors may well feel that students should be graded only on their use of language. In such cases, written comments might point out weaknesses of thought, misunderstandings, interpretive errors; however, the grade would depend primarily on the quality of the French. On the other hand, other instructors may well wish to reward above all the students' reaction to the text—be it in the form of an imaginative imitation or of a careful and personal interpretation or of a particularly rich exploration on the Web. In such cases, language errors would be pointed out (and perhaps corrected via a rewrite); however, the grade would reflect primarily how well the student responded to the text. Whatever the method adopted, we feel strongly that it is at the ***Post-lecture*** stage that it is most appropriate to grade the work generated by this book.

Class Organization

The individual selections are intended to be taught over several class days in small blocks of time. We recommend that work be extended over several days for the following reasons:

1. Literature should not be cut off from other phases of language learning. Having a "literature day" psychologically reinforces the status of reading and literature as something **à part.**

2. By treating literary texts on a regular basis, students will be led to integrate the different components of their grammar and vocabulary acquisition. At the same time, grammar and vocabulary encountered in literary texts will prepare students for new language acquisition.

3. Playing with words in the ***Pré-lecture*** will train students to use their skills in new, unexpected, and spontaneous ways. This training is best acquired if it is done regularly and if it is not influenced immediately by the literary model. If students were asked to do the ***Pré-lecture*** and the reading on the same day, it is more likely that they would first read the text to "find the answer."

4. The notion of student as writer demands that the idea of a passive reader be shattered and that students learn to approach texts in an active frame of mind. They can acquire this attitude if they work on the ***Pré-lecture*** a day or two before they read the text. It is important that there be some class discussion about the ***Pré-lecture*** so that they will have expectations, suspicions, and questions about the text.

The following are three ways a teacher might organize work on a particular selection. These are only suggestions; in some cases, the work of two days could be easily combined into one, depending on the nature of a particular course and the number of selections treated during the semester.

Variation I

Day 1: Do one exercise of ***Pré-lecture*** orally in class. The teacher might want to transpose the exercise for oral presentation or expand some parts of it. Assign one or two other ***Pré-lecture*** exercises for homework. If there are too many exercises, split the class into two groups and divide the writing. (5–10 minutes)

Day 2: In small groups or with the entire class, have students read their work or contribute their ideas for constructing a group version of the exercises. If time is short, make a quick summary of the work done and collect the exercises to see what patterns and ideas emerge. Correcting the French is optional. Assign the literary text for the next class. (15–20 minutes)

Day 3: Read the text and do the ***Questions sur le texte.*** You might want to have some or all of these written out. Assign formal work from the ***Post-lecture.*** (20–50 minutes)

Day 4: Collect written work.

Day 5: Return the written work, graded and corrected. Read one or two of the more original ones to the class or in small groups; have students exchange ideas in their work. (5–10 minutes)

Variation II (For a stronger class)

Day 1: Assign ***Pré-lecture.***

Day 2: Work extensively on ***Pré-lecture*** and construct an imaginary text as suggested by the exercises. Assign literary text. (15–20 minutes)

Day 3: Go directly to the ***Questions sur le texte*** and ***Post-lecture.*** Either in small groups or with the entire class, work on some or all of the questions. As written work, have students elaborate upon either one of the questions from the ***Post-lecture*** or part of the discussion. (20–50 minutes)

Day 4: Collect written work.

Day 5: Return work. Have one or two compositions read in class. (5–10 minutes)

Variation III (For a weaker class)

Day 1: Do several of the ***Pré-lecture*** exercises in class. Have students take notes if they wish. Provide ideas and yes/no questions when students are mute. Assign the exercises as written work and encourage students to use class work as inspiration for their own writings. (15–30 minutes)

Day 2: Collect work. Summarize the previous day's work, adding material that will help in reading the text. Assign the text. (5–10 minutes)

Day 3: Study the text, first replying to students' questions and problems then asking basic questions such as plot, character(s), milieu, etc. Assign ***Questions sur le texte*** and ***Post-lecture.*** (20–25 minutes)

Day 4: Work on questions and post-reading. Have students take notes. Assign part of the work done in class as the composition. (15–25 minutes)

Day 5: Collect written work.

Day 6: Return work. Read one or two of the more challenging compositions. (5–10 minutes)

Talking, Silence, and Writing

Talking in language classes is often quite controlled. Replies to questions, material for dialogues, topics for exposés are determined, and aided, by grammatical forms and vocabulary lists provided in the chapter being studied at the time. Original literary texts do not provide such shelter from the varieties of linguistic experience.

Thus, it is not surprising that some students will at first feel reluctant to talk and will seem intimidated about not using their past knowledge to create situations and play with literature. It is perhaps asking too much to expect all students to shift gracefully from simple sentences to more complicated paragraphs and from straightforward language to plays on words. It is only normal that there be moments of silence and times of hesitancy while doing exercises orally.

This apparent problem can easily be turned into one of the strengths of the course. Although some pedagogical theories insist that the teacher should talk as little as possible in class, the fact is that a great deal of time is spent listening to French when one is actually in the country learning—radios, television, movies, eavesdropping in cafés, listening to people tell stories or explain political views. If students lack the words and/or the confidence, the teacher can talk or have the better students talk while the weaker ones listen and increase their aural comprehension. Here are some suggestions for exploiting this aspect of the class:

1. Put key vocabulary words on the board; have students note these words.
2. Have students write up (as homework) material they have listened to.

The following day, ask students to summarize, without reference to notes and written work, the major work of the previous day.

3. Encourage students to provide fragments of responses—replies to yes/no questions, words or phrases. The teacher can build on these fragments and, as short answers accumulate, rework them into series of sentences. At the end of class, give a summary and ask students to write it up for the next day.

4. Have students listen one day to a summary of the story to be read or a reading of a poem or a scene from a play. Ask them to summarize immediately and retell again the next day.

Classes and individual students vary greatly in ability and personality; however, there usually are numerous ways to take advantage of the texts and the exercises in order to improve one or more of the basic skills.

General Questions

In this section, we have tried to anticipate questions that instructors might have about *Autour de la littérature.* In answering these hypothetical questions, we hope both to respond to concerns and to underline the differences between *Autour de la littérature* and other readers.

Why is *Autour de la littérature* published in a workbook format?

We have chosen this format so that students will literally write *around* literary texts. By incorporating the readings into the written exercises, we hope that students will overcome their prejudice that literature is distant and somewhat untouchable. In addition, by graphically combining writing and reading, students will have a more immediate and meaningful idea of the intimate relationship between writing and reading, between their own texts and those of the authors presented in the book.

Why are there non–traditional pre-reading exercises?

It is certainly true that pre-reading exercises are nothing new; many readers include numerous exercises designed to help students read the text more easily. Usually, these exercises involve reading strategies (recognizing cognates, associating words of the same family, working with prefixes and suffixes, guessing in context, etc.) and grammatical summaries. In terms of the latter, we prefer to encourage students to review as *they write* the grammatical structures that they need to talk about or imitate the text; in this way, grammar is seen not as an end, but as a tool for expression. As for the reading strategies, they certainly are useful techniques. We do not include them in *Autour de la littérature* for two reasons. First, most first-year programs begin reading work by stressing these strategies. To the extent that students are not applying these strategies, instructors can reiterate them as they work with specific passages. Second, and more importantly, the emphasis in *Autour de la littérature* is on active use rather than simple recognition; we do not want students to stop at the application of these reading techniques, but to continue on to the point where they can work and play with the key words of the text.

Why is there not an end glossary?

Again, there are two reasons for not including an end vocabulary. First, in providing extensive glosses for each individual text, we have considered each text in isolation—i.e., we have not assumed that students reading a text in Part II have already been through all the texts preceding it; the same word may be glossed in several different texts. Second, and more importantly, we feel that it is essential that students learn how to use the dictionary. To this end, we urge instructors to point out the discussion on using dictionaries (see ***To the Student,*** pp. vi–vii) and to take advantage of every opportunity to underline the problems created when one looks up words carelessly.

Why do you include ads?

One aim of this book (already expressed) is to suggest to students that literature and the literary do not exist in isolation from the rest of society. Advertisements admirably demonstrate this axiom. Although they are not in any sense part of traditional definitions of art and literature, ads do draw on literary and artistic techniques for their success. Their language is connotative, and they use poetic techniques (repetition, parallelism, antithesis). At the same time, ads are accepted as a normal part of everyday life, whether in the United States or France, and they are seldom studied as "artifacts" (artificial constructions). Because this book seeks to encourage students to think critically about language while playing with it, ads provide an ideal vehicle. At first, students feel at ease with something that is part of modern life; then they are often amazed to see how much artifice really goes into such apparently "natural" texts.

Advertisements also provide ready openings to other sign systems. Because most ads convey much of their message pictorially, they can permit students to play with the visual and with the relationship between image and word. In addition, advertisements are a treasure chest of cultural information. The ads included in *Autour de la littérature* were chosen to bring out some basic similarities and differences between France and the United States. The series on beer and drinks plays on the French vision of America while it also teaches students about basic social and gender differences. The series on perfume and cigarettes should transcend national differences to lead students to more general discussion of sexual stereotypes. The series on food is designed to give students a direct experience of the French love of eating and their insistence on quality.

Why is film included?

Ours is a visual civilization. For most American students, film is a form of distraction. For the French, film has always been considered an art form with very strong ties to literature. We include film not only to bridge the gap between the visual and the written but also to suggest, as with ads, that the literary permeates everyday life. In both the written scripts and the actual projection, films are highly suggestive and call on the spectator to synthesize, imagine, and interpret. The skills of being an author can well serve to make students more aware of the rhetoric of cinema.

Why are there questions in the book that many students can't answer?

It has been our experience that all too often questions in grammar and literature books are aimed at the lowest common denominator in a class. As a result, the better students are bored, if not insulted. There is also no doubt that classes vary in interest and attention from day to day and from year to year. Questions and approaches that work on one occasion can create a deadly silence the next time they are used. Thus, our questions vary in the range of difficulty and of interest. Teachers will want to concentrate on those questions that the class seems ready to handle; there is no need to "cover" *all* the questions and activities.

Why are some of the questions very general?

If questions are limited to the very specific, the class risks becoming a mechanical recitation, and both teacher and student are robbed of the experience of exploring, discussing, speculating, rejecting, and agreeing upon answers. Of course, more general questions are at times disquieting, for they demand more participation by teacher and students. We ask that you feel free to use our questions as a starting point so that you can elaborate on them, modify them, or even disagree with them.

Why do the questions not appeal to students' feelings and reactions?

In the second year, literature texts often seek to engage students' interest by appealing to their personal reactions and feelings, to get them to "relate to the text." *Autour de la littérature* avoids such an approach for two reasons.

First, if students can be persuaded, through practice, that literature is a form of verbal game or play, they will be involved without a direct appeal to their emotions. Second, the book aims to teach students about French language, literature, and culture, which are often quite different from our own. Appeals to personal reactions all too often lead to a discussion about the students' world and values, rather than about the words and values in the story. This book demands that students expand their imaginations in a foreign language. Such an effort implies that personal problems and opinions will be secondary. Learning a language and national literature is above all an intellectual exercise. Emotions do come into play indirectly; however, if personal responses are overly encouraged, the intellectual excitement of discovery could be debased and trivialized.

Autour de la littérature appeals to the imagination and creativity of teacher and student alike. We hope that by creating a framework that leads to freedom and flexibility we have contributed to returning literature to an important place in the enterprise of learning French.

The Website

The Website for *Autour de la littérature* (www.thomsonedu.com/french/schofer) consists of three sections: (1) a reading tutorial for the prose texts, (2) color copies of the ads, and (3) websites and questions to aid in completing the ***Post-lecture*** web activity.

The reading tutorial consists of a series of questions designed to help even the weakest readers make their way through the text. These questions focus on the story—both on what happens as well as on the characters' motivations. When students select an answer, they can receive immediate feedback as to whether their choices are correct, and at the same time they are directed toward words and expressions that support or contradict their answers. These questions do *not* replace the ***Lecture*** sections of the textbook. Rather it is our hope that they will show students the importance of paying attention to details while reading and thus assist them in preparing responses to the ***Lecture*** activities. Students have the option of reading the text and then going online to do the reading tutorial questions and answers *or,* since an icon in the text marks the segments on which the questions are based, to work simultaneously with the text and online materials.

The color copies of the ads, as well as some additional ads treating related topics, are also available on the site. Students will thus be able to better complete some of the ***Lecture*** activities in the text.

Finally, one of the ***Post-lecture*** activities for each text involves doing research on the Web. In some cases, students will discover information about France or a Francophone country; in other cases, they'll learn more about an author, his/her works, and/or the literary, historical, and cultural contexts in which he/she wrote. They will find on the *Autour de la littérature* web page devoted to that text two or three useful sites to explore as well as some questions to guide their research.

The Audio Program

The Audio CD that accompanies the book includes the following poems, songs, and plays:

Première partie

Prévert, *Le Message*
Prévert, *Page d'écriture*
Dadié, *Le Pagne noir*

Deuxième partie

Verlaine, *Chanson d'automne*
Hugo, *Demain, dès l'aube*
Apollinaire, *Le Pont Mirabeau*
Diop, *L'Os*
Ferron, *Une fâcheuse compagnie*

Troisième partie

Hébert, *Pluie*
Rimbaud, *Le Dormeur du val*
Ribes, *Tragédie*

Teaching Tips

For many (but not all) of the texts, we have provided suggestions that may help instructors choose and utilize these selections.

Introduction

It is highly possible that you will not be able to do all the exercises in the ***Introduction.*** It would be advisable to start with one or two as in-class exercises and then assign two or three others as homework. Make sure that you select exercises from throughout the ***Introduction*** (not just the first or last section).

This ***Introduction*** *is* designed to give a feeling of how to play/work with language and texts and as an initiation to basic reading processes. If you pick and choose, you should include examples of each of the three types of exercises: word play, making connections, and creative writing. If you have time to work more systematically through the ***Introduction,*** you may wish to follow a progression from words (meaning and sound) to connecting words (associations) to connecting groups of words. Underlying these exercises are the basic processes of reading rhetorically; these processes are based on four fundamental relationships part/whole (especially here, word fields), causality, similarity, and opposition.

Le Message

The progression in the exercises here is typical of the entire book: students are asked to manipulate a controlled model before doing more creative writing. In the questions after the text, students first retell the story and then are led to basic analysis. It is possible that you will not want to do all the questions, particularly the analytical ones such as those on repetition in ***Section E.***

Le Ballon rouge

There is no official written text or scenario, and there are practically no words in the film. However, after the film was made, its director, Lamorisse, did create a written adaptation. If you wish to do both the film and the written version, the story is available as a small, richly illustrated book, *Le Ballon rouge* by Albert Lamorisse (L'Ecole des loisirs, Paris: 1976). The video can be rented from most local video stores. The exercises are written exclusively for the film and are designed to provide an introduction to basic film analysis. Students are asked to think about specific topics *before* they see the film, and they are expected to take notes on these topics as they watch. You may want to break the class into small groups, with one group responsible for characters, another music, a third noises, etc. You might also show the film twice so that students can concentrate on their analysis the second time through.

Mélusine

You might want to do one of the exercises in the ***Pré-lecture*** in class to warm the students to the medieval atmosphere. Note that they must do the work on the **passé simple** if they are to master the story. ***Section B*** of the ***Pré-lecture,*** on origins, is not always easy for students to grasp, but the notion is important for understanding the story. It is advisable to work on it in class before students write it up.

Tu t'demandes and Le Déserteur

As part of the ***Pré-lecture,*** have students download the songs from the Internet and listen to them.

Mon Oncle Jules

The story is a fairly straight-forward narrative, but in order to understand the economic and social class aspects, students need to pay attention to details and to make inferences from them. After students have done their web research, they might be asked to reread the story to fully appreciate the local color.

Le Pagne noir

Before beginning, you may wish to talk briefly about the African oral tradition and, in particular, the role of the **griot.** Ask students to look for equivalents in their culture (oral readings at a library) and then to consider similarities and differences.

Publicités: Bien manger

It is assumed that students will refer to the black-and-white photos to answer the first sets of questions and that the color version on the website will be used only after they have acquired a basic familiarity with the ad. Although few questions on the advertisements treat directly the use of color, good class discussion can be stimulated by asking for comparisons between the black-and-white and color photo. Students can deal with basic color symbolism, as in the Miltzig ad, with fairly somber colors, and the Obernai Village ad, with whites and greens. The exercises for the other two ads can be done with either the photos in the book or the color versions on the website. To provide further discussion and balance, there are several ads for non-alcoholic drinks and ads against drinking on the website.

Acte sans paroles I

As the title indicates, this short play is entirely gesture and minimal décor. Students can more fully appreciate it if they are asked to act it out in various ways (comic or serious, for example).

Le Laüstic

In your class discussion, you may wish to go back to the ***Pré-lecture*** exercises and have students consider what notions about men/women/love are implied in the medieval tale and in its modern versions.

Chanson d'automne

The ***Post-lecture*** exercises fit very nicely with grammar units on description, adjectives, etc. Students without literary background will probably not share the conventions used by Verlaine (i.e., autumn as sadness, death). The ***Pré-lecture, Section A, Exercice 2,*** thus serves to set up, by contrast, what they will find in the poem.

Demain, dès l'aube

The success of this poem is largely based on not giving students any biographical material. They should not know at first that the poem is addressed to Hugo's dead daughter, Léopoldine, who drowned in a boat accident near Harfleur, and that Hugo is describing a pilgrimage to her grave. By having this information withheld, students will tend to come up with rather imaginative explanations of who the **tu** is in the text. After they have done the ***Questions sur le texte,*** students should be given the biographical information, which they will spontaneously compare to their answers.

Le Maître

This text would lend itself particularly well to presentation, either as a dramatic reading or an acted play.

Leçon d'histoire

Although the narrative appears to be simple, dealing with family life, students will need to be aware of the implications of small gestures in order to understand what the **histoire** is referring to.

L'Os

For many students, the notion of "blood brother" and the ideology of community over individual are difficult to identify with. This story offers an excellent opportunity for cultural comparison.

Une fâcheuse compagnie

Although the text is short, it is compact, and the syntax and vocabulary are not easy. Students should probably be encouraged to do the online ***Tutorial*** first, and they must pay close attention to the vocabulary.

Pluie

The emphasis on this poem is to get students to think metaphorically.

Le Dormeur du val

This poem offers a timely theme while also graphically illustrating the role of irony in poetry. Students will need to read the poem at least twice to grasp the actual meaning.

Le Retour de Mamzelle Annette

This is one of the more difficult stories in the book, not only due to the vocabulary but because the "main story" is untold and students need considerable help in filling in the holes and making the connections.

Tragédie

Teaching this comic piece could be highly successful if students could see a video extract from a performance of the original *Phèdre.*

As with all theatrical pieces, acting it out in class will add a valuable dimension. Students can listen to the play on the Audio CD.

La Maison face à la mer

For some, this may be the most difficult text in the book because the narrative is buried in a play of associations, metaphorical leaps, and time shifts. It would be helpful to do a very close reading with the class for the first page or so, delineating carefully the various levels. In addition, the web activities will provide useful background information.

Suggestions for Teaching the Films

Le Ballon rouge

Teaching *Le Ballon rouge* should not present any major challenges because it can easily be projected in the course of one class period. The pre-reading exercises, viewing of the film and follow-up questions can be spread over parts of three class periods.

Feature-length Films

The feature-length films present clear challenges for distribution of time and in treatment of the film. We have composed the questions in the following order:

1. ***Avant de voir le film*** are questions which follow the same philosophy as all the other pre-reading questions. They are meant to establish a context and to put the students into the spirit of the film.

2. ***Les premières scènes*** are questions based on the opening scenes or sequences. In *Au revoir les enfants,* the questions extend from the departure in the train to the first scene in the dormitory. In *Chocolat,* the questions go as far as the first flashback, when we see France as a child, eating ants with Protée. It is hoped that these fragments will first be shown in class and that students will answer the questions and discuss what they have seen initially. We suggest such a procedure in the belief that the initial scenes or sequences of any film serve to establish major themes, enigmas, or characterizations.

3. ***En regardant le film*** are questions which are both general in nature and aimed at isolating for the student important actions or characters. Students should be asked to take notes during the film to fill out our questions. In both films, questions are simplified to concentrate on the major characters. However, students should be strongly encouraged to pay attention to the questions about minor characters because they make significant contributions to the ultimate meaning of the films.

4. ***Après avoir vu le film*** is meant to be answered and discussed after students have seen the rest of the film (inside or outside class). The section aims to take up questions asked in the previous two sections so that students will be able to fill out their reading of the film. If they have taken notes, they will be able to provide necessary details. Although the questions aim to give the students an understanding of the films, they do not provide a global, comprehensive understanding. Rather, it is hoped that in discussion and writing students will use their answers to create their own interpretation.

5. ***Post-lecture*** follows the same principles as in the rest of the book.

Ideally, the following schedule should be used:

Day 1: Exercises in ***Avant de voir le film*** to be prepared for class and played with. If time permits, the beginning of the film would be shown.

Day 2: Discussion of the first parts of the film. Projection of the entire film (outside class time).

Day 3: Discussion of the questions (written up after seeing the film) in ***Après avoir vu le film.***

Day 4 or 5: Composition taken from ***Post-lecture*** to be handed in.

If it is not possible to have a separate time to see the film and it has to be seen over the course of two or three class periods, we would recommend that students be asked in class and through writing to update their answers to the section **En regardant le film.** If they do so two or three times, they will see, particularly in *Au revoir les enfants,* the progression and transformation in the characters.

The least satisfactory approach would be to show extracts from the film: the beginning, a significant moment from the middle of the film, and the last 15–20 minutes. To succeed, the teacher would need to preview the films and carefully select the appropriate moments to show.

Au revoir les enfants is a sensitive, nuanced vision of a case of humans' inhumanity to other humans. Although the topic is painful, the treatment is not. On the other hand, *Chocolat* is a much more ambitious project, with ambiguities and contradictions which we felt we could not always deal with in our questions. For example, does France "see" everything that we see on the screen or is some of it invented? At the end of the film, is Aimée's gesture toward Protée (grabbing his leg) a sign of erotic desire or affection?

CINQUIEME EDITION

Autour de la littérature

Ecriture et lecture aux cours moyens de français

Peter Schofer
University of Wisconsin

Donald Rice
Hamline University

Australia Brazil Canada Mexico Singapore Spain United Kingdom United States

Autour de la littérature
Cinquième édition
Peter Schofer | Donald Rice

Executive Editor: Carrie Brandon
Senior Acquisitions Editor: Lara Semones
Senior Content Project Manager: Esther Marshall
Assistant Editors: Morgen Murphy & Arlinda Shtuni
Marketing Manager: Lindsey Richardson
Marketing Assistant: Marla Nasser
Advertising Project Manager: Stacey Purviance
Managing Technology Project Manager: Sacha Laustsen
Manufacturing Manager: Marcia Locke
Compositor: Pre-Press Company
Project Management: Pre-Press Company
Photo Manager: Sheri Blaney
Text Permissions Editor: Sylvie Pittet
Text Designer: Linda Beaupré
Senior Art Director: Bruce Bond
Cover Designer: Liz Harasymczuk
Text & Cover Printer: Courier Stoughton
Cover image: © Eunenia Chang/Getty Images

Printed in the United States of America
1 2 3 4 5 6 7 10 09 08 07 06

Library of Congress Control Number: 2006924997

Student Edition: ISBN 1-4130-0583-7

Thomson Higher Education
25 Thomson Place
Boston, MA 02210-1202
USA

Credits appear on page iv, which constitutes a continuation of the copyright page.

Contents

Credits

7 Jean-Jacques Sempé, *Rien n'est simple* © Sempé et Éditions Denoël, 1962, 2002; **9** Claire Bretécher, «Les Inhibés» in *Les Frustrés*, 1985; **11** Jean-Jacques Sempé, *Rien n'est simple* © Sempé et Éditions Denoël, 1962, 2002; **16** Jacques Prévert, «Le Message» in *Paroles* © Éditions Gallimard © Fatras, succession Jacques Prévert pour les droits audio, électroniques et Internet; **21–22** Jacques Prévert, «Page d'écriture» in *Paroles* © Éditions Gallimard © Fatras, succession Jacques Prévert pour les droits audio, électroniques et internet; **32–34** Jean d'Arras, *Mélusine*; **37–38** Lucid Beausonge, «Tu t'demandes» in *Africaine* © Éditions Traficom Musik, www.friendship-first.com/lucidbeausonge_fr.htm; **43–44** «Le Déserteur» (B.Vian/B.Vian-H.Berg) © 1964 by Éditions Musicales DJANIK pour la France et le Bénélux. Éditions Paul Beuscher pour le reste du monde. Avec l'aimable autorisation des Éditions Paul Beuscher; **49–54** Guy de Maupassant, *Mon oncle Jules*, 1883; **60–62** Bernard Dadié, *Le Pagne noir* © Présence Africaine Éditions, 1970; **74–77** «Actes Sans Paroles» by Samuel Beckett. French language © 1971 by Éditions de Minuit. Original Copyright © 1959 by Samuel Beckett. Reprinted by permission of Georges Borchardt, Inc., on behalf of Éditions de Minuit; **84–85** Marie de France, *Le Laüstic*; **90** Paul Verlaine, «Chanson d'automne» in *Poèmes saturniens*, 1866; **95** Victor Hugo, «Demain, dès l'aube» in *Contemplations*, 1856; **99–101** Colette, «L'Autre femme» in *La femme cachée* © Éditions Flammarion, 1951; **106** Guillaume Apollinaire, «Le Pont Mirabeau» in *Alcools*, 1913; **117–124** Eugène Ionesco, «Le Maître» in *Théâtre, tome II* © Éditions Gallimard; **130–133** Maryse Condé, «Leçon d'histoire» in *Le cœur à rire et à pleurer* © Éditions Robert Laffont, 1999; **137–143** Birago Diop, «L'Os» in *Les nouveaux contes d'Amadou Koumba* © Présence Africaine Éditions, 1961, pp. 25-37; **149–150** Extrait de *Contes*, Jacques Ferron, Éditions Hurtubise HMH, Montréal, 1968; **166** Anne Hébert, «Pluie» in *Œuvre poétique*, Montréal © Éditions du Boréal, collection «Boréal Compact», 1992, pp. 104-105; **171–175** Emile Zola, «Le Grand Michu» in *Nouveaux Contes à Ninon*, 1874; **190** Arthur Rimbaud, « Le Dormeur du Val» in *Poésies*, 1870; **195–206** Joseph Zobel, «Le Retour de Mamzelle Annette» in *Et si la mer n'était pas bleue* © Librairie-Éditions L'Harmattan, Paris; **213–218** «Tragédie» in *Théâtre sans animaux*, Jean-Michel Ribes © Actes Sud, 2004; **224–232** Assia Djebar, «Il n'y a pas d'exil» in *Femmes d'Alger dans leur appartement*, © Éditions Albin Michel, 1980; **237–239** Colette, «La Main» in *La femme cachée* © Éditions Flammarion, 1951; **245–249** Marie-Célie Agnant, «La Maison face à la mer» in *Le Silence comme le sang* © Éditions du remue-ménage, 1997, pp. 45-52.

Preface

The fifth edition of *Autour de la littérature* retains its unique approach to literature, encouraging students to play and create with the language as they explore both classical and non-traditional French and Francophone literature. The fifth edition consists of thirty-one texts divided into three groups on the basis of difficulty. *Autour de la littérature* is printed in workbook format in order to facilitate writing activities and to break down the fear and mistrust that many students have of literature.

While maintaining the basic style and thrust of previous editions, we have made some changes aimed at responding even more directly to changing student interests.

New to the Fifth Edition

- Seven new texts, including: two poems (*Pluie,* Anne Hébert and *Le Dormeur du val,* Arthur Rimbaud), two plays (*Acte sans paroles I,* Samuel Beckett and *Tragédie,* Jean-Michel Ribes), and three short stories (*Leçon d'histoire,* Maryse Condé; *Mon Oncle Jules,* Guy de Maupassant; and *La Maison face à la mer,* Marie-Célie Agnant)
- A new advertisement section, *Publicité: Les vacances au Portugal* and the Givenchy perfume advertisement
- Specific suggestions for discussion topics related to each text
- Guides for websites to expand knowledge beyond each of the texts
- Optional comprehension questions to help students read all of the prose passages in the book

Autour de la littérature is intended for use at both the college and the high school levels. The large number and great variety of texts (more than would ever be used in any single course) as well as the "hands on" nature of the activities allow the teacher to make use of the texts in classes of differing emphases and ability levels. The easier texts can be used from the start of third-semester college (and third-year high school) French; the texts of moderate difficulty can work nicely in fourth-semester college (and fourth-year high school) courses; the more difficult texts are most appropriate for fifth-semester college (and fifth-year high school levels). Ultimately, however, the timing and choice of texts depends on your own sense of your students. The book can be used in conjunction with other materials (grammar review, conversation, culture) or on its own as a text in a reading course. The materials are set up to be worked on in small blocks, alternating with other subjects and skills; however, the book is flexible enough to allow for more concentrated work in longer blocks of time.

To the Student

As a child, you probably had contact with literature—fairy tales, children's stories, comic books, myths and legends. You may have continued to read literature—adventure tales, mystery stories, classics; or you may have switched to reading non-literary texts—magazine articles, textbooks, technical papers. Whatever your situation, you now face two challenges when beginning to read literature in French: the first involves vocabulary; the second, the text itself.

Dealing with Words You Don't Know

You have only been studying French for a limited amount of time; as a result, there are countless words that you have never seen before, and many of these words appear in literary texts. For example, in the following passage, the first paragraph of *L'Hôte,* a short story by Albert Camus, there are probably ten or more words that are new to you.

> **L'instituteur regardait les deux hommes monter vers lui. L'un était à cheval, l'autre à pied. Ils n'avaient pas encore entamé le raidillon abrupt qui menait à l'école, bâtie au flanc d'une colline. Ils peinaient, progressant lentement dans la neige, entre les pierres, sur l'immense étendue du haut plateau désert. De temps en temps, le cheval bronchait visiblement. On ne l'entendait pas encore, mais on voyait le jet de vapeur qui sortait alors de ses naseaux. L'un des hommes, au moins, connaissait le pays. Ils suivaient la piste qui avait pourtant disparu depuis plusieurs jours sous une couche blanche et sale. L'instituteur calcula qu'ils ne seraient pas sur la colline avant une demi-heure. Il faisait froid; il rentra dans l'école pour chercher un chandail.**

Because of this gap between your vocabulary and that of the author, while you probably have a general idea as to what the paragraph talks about, there are important details that you miss. In casual reading, we often just continue, accepting the fact that our knowledge of detail (even when reading texts in our native language) is imperfect. When reading literature closely, however, details are important. The temptation thus is to turn to the dictionary and look up, one by one, all the words we don't know. Certainly, dictionaries are essential when reading literature. However, it may not be necessary to consult the dictionary for every word you don't know; moreover, using a bilingual dictionary (in this case, French-English) does require some skill. Here are some suggestions about what to do *before* opening the dictionary and then about *how* to use a French-English dictionary.

1. Begin by using what you know. One obvious first step is to look for cognates—words that are similar in the two languages. In the Camus passage from above, words such as **abrupt, progressant, plateau,** and **calcula,** should pose no problem to English speakers. In addition, with a little imagination, words such as **flanc** and even **jet** and **vapeur** could be added to the list. A second category of "familiar" unfamiliar words are those that belong to the same family as words you know. For example, if you know the word **bâtiment,** then **bâtie** is easily recognizable.

2. Guess intelligently from context. If, on the basis of known words and those you can recognize as cognates or words of the same family, you can get a feel for the general topic of the paragraph, then it may be possible to deduce logically the meaning of certain words. Talking about the horse, the text says: **On ne l'entendait pas, mais on voyait le jet de vapeur qui sortait alors de ses naseaux.** When you ask yourself what kind of a "jet of vapor" could be seen coming from a horse at a distance (too far away to be heard), one might well come up with the idea of "breath" or "steam" coming from the horse's "nose" or "nostrils." In a similar fashion, when the **instituteur** goes back inside to look for something because of the cold, you might well guess that **chandail** refers to an article of clothing.

3. Check the dictionary carefully. When you do need to have recourse to the dictionary, it is important that you not be too hasty. Some definitions are very simple to find. For example, if you look up **raidillon,** you'll probably find a single definition: "short steep rise." On the other hand, if you go to the word **instituteur,** you have two choices—"founder" (of a hospital, an order, etc.) or "schoolmaster." It is only by checking the text (the word **école** at the end of the paragraph) that one can be sure. Even more difficult is the word **piste;** the definitions provided include "circus ring," "racetrack," "landing strip," "skating rink," "lane (on a track)," "trail," "track," "scent." Again it is the context that leads you to choose "track" or "trail." In some cases, grammatical considerations enter into play; the verb **peiner** has slightly different

meanings depending on whether it is transitive (followed by a direct object) or intransitive (not followed by a direct object); in the paragraph, the verb is used without an object; consequently, it does not have the sense of "to grieve" or "to pain" but rather "to labor, to work hard at." Finally, many times you are dealing with a group of words. A fairly easy example is the expression **de temps en temps;** while you might well get the meaning of the expression from looking up the first definition of **temps,** you will find the entire expression also defined ("now and then, from time to time"), provided you keep looking until the sixty-first line of the definition! A more difficult example, chosen from a later paragraph, is the sentence **Il fit mine de se lever.** You need first to recognize that what you need to look up is the expression **faire mine de; mine,** by itself, means "face," but in combination with **faire** and **de** it has the sense of "to make as though to," a definition you will find if you don't give up before the eighteenth line in the dictionary. In short, when you do go to the trouble of looking up a word, be thorough in your search and then check your meaning against the context.

Of course, these three skills—recognizing cognates and word families, guessing from context, using a dictionary—complement each other. The more you read, the more skilled you will get at combining these approaches so that you will understand more words and more expressions in less time.

Completing the Text

The second of the challenges alluded to above involves the nature of literary texts—the fact that they are always incomplete. Because of their incompleteness, it falls upon the reader to complete the text. We often tend to read fairly passively; **i.e.,** we concentrate mainly on taking information *from* the text. However, when working with literature, we need to read actively; **i.e.,** to bring "information" *to* the text. In fact, we have always done this; it would be impossible to read even the simplest children's story without making some connections and associations that the author has only suggested. However, the more difficult the text, the more systematic must be the efforts to connect and to associate.

Let us return to the paragraph from *L'Hôte.* Some of the connections and associations are rather simple. When you read the final sentence in the paragraph, **Il faisait froid; il rentra dans l'école pour chercher un chandail,** you recognize a cause-effect relationship even though the text does not specifically use the word **parce que.** Similarly, the association of **froid** and **neige** leads to the conclusion that the story takes place in winter even though the word **hiver** does not appear in the paragraph. Other processes are more complex. For example, the physical space (rough, hilly country; immense desert-like plateau), the sense of time (the snow cover existing for several days, the slow and difficult movements of the men and horse), the impersonality of the characters (so far, they don't have names) might lead you to associate a sense of desolation and isolation with the scene and, by extension, with the main character (the schoolmaster). Subsequent paragraphs, offering material for more connections and associations, will either confirm or throw into question these initial conclusions. However, these meanings come into play only to the extent that you participate actively in the reading process.

In a sense, the reader must "write" the text along with the author. Just as the author (re)reads as he or she writes, the reader writes as he or she reads. It is for this reason that we have structured *Autour de la littérature* in a way that emphasizes the fundamental interrelationship between writing and reading. Each literary selection is presented to you within a three-part structure. The pre-reading section ***(Pré-lecture)*** offers you the chance to write *before* you read. This allows you to explore what you are bringing to the text (what you already know, feel, and think about the subject) and at the same time gives you the opportunity to become familiar with the vocabulary in the text you will need for discussion. The second section ***(Lecture)*** requires you to read the text and points you in the direction of some of the more complex connections and associations you might make. Finally, the post-reading section ***(Post-lecture)*** asks you to write again; you have the opportunity to propose your own interpretation of the text or to use your imagination to create a similar text. We hope that this continual interplay between writing and reading will help break down whatever inhibitions or fears you may have and will lead you to make reading literature a "primetime" activity.

The Website

The website for *Autour de la littérature* (www.thomsonedu.com/french/schofer) consists of three sections: (1) a reading tutorial for the prose texts, (2) color copies of the ads, and (3) websites and activities to be used in doing the ***Post-lecture*** web activity.

The reading tutorial consists of a series of questions designed to help you make your way through the text denoted with integrated web references [maked as such: **Q 7–10** www]. These questions focus on the story—both on what happens as well as on the characters' motivations. When you select an answer, you can receive immediate feedback as to whether your choices are correct, and at the same time you are directed toward words and expressions that support or contradict your answers. These questions do *not* replace the ***Lecture*** sections of the textbook. Rather it is our hope that they will show you the importance of paying attention to details while reading and thus assist you in preparing responses to the ***Lecture*** activities. You have the option of reading the text and then going online to do the reading tutorial questions and answers or, since an icon in the text marks the segments on which the questions are based, to work simultaneously with the text and the online materials.

The color copies of the ads, as well as some additional ads treating related topics, are also available on the site. You will thus be able to better complete some of the ***Lecture*** activities in the text.

Finally, one of the ***Post-lecture*** activities for each text involves doing research on the Web. In some cases, you'll be discovering information about France or a Francophone country; in other cases, you'll be learning more about an author, his/her works, and/or the literary, historical, and cultural contexts in which he/she wrote. You will find on the *Autour de la littérature* web page devoted to that text two or three useful sites to explore as well as some questions to guide your research.

Acknowledgments

The authors would like to thank all those at Heinle who helped us prepare this fifth edition: Lara Semones, Esther Marshall, Morgen Murphy, and Arlinda Shtuni. The authors would also like to acknowledge the following colleagues who reviewed the materials and offered feedback for this edition:

Mary Kathleen Blanchard, *Augusta State University*
Christine Brookes, *Central Michigan University*
Robert Chumbley, *Louisiana State University*
Tom Conner, *St. Norbert College*
Page Curry, *Bellarmine University*
Kathryn Lorenz, *University of Cincinnati*
Josy McGinn, *Syracuse University*
Mary Anne O'Neil, *Whitman College*
Antoinette Sol, *University of Texas, Arlington*
Ulrike Stroszeck, *Duke University*
Robert Viti, *Gettysburg College*
Elizabeth Weber, *University of Illinois, Chicago*
Lawerence Williams, *University of North Texas*

Introduction

QUE LES JEUX COMMENCENT!

«Ce n'est pas avec des idées qu'on fait un poème, Degas, c'est avec des mots.»

Comme le dit Mallarmé, la littérature, ce sont d'abord les mots. Pourtant, lorsque nous pensons aux mots, nous avons souvent tendance à les considérer simplement comme des outils pour la communication et nous oublions que les auteurs, comme nous, peuvent jouer avec les mots. Nous perdons de vue deux notions fondamentales à l'égard des mots: (1) que les mots ne sont pas de simples outils avec un seul sens clair et simple, mais qu'ils ont plusieurs sens; et (2) que les mots ont deux dimensions: le côté matériel (les lettres, les sons) et le côté intellectuel (le sens). Apprendre la langue et lire la littérature, c'est justement apprendre à jouer avec les mots—avec le sens des mots, avec le son des mots et surtout avec les associations provoquées par les mots. Voici quelques exercices qui vous permettront de commencer à jouer avec les mots. Ainsi, vous pourrez vous préparer à lire et à écrire des textes.

A. Le sens des mots

1. Pour commencer, regardez les adjectifs suivants:

   agacé • exaspéré • fâché • furieux • irrité

   Ils expriment tous l'idée de mécontentement. Mais pourquoi y en a-t-il plusieurs? Cherchez dans un bon dictionnaire (français-français, si c'est possible) les cinq adjectifs donnés ci-dessus; regardez surtout les exemples qui illustrent les définitions. Puis essayez de classer ces mots selon l'intensité de mécontentement qu'ils expriment.

   le moins intense ______________________ le plus intense

2. Racontez de petites anecdotes pour illustrer clairement le sens précis de deux (2) de ces mots. Vous pouvez utiliser les personnages ou les situations proposés ci-dessous, ou bien vous pouvez trouver vos propres sujets.

Modèle: Mon oncle est furieux. Sa femme vient de le quitter pour aller en Europe avec son meilleur ami. Elle dit qu'elle ne veut pas divorcer mais qu'elle a besoin de changer de vie. Mon oncle n'accepte pas cette explication; il veut la tuer.

Suggestions: des parents et leurs enfants • des frères et des sœurs • des camarades de chambre • les résultats d'un match sportif • les notes scolaires • le mauvais temps

B. Le son des mots

1. L'exemple le plus frappant du jeu de sons, c'est la rime en poésie. Composez un poème de quatre vers *(lines of poetry)* en les faisant rimer; vous pouvez utiliser pour la rime les combinaisons de mots suggérées ou vous pouvez trouver vos propres rimes.

Suggestions: vent • souvent...
vieux • yeux

2. La poésie se compose aussi de rimes intérieures—c'est-à-dire de sons (ou de mots) qui sont répétés. Parfois ces sons produisent un non-sens, un manque de sens, comme dans le poème suivant.

Lecture

Robert Desnos

Le Bonbon

Je je suis suis le le roi roi
    des montagnes
j'ai de de beaux beaux bobos beaux beaux yeux yeux
    il fait une chaleur chaleur

j'ai nez
j'ai doigt doigt doigt doigt doigt à à
chaque main main
j'ai dent dent dent dent dent dent dent
    dent dent dent dent dent dent dent
    dent dent dent dent dent dent dent
    dent dent dent dent dent dent dent
    dent dent dent dent

Tu tu me fais fais souffrir
mais peu m'importe m'importe
    la la porte porte.

a. Lisez le texte à haute voix pour en apprécier le jeu avec les sons.

b. Pouvez-vous trouver des raisons pour certaines de ces répétitions?

c. En suivant l'exemple du poème *Le Bonbon,* écrivez un petit poème ou un petit paragraphe basé sur la répétition de sons et de mots. Choisissez un des groupes de mots donnés ci-dessous comme point de départ; ajoutez d'autres mots, puis créez votre texte.

— son / bon / ton / dont / ...
goût / goûter / mou / sous / loue / ...

— acheter / appeler / amener / accuser / ...
sur / pur / mûr / ...

— chat / chien / chaussures / chasser / ...
leur / sœur / meurt / ...

C. Les associations de mots

1. Prenons le mot *rouge.*

   a. D'abord, cherchez dans la liste donnée ci-dessous des mots que vous associez à ce mot. Mettez un cercle autour des mots que vous choisissez.

   froideur • chaleur • joie • stérilité • passion • danger • vitesse • arrêter • continuer • interdiction • lait • vin • Espagne • Allemagne • flamme • neige

   b. Prenez trois des mots que vous avez trouvés et expliquez pourquoi ils sont liés au mot *rouge.*

   c. Cherchez dans la liste les mots qui sont opposés au mot *rouge.* Notez ces mots ici:

   d. Maintenant prenez une autre couleur (de votre choix) et faites une chaîne d'associations de mots liés à cette couleur. Cette fois n'hésitez pas à y mettre des mots qui y sont associés par le son aussi.

e. Choisissez une couleur (rouge ou celle de votre choix). En utilisant les mots que vous avez associés à cette couleur, écrivez un paragraphe inspiré par cette couleur mais sans la nommer.

D. Les comparaisons

1. Quand nous parlons et écrivons, nous nous servons souvent de comparaisons et de métaphores. Au lieu de dire que le professeur est méchant, on dit que le professeur «est un rat» ou qu'il «ressemble à un serpent». Terminez les phrases suivantes en inventant vos propres comparaisons. Cherchez à être aussi drôle que possible.

   a. Mon chien est comme...
   b. Son frère (Sa sœur) ressemble à...
   c. Ses idées sont comme...
   d. Leur famille est pareille à...
   e. Il (Elle) danse comme...
   f. Notre vie est comme...
   g. Mon oncle a... (partie du corps)... d'un(e)...
   h. Notre professeur parle comme...

2. Composez un tout petit poème de trois ou quatre vers sur la vie ou sur l'amour en prenant comme point de départ une comparaison avec *comme*. Vous pouvez vous inspirer de la liste suivante, si vous voulez.

une rose • fleurir • tous les jours • une fraîcheur • pousser • grandir • vert • jaune • rouge • délicat • fort • beau • un orage • tonnerre et éclairs • pleuvoir • de la pluie • arroser • la tristesse • des disputes • des nuages • le soleil • jaune • gris • brillant

E. Les relations de mots

1. La causalité

a. Regardez la bande dessinée de Sempé (p. 7). Complétez la conversation entre les deux hommes en insistant sur les explications que doit donner le monsieur dont la voiture est tombée en panne.

Vocabulaire utile

une voiture en panne • la nuit • une maison déserte et délabrée • la campagne • le capot • les outils • une lampe • les volets • la porte • des gens

ouvert • fermé • étonné • fâché

faire noir • tomber en panne • regarder • essayer de réparer • éclairer • aller • frapper • hurler • appeler sans succès • répondre • s'étonner • s'écraser contre • heurter • faire un grand bruit

Le second monsieur (dans sa voiture): Imbécile! Pourquoi avez-vous laissé votre voiture au milieu de la route?

Le premier monsieur (devant sa voiture):

Le second monsieur: Mais qu'est-ce que vous me racontez? Vous n'avez qu'à regarder. Moi, je compte neuf personnes dans la maison. Comment expliquez-vous cela?

Le premier monsieur:

Dessin de Sempé

VOCABULAIRE UTILE

marcher vite (lentement) • taper • cogner • bousculer • regarder méchamment • parler timidement (brutalement) • vouloir • hurler • engeuler • se pencher • avoir honte • demander pardon à • rire • dominer • se mettre par terre • imaginer • penser • avoir l'air assez grand • avoir l'air assez jeune

rêveur • indifférent • blasé • petit • gros • costaud • dur • méchant • impoli • fâché • abattu

b. Regardez la bande dessinée *Les Inhibés* de Claire Bretécher (p. 9). On y trouve trois histoires: celle, plus ou moins objective, des deux femmes dans la rue; celle qui représente la vie imaginaire d'une des femmes; et celle qu'un observateur pourrait inventer pour expliquer les deux premières histoires.

1. Racontez d'abord ce qu'on voit dans la rue même: l'aspect physique des deux femmes, ce qu'elles font, leurs gestes.

2. Racontez ensuite les pensées, les désirs, les fantasmes de la première femme. Vous pouvez utiliser des expressions telles que: elle pense que • elle voudrait que • elle imagine que.

3. Racontez enfin l'histoire du point de vue d'un observateur qui essaie d'expliquer les actions de la première femme (Pourquoi réagit-elle si violemment dans son imagination? Pourquoi est-elle si timide dans la vie?) et de l'autre femme (Pourquoi ne réagit-elle pas du tout?).

LES INHIBÉS

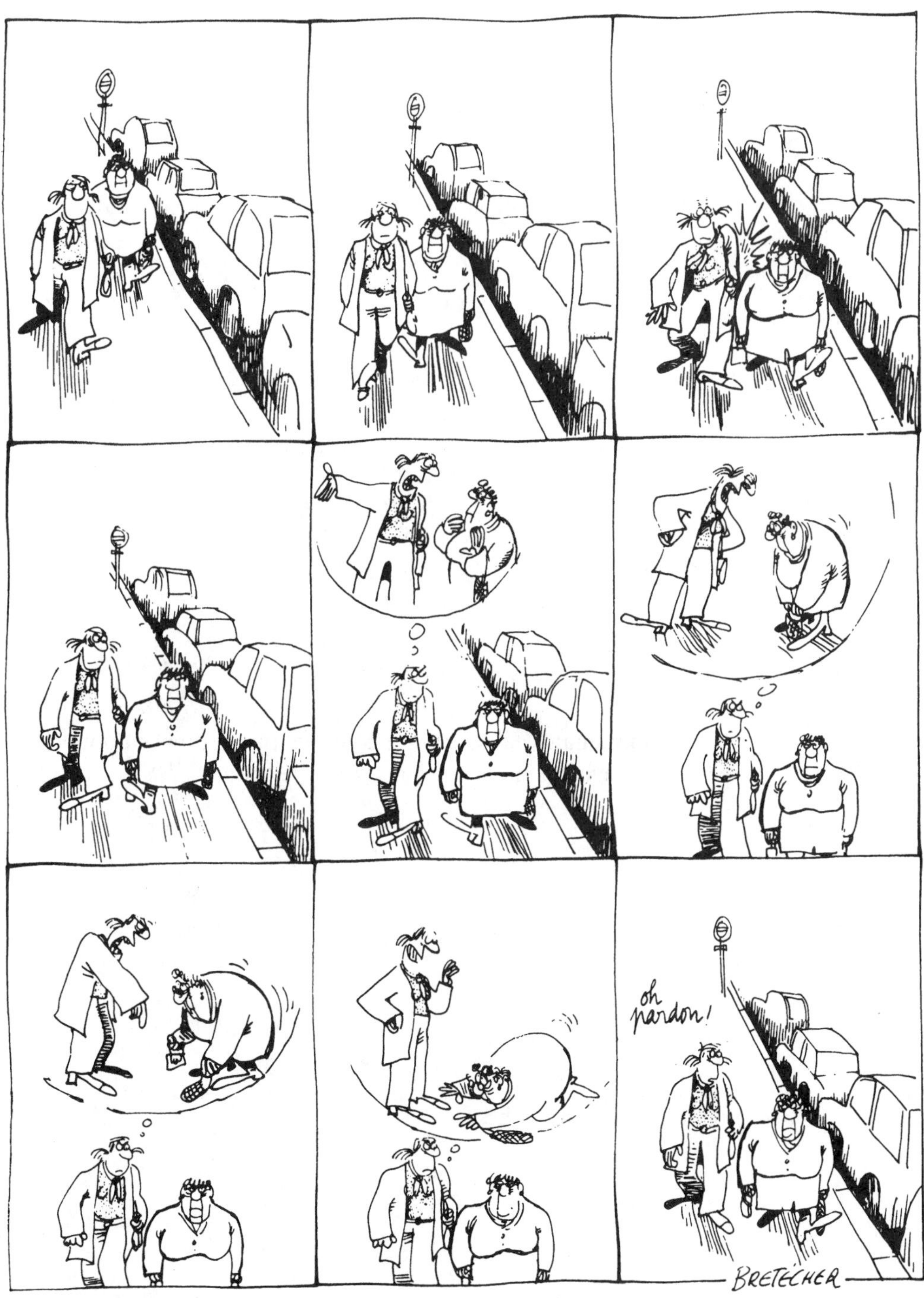

Les Inhibés

2. Les associations et les oppositions

a. Trouvez dans la liste suivante des mots qui ont une correspondance; mettez un cercle autour des mots que vous choisissez.

le ciel • la montagne • la maison • courir • un avion • un bœuf • grimper • chanter • un aigle • une tour • les vêtements • l'océan • voler

b. Sur quelle association la correspondance est-elle fondée?

c. Maintenant établissez une nouvelle liste de mots en opposition avec les mots que vous venez de choisir.

Dessin de Sempé

Vocabulaire utile

un hôtel en pierre • la mer • le boulevard • la promenade • des palmiers • des collines • la jetée • le toit • la chambre • l'entrée • du vent • de l'eau • de la pluie • un orage

chaud • froid • frais • triste • morne • grognon • mécontent • fâché • joyeux • ravi

regarder • lire • jouer aux cartes (échecs) • rire • se disputer • se plaindre • s'ennuyer • dormir • crier • danser • courir • chanter

d. Regardez la scène de l'hôtel de vacances (p. 11). Faites une description de cette scène en insistant sur les rapports de correspondance et d'opposition que vous pouvez y découvrir.

e. Composez un petit poème ou faites une courte description fondé(e) sur une des oppositions suivantes.

Suggestion: Choisissez une opposition; pour chaque terme de cette opposition, faites une liste de mots qui y sont associés.

grand ou petit • violence ou paix • beau ou laid • aimer ou haïr • vieux ou nouveau • nature ou ville • doux ou cruel

Première partie

Textes moins difficiles

Le Message

Jacques Prévert

Jacques Prévert (1900–1977) a commencé sa carrière littéraire dans le mouvement surréaliste, qui avait comme but de défaire la logique du langage bourgeois et de mettre en question les concepts de l'art occidental. A partir de 1930, Prévert reste fidèle à sa recherche d'un langage nouveau, mais il s'engage de plus en plus dans la politique et dénonce la pauvreté et l'oppression. Son œuvre touche les marginaux—les artistes bohèmes, les ouvriers, les pauvres et les malchanceux. Prévert a réussi à remplir ce rôle d'écrivain populaire dans le domaine de la poésie aussi bien que dans celui du cinéma, pour lequel il a écrit un grand nombre de scénarios. Son recueil de poésie le plus célèbre, *Paroles* (1946), chante la simplicité et l'ironie de la vie quotidienne moderne. D'autres textes représentent des critiques acerbes de la politique et de l'injustice sociale. Parmi ses scénarios de films les plus connus, on peut citer *Quai des brumes* et *Les Enfants du paradis.*

Le Message se compose de mots simples et il décrit un événement quotidien que tout le monde reconnaît, mais la virtuosité de Prévert en tire une signification étonnante et tragique.

Pré-lecture

A. Terminez les propositions suivantes en mettant les verbes au passé composé et en ajoutant *que* ou *où;* cherchez dans un dictionnaire le sens des mots que vous ne connaissez pas.

Modèles: La grenouille quelqu'un attraper
La grenouille que quelqu'un a attrapée.

Le lac quelqu'un nager
Le lac où quelqu'un a nagé.

1. La porte quelqu'un ouvrir
2. La porte quelqu'un fermer
3. La chaise quelqu'un s'asseoir

4. Le chat quelqu'un caresser

5. Le fruit quelqu'un mordre

6. La lettre quelqu'un lire

7. La chaise quelqu'un renverser

8. La porte quelqu'un ouvrir

9. La route quelqu'un courir

10. Le bois quelqu'un traverser

11. La rivière quelqu'un se jeter

12. L'hôpital quelqu'un mourir

B. Composez une histoire, un poème ou un essai cohérent selon le modèle.

Modèle: La maison où j'ai habité.
Le livre que j'ai lu...

UN OBJET *QUE* OU *OÙ* UNE PERSONNE UN VERBE (AU *PASSÉ COMPOSÉ*)

1.

2.

3.

4.

5.

6.

7.

8.

9.

10.

Lecture

Jacques Prévert

Track 2

Le Message

La porte que quelqu'un a ouverte
La porte que quelqu'un a refermée
La chaise où quelqu'un s'est assis
Le chat que quelqu'un a caressé
Le fruit que quelqu'un a mordu
La lettre que quelqu'un a lue
La chaise que quelqu'un a renversée
La porte que quelqu'un a ouverte
La route où quelqu'un court encore
Le bois que quelqu'un traverse
La rivière où quelqu'un se jette
L'hôpital où quelqu'un est mort.

Questions sur le texte

C. Ce poème raconte (ou suggère) une petite histoire.

1. Racontez cette histoire selon le modèle suivant.

Modèle: Quelqu'un a ouvert une porte. Cette personne est entrée et...

2. Qu'est-ce qui n'est pas expliqué? Quels détails le lecteur est-il obligé d'imaginer?

D. Le texte est composé de multiples répétitions.

1. Quels sont les noms qui se répètent?

2. Quels sont les noms qui ne sont pas répétés?

3. Quelles différences voyez-vous entre les deux groupes de noms?

E. Les répétitions créent un certain effet et suggèrent certaines idées.

1. Quelle sorte de vie suggèrent-elles?

2. Quelle sorte de personne le mot *quelqu'un* suggère-t-il?

3. Comment imaginez-vous cette personne?

F. Chaque vers se termine par un verbe.

1. Quels sont les temps des verbes?

2. A quels moments est-ce que le temps des verbes change?

3. Quelle impression ce changement produit-il?

G. Le texte se compose de phrases qui ne sont pas achevées.

1. Récrivez le texte en faisant des phrases complètes selon le modèle.

   Modèle: Quelqu'un a ouvert la porte.
   Quelqu'un...

2. Quelle version du poème préférez-vous (fragments ou phrases complètes)? Pourquoi?

H. Le poème a pour titre *Le Message.*

1. A quoi le titre fait-il allusion?

2. A votre avis, quel est ce «message»?

Post-lecture

I. Ecrivez la lettre à laquelle on fait allusion dans le poème.

J. Ecrivez une version en prose du poème de Prévert en ajoutant les détails qui manquent—par exemple, donnez à ce «quelqu'un» une identité, imaginez sa vie, inventez une histoire qui explique ses actions.

K. Ecrivez un poème en imitant *Le Message.* Il n'est pas nécessaire que le sujet soit *quelqu'un.* Vous pouvez aussi utiliser d'autres pronoms relatifs (*qui, dont, à qui,* etc.), si vous voulez.

L. Faites un débat avec un(e) camarade de classe: Le suicide est-il justifié? Quelles seraient les alternatives?

M. Pour approfondir vos connaissances sur Jacques Prévert, visitez le site web **www.thomsonedu.com/french/schofer** et faites des activités et des recherches.

Phrases: Writing a letter (informal); Apologizing; Expressing a wish or desire; Expressing compulsion, obligation

Vocabulary: Dreams and aspirations; Family members; Problems

Grammar: Compound Past Tense: **passé composé;** Participle Agreement: **participe passé;** Relative Pronouns: **qui, que**

Page d'écriture

JACQUES PRÉVERT

Ce poème a pour sujet l'enseignement en France, qui est beaucoup plus rigide et régimenté qu'aux Etats-Unis.

Pré-lecture

A. Souvent à l'école, il y a un clown, ou un pitre, dans la classe, qui arrive à déranger la classe et à faire rire ses camarades. Faites une liste d'activités que vous associez à ce genre d'élève.

VOCABULAIRE UTILE

parler • faire tomber • jeter, lancer • dessiner au tableau • imiter • faire semblant de • jouer • cacher • regarder

B. Dans notre société, on met souvent *nature* et *culture* en opposition. Parfois la nature est vue comme mauvaise (la destruction, la bêtise, l'inconscience, etc.) et la culture est vue comme bonne (la création, l'intelligence, la justice, etc.); parfois la nature est vue comme bonne (la pureté, l'innocence, la beauté, etc.) et la culture est vue comme mauvaise (la rigidité, l'oppression, la méchanceté, etc.). Pensez à des exemples concrets qui illustrent les deux aspects de la nature et les deux aspects de la culture.

Lecture

Jacques Prévert

Track 3

Page d'écriture

Deux et deux quatre
quatre et quatre huit
huit et huit font seize...
Répétez! dit le maître
Deux et deux quatre
quatre et quatre huit
huit et huit font seize.
Mais voilà l'oiseau-lyre°
qui passe dans le ciel
l'enfant le voit
l'enfant l'entend
l'enfant l'appelle:
Sauve-moi
joue avec moi
oiseau!
Alors l'oiseau descend
et joue avec l'enfant
Deux et deux quatre...
Répétez! dit le maître
et l'enfant joue
l'oiseau joue avec lui...
Quatre et quatre huit
huit et huit font seize
et seize et seize qu'est-ce qu'ils font?
Ils ne font rien seize et seize
et surtout pas trente-deux
de toute façon
et ils s'en vont.
Et l'enfant a caché l'oiseau
dans son pupitre°
et tous les enfants
entendent sa chanson
et tous les enfants
entendent la musique
et huit et huit à leur tour s'en vont
et quatre et quatre et deux et deux
à leur tour fichent le camp°
et un et un ne font ni une ni deux
un à un s'en vont également.
Et l'oiseau-lyre joue
et l'enfant chante
et le professeur crie:

oiseau-lyre: an Australian bird, so named for its long tail which, when spread, is lyre-shaped

pupitre: desk

fichent le camp: to scram, get out of there

Quand vous aurez fini de faire le pitre°!
Mais tous les autres enfants
écoutent la musique
et les murs de la classe
s'écroulent° tranquillement.
Et les vitres° redeviennent sable
l'encre redevient eau
les pupitres redeviennent arbres
la craie redevient falaise°
le porte-plume° redevient oiseau.

to clown around · *to crumble* · *windowpanes* · *cliff* · *penholder*

Questions sur le texte

C. En principe, quel est le sujet de la leçon?

D. Que font les enfants avant l'interruption?

E. Et qu'est-ce qui interrompt la leçon du maître?

F. La répétition

1. Trouvez tous les exemples possibles de répétition dans le poème.

2. Qu'est-ce qu'ils suggèrent sur cette leçon?

G. Les associations

1. Qu'est-ce que vous associez à un oiseau?

2. Quelle(s) autre(s) chose(s) est-ce que vous associez à un oiseau-lyre?

3. Quels exemples de vos associations pouvez-vous trouver dans le poème?

H. Enumérez les transformations qui se produisent dans la deuxième moitié du poème.

Post-lecture

I. Composez un petit texte qui met en contraste un maître qui fait réciter une leçon de grammaire (ou d'histoire ou de géométrie) et un pitre qui dérange la leçon. Essayez d'écrire votre texte comme un petit poème, avec des phrases courtes, mais sans rimes et sans mètre.

J. Imaginez que vous êtes dans votre chambre en train de travailler. Un animal entre, et toute la chambre se transforme en un lieu naturel (une forêt, un champ, une plage au bord de la mer, par exemple). Racontez ces différentes transformations dans un «poème» semblable à celui de Prévert.

K. Rédigez un paragraphe où vous parlez des rapports entre *nature* et *culture* dans *Page d'écriture.*

L. Discutez avec des camarades de classe les rôles de la liberté personnelle, de la discipline et de la répression à l'école.

M. Pour approfondir vos connaissances sur la poésie de Jacques Prévert, visitez le site web **www.thomsonedu.com/french/schofer** et faites des activités et des recherches.

Phrases: Comparing and distinguishing; Writing about nature; Writing about structure

Vocabulary: Education; Classroom; Geography

Grammar: Direct Object: **le, la, l', les;** Present Tense: **présent;** Reflexive Construction with **se**

Le Ballon rouge: Le film

Albert Lamorisse

Albert Lamorisse (1922–1970), auteur de films documentaires et de films de voyages, est surtout connu pour ses films «pour enfants»—*Crin blanc, Birn* et *Le Ballon rouge.* Dans *Crin blanc,* il s'agit d'un cheval sauvage, qui vit en Camargue, une région dans le Midi de la France renommée pour ses troupeaux de chevaux et de taureaux qui parcourent à leur gré les vastes étendues.

Dans *Le Ballon rouge,* on voit se dérouler une histoire semblable. Le film se passe à Paris dans le quartier de Ménilmontant. Moins célèbre que les collines de Montparnasse et de Montmartre, Ménilmontant est l'endroit le plus élevé de Paris, notable pour ses rues étroites qui montent en pente. A l'époque du film (1956), les pauvres et les gens qui avaient des moyens modestes habitaient le quartier et le taux de criminalité était très élevé.

Pré-lecture

A. Les enfants ont presque toujours un objet favori qu'ils gardent avec eux—une poupée, un nounours *(teddy bear)* ou peut-être un jouet. Pensez à votre enfance ou à l'enfance de quelqu'un que vous connaissez et racontez l'importance d'un de ces objets favoris.

Vocabulaire utile

jouer • dormir • parler • tenir • amener • apporter • cacher

à la maison • à l'école • dans la rue

gentil • doux • jaloux • fâché • mécontent

B. Les humains et les animaux s'expriment autant par leur corps que par les mots: les grimaces, les gestes des mains, la position et les mouvements du corps et même la coloration du visage. Pour les émotions suivantes, décrivez une «expression corporelle» appropriée.

Vocabulaire utile

tordre • serrer • sauter • courir • caresser • trembler • reculer • toucher • frapper (fort)

doucement • vite • avidement

les poings • la figure le front • le ventre

vert • rouge • bleu • noir • blanc • pâle • livide

la colère

la crainte

l'amour

la joie

la tendresse

la timidité

Film

Regardez une ou deux fois le film. Pendant (ou après) la première fois, faites la première série d'exercices ci-dessous. Puis revoyez le film avant de faire la deuxième série d'exercices.

C. En regardant le film

1. Dans le film que vous allez voir, il y a très peu de dialogues, mais les personnages s'expriment par d'autres moyens. Notez comment chaque personnage exprime ses sentiments et ses idées. Trouvez plusieurs exemples pour chacun des personnages.

		Moyen d'expression	Sentiment ou idée
Modèle:	le petit garçon	courir	la crainte / il a peur
	le directeur d'école		
	les autres garçons		
	les gens dans la rue		

2. Comme les gens, le film lui-même nous «parle» par des effets sonores et visuels. Notez ces effets ci-dessous.

Bruits et musique	Sentiment ou idée

	Décor	Sentiment ou idée
Modèle:	plein soleil	joie

3. Il y a un rapport très étroit entre la musique, les bruits et le silence, surtout vers la fin du film. Notez les moments où il y a de la musique, ceux où il n'y a que des bruits et ceux où tout est silencieux.

Modèle: Bruits
la poursuite dans la petite rue

Musique	Bruits	Silence

4. Dans *Le Ballon rouge,* le ballon prend des qualités humaines (ce qu'on appelle de l'anthropomorphisme—attribution de qualités humaines aux objets et aux animaux). Notez des exemples d'anthropomorphisme.

Modèle: Le ballon suit le garçon et va à l'école.

D. En réfléchissant au film

1. Reprenez vos notes de la quatrième question dans la section ***En regardant le film*** et faites un portrait du ballon rouge—c'est-à-dire, décrivez son caractère.

2. Regardez vos notes pour la première question et faites un portrait des personnages du film, en insistant sur leurs moyens d'expression.

   le petit garçon

   le directeur d'école

   les autres garçons

   les gens dans la rue

3. Décrivez comment le décor (le ciel, le temps, les bâtiments, l'espace, etc.) exprime des émotions et des sentiments.

4. D'après vos notes, quels sont les rôles de la musique, des bruits et du silence dans le film? Quel sens chacun semble-t-il apporter au film?

Post-lecture

E. On aurait pu appeler ce film *Le Ballon rouge et le petit garçon contre le monde entier*. Racontez les différentes sortes de difficultés que le petit garçon et le ballon rencontrent avant la scène finale. Discutez des moments de plaisir et de joie qui s'y opposent.

F. Mise à part la présence du ballon, ce film est tout à fait réaliste. Décrivez comment le metteur en scène rend le film et le ballon «réalistes» (milieu, décor, gestes des personnages, couleurs, etc.).

G. Faites avec des camarades de classe le scénario d'un film comme *Le Ballon rouge,* où tout est réaliste avec un objet comme exception. Ensuite présentez-le en classe.

H. On dit souvent que *Le Ballon rouge* est un film d'enfants pour adultes. Qu'est-ce qu'il y a dans le film qui attire les adultes?

I. Pour en apprendre davantage sur le quartier de Ménilmontant, visitez le site web **www.thomsonedu.com/french/schofer** et faites des activités et des recherches.

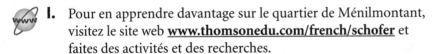

Phrases: Writing about an author; Sequencing events

Vocabulary: Colors; City; Body-gestures

Grammar: Present Tense: **présent;** Relative Pronouns: **qui, que;** Participle Agreement: **participe présent**

Mélusine

JEAN D'ARRAS

Mélusine veut dire littéralement «Mère Lusigne», la femme qui selon la légende a fondé l'une des grandes familles de France, la maison de Lusignan, au 12e siècle. Cette famille a réellement existé à Poitiers, dans l'ouest de la France. L'histoire sur les origines de cette famille est née dans la tradition populaire, c'est-à-dire les histoires que le peuple se racontait et passait d'une génération à une autre. Au 14e siècle, Jean d'Arras a écrit ce conte pour le duc Jean de Berry. L'auteur reste un personnage obscur, mais son patron, Jean de Berry, est connu comme un des plus grands connaisseurs des arts de son époque.

Pré-lecture

A. Dans l'histoire que vous allez lire, Mélusine est une fée *(fairy)*. En France, une fée peut être bonne ou méchante. Quels mots associez-vous aux fées?

B. Cette histoire raconte les origines légendaires d'une famille. Pensez à des légendes, puis essayez de créer ou de recréer une histoire du même genre. (Vous pouvez vous inspirer des histoires des Indiens d'Amérique, des enfants qui sont nés dans des champs de choux *[cabbage patch]*, d'Adam et Eve ou des héros de la civilisation grecque, par exemple.)

VOCABULAIRE UTILE

le destin, la destinée • un sorcier, une sorcière • un pouvoir magique • un maléfice • le bonheur, le malheur • un péché, un défaut, une faute • un poisson • un serpent • un champ • un chou • un cri de joie • un cri désespéré • des bijoux

sortir de la terre • descendre du ciel

C. Pendant que vous vous promenez dans un bois, vous rencontrez une très belle personne (homme ou femme). Vous tombez follement amoureux(-euse) de cette personne et vous lui demandez de vous épouser. La personne accepte à condition de pouvoir s'enfermer une fois par semaine dans sa chambre. Racontez la suite de cette histoire.

Vocabulaire utile

interdire • tenir une promesse • promettre à quelqu'un de l'épouser • jouir d'une fortune • guetter • espionner • veiller • se fâcher

1. Est-ce que vous acceptez cette condition?

2. Avec quels résultats?

3. Pourquoi la personne aimée s'enferme-t-elle dans sa chambre?

4. Que se passe-t-il pendant ce temps-là?

5. Comment le savez-vous?

6. Que se passe-t-il après chaque séjour de cette personne dans sa chambre? Est-ce qu'il y a d'autres caractéristiques bizarres chez cette personne?

D. Le passé simple

Donnez l'infinitif des verbes suivants, qui sont au passé simple. Cherchez le sens des verbes que vous ne connaissez pas.

il s'égara

il mit

ils lièrent

il revint

elle promit

elle fit

elle vécut

ils eurent

il naquit

il vit

Lecture

Jean d'Arras

Mélusine

Raymondin, comte de Poitiers, étant à la chasse°, s'égara° un soir dans la forêt et se trouva dans une clairière° qu'il ne connaissait pas. Au milieu, dans un bassin° de pierre, bouillonnait° une fontaine. Assise sur la margelle°, une dame en habit de gala peignait° ses longs cheveux blonds avec un peigne d'or°. Autour d'elle, plusieurs demoiselles semblaient être ses suivantes°, l'une tenait un miroir, une autre un coffret à bijoux°, une troisième un mouchoir de dentelle°.

Raymondin mit pied à terre° et s'approcha. Ils lièrent° conversation. La dame avait autant d'esprit° que de beauté et le comte s'en éprit follement°. Il revint plusieurs fois dans la forêt et lui demanda enfin de l'épouser.

Mélusine—ainsi s'appelait-elle—promit d'être sa femme à condition que tous les samedis elle pourrait s'enfermer° dans son appartement sans voir âme qui vive° de l'aube° jusqu'à minuit.

On célébra les noces° avec éclat°, malgré la grise mine° et les murmures des parents et amis du comte qui demandaient d'où sortait cette inconnue. Q 1–6

hunting / to get lost
clearing
pool / to bubble
edge
to comb / golden comb
servants
jewelry box
lace handkerchief
to get off his horse / to strike up / as much wit (intelligence) / to fall madly in love

to lock herself
without seeing anyone / dawn / wedding / with dazzle / in spite of the dour looks

Mélusine paraissait jouir° d'une immense fortune. En cadeau de noces, elle fit construire pour son mari le manoir de Lusignan, un château véritablement princier et elle y vécut heureuse avec Raymondin. Ils eurent des enfants, tous gaillards° et bien portants, mais qui tous présentaient quelque particularité bizarre.

Ainsi, le premier naquit avec une grosse dent toute poussée° au milieu de la mâchoire°. L'an d'après, un second fils vint au monde et l'on s'aperçut° bientôt qu'il avait un œil noir comme le jais° et l'autre bleu comme le ciel. Un troisième garçon suivit qui avait une oreille la moitié plus grande que l'autre.

Un jour, le frère de Raymondin le prit à part et lui dit:

—Frère, je ne suis pas tranquille. Comment se fait-il que chacun des enfants de Mélusine apporte au monde en naissant° quelque chose d'inhabituel? L'on dit que votre épouse, tous les samedis, s'enferme dans sa chambre et que nul°, pas même vous, ne peut la voir. N'aurait-elle point de commerce avec les esprits du mal?° Se livrerait-elle dans sa chambre à quelque maléfice?° N'auriez-vous pas épousé une sorcière°? **Q 7–10**

Raymondin commença par se fâcher tout rouge, puis, son frère revenant à la charge°, il admit que si les petits défauts de conformation° de ses enfants ne le troublaient guère, par contre, l'absence obstinée de Mélusine le samedi l'avait toujours tourmenté. Un samedi donc, les deux frères, vers le soir, se rendirent° à pas de loup° dans le couloir qui menait aux appartements de la comtesse. Raymondin, se baissant, colla° son œil au trou de la serrure°. Aussitôt, il recula°, pâle comme la mort. Son frère regarda à son tour et que vit-il? La belle Mélusine qui se baignait et peignait ses longs cheveux en chantant un air mélancolique. Ce qui l'épouvanta, comme Raymondin lui-même, c'est que depuis la ceinture° jusqu'en bas, le corps de la jeune femme était celui d'un serpent°...

Une fureur aveugle s'empara° de Raymondin. Prenant son élan°, il se jeta contre la porte et l'enfonça° d'un coup d'épaule. Mélusine, le voyant, poussa un cri terrible. Comme soulevée° par des ailes° invisibles, elle eut en un instant gagné l'appui de la fenêtre° ouverte et, jetant encore un long cri désespéré, elle se lança dans le vide°, dans la nuit.

Le comte, revenant à lui°, la chercha partout. Dans le jardin, sous la fenêtre, il ne vit d'autre trace qu'un peigne d'or gisant° à terre. Rien n'indiquait que la comtesse se fût blessée en tombant puis se fût traînée ailleurs pour mourir.° **Q 11–13**

De savants personnages consultés estimèrent que Mélusine devait être une fée condamnée pour quelque faute à se métamorphoser en serpent de la ceinture aux pieds tous les samedis, et qu'il devait lui être interdit° de révéler son secret à aucun être humain, fût-ce° son époux. «Il est probable, ajoutèrent les savants hommes, que l'infortunée conservera désormais° sa forme de monstre jusqu'à la fin des temps.»

Jamais Mélusine ne revint au château. Mais la nuit, parfois, lorsque les nourrices° qui veillaient° sur ses enfants s'endormaient, il leur semblait les entendre pleurer, puis ils se calmaient subitement. Au matin, les nourrices, effarées°, trouvaient autour de leurs lits de longues traces humides comme si une couleuvre° sortant de

to possess
strong, strapping
pushed out
jaw
to notice / jet black
in birth
none
Wouldn't she be communicating with evil? / Would she be creating some kind of evil spell? / witch / insisting on the subject / physical defects
to go
very quietly
to glue, to stick / keyhole / to step back
waist
snake
to seize / Gathering force / to smash in
to lift up / wings
to reach the window sill
emptiness, void
regaining his reason
lying
Nothing suggested that the countess had been wounded in the fall and then dragged herself elsewhere to die / forbidden / even were it / henceforth
nursemaids / to watch over
alarmed
grass snake

l'onde° était passée par là. On chuchotait° que Mélusine avait obtenu la permission de venir parfois la nuit bercer° et apaiser° ses fils lorsqu'ils faisaient quelque mauvais rêve...

waves (water) / to whisper / to rock / to calm

Le comte Raymondin, qui ne se consolait pas d'avoir écouté son frère, passa bien des nuits à faire le guet° dans la chambre des enfants, mais ces nuits-là, ils dormirent paisiblement et ni femme ni serpent n'apparurent.

to keep watch

Telle est l'histoire de Mélusine, fondatrice de la famille des Lusignan. On raconte que, par la suite, lorsqu'un danger planait sur cette lignée, on entendait au sommet de la tour° un long cri désespéré. C'est, disait-on, la fée Mélusine qui avertit° les siens du péril à venir... **Q 14–16**

castle tower
to warn

Questions sur le texte

E. Dans les cinq premiers paragraphes de cette histoire, on suggère de plusieurs manières que Mélusine est quelqu'un d'exceptionnel.

1. Quelles sont les qualités (physiques, intellectuelles, etc.) de Mélusine qui attirent le comte?

2. Quels sont les détails qui suggèrent déjà quelque chose de bizarre ou de surnaturel?

F. Le frère de Raymondin voit en Mélusine un être maléfique.

1. Qu'est-ce qu'il lui reproche? Quels autres éléments du texte renforcent son interprétation?

2. Quelle autre interprétation propose-t-on? Quels éléments du texte renforcent cette interprétation?

G. A la fin de la lecture, quelle idée vous faites-vous du personnage de Mélusine (bons éléments opposés aux mauvais; destin divin et destin diabolique, etc.)?

Post-lecture

H. En tenant compte des dernières phrases de l'histoire et du fait que Mélusine fut la fondatrice d'une grande famille de France, faites le portrait de cette famille à un autre moment de l'histoire.

I. Dans la mythologie contemporaine, la sirène *(mermaid)* est un exemple d'être de forme moitié humaine et moitié animale. Mélusine représente une variation particulière de ce modèle. Quel(s) sens symbolique(s) prend-elle dans votre esprit?

Suggestion: Trouvez dans l'histoire de Mélusine les objets, les qualités et les personnages qui semblent lui communiquer un sens symbolique.

J. Qu'est-ce que vous savez de vos origines? Pouvez-vous inventer des origines imaginaires à votre famille? Ecrivez-les sous la forme d'une légende.

K. Pour approfondir vos connaissances sur le duc de Berry et sur la légende de Mélusine, visitez le site web **www.thomsonedu.com/french/schofer** et faites des activités et des recherches.

Phrases: Describing people; Making transitions

Vocabulary: Body, body-face; Family members; Personality

Grammar: Possession with **de;** Possessive Adjectives: **leur, leurs;** Possessive Adjectives: **son, sa, ses;** Present Tense: **présent**

Tu t'demandes

LUCID BEAUSONGE

Lucid Beausonge (1954–) est née à Roubaix dans le nord de la France. Dès son jeune âge, elle apprend à jouer du piano et de la guitare et elle commence à composer des poèmes et des chansons. Sa carrière de chanteuse démarre pour de bon en 1982 avec son album, *Tu t'demandes,* qui comprend un mélange de «protest-songs» comme «Lettre à un rêveur» et de ballades romantiques comme la chanson du titre. A la suite d'un accident grave en 1987, elle abandonne la guitare et se consacre entièrement au piano. Depuis, elle fait des tournées au Québec et en Afrique, donne des concerts de piano-voix en France et continue à enregistrer des CD.

«Tu t'demandes» traite, d'un point de vue féministe, des problèmes de la réalité concrète de femmes et d'hommes vivant dans un monde où la communication semble parfois impossible. Tout en étant passionnée, cette chanson d'amour conserve une certaine réticence, se contentant de suggérer plutôt que d'expliquer les rapports entre la femme et son amant.

Pré-lecture

A. D'habitude on imagine l'amour en termes positifs: On accepte entièrement l'autre, qui répond à nos désirs et à nos demandes, etc. Mais l'amour a aussi son côté négatif. Imaginez un(e) petit(e) ami(e) qui ne répond pas à vos attentes.

VOCABULAIRE UTILE

ne... pas • ne... jamais

ne faire que • répondre • parler • se coucher • s'endormir • regarder

les bras • les mains • la voix • le silence

B. Vous êtes au lit, à côté de votre mari/femme qui dort. Qu'est-ce que vous pensez de lui/d'elle? Comment est-ce que vous le/la voyez?

C. Lorsqu'on écrit sur l'amour, on se sert souvent de métaphores et de comparaisons. Créez des comparaisons en vous inspirant du vocabulaire utile.

Modèle: Mon amour est comme l'éternité.

Vocabulaire utile

une rose: rouge • belle • épineuse

l'eau: fraîche • turbulente • claire • en cascade • limpide

une tempête • un orage • la pluie • le froid

un beau coucher de soleil • un jardin de fleurs • une montagne • un jour d'été

Lecture

Lucid Beausonge

Tu t'demandes

Tu t'demandes toujours ce qu'on attend de toi,
De ta voix, de tes pas, et des sourires
Que tu n'donnes pas.
Avec ton regard qui nuance les mots, les gestes
Qu'on n'retient° pas
Et qui s'entassent°, prennent de la place,
Que tu laisses là.

Tu t'endors toujours quand on rêve de toi,
De tes bras et voilà,
Qu'il ne me reste qu'une aura°
Avec ta peau comme un silence,
Et ton silence est comme un roi.
Quand tu commandes, je m'demande
Pourquoi suis-je là.

retient: *to hold back*
s'entassent: *to pile up*
aura: *halo*

Tu te couches avec le goût de l'au-delà°
Et ma foi, je ne sais pas
Si je te suivrai jusque là,
Avec tes mains faites de prudence
Et ta prudence à faire ton choix
Ces barricades roulent en cascades
Et je m'y noie°.

au-delà: the beyond, the super-terrestial world (also a play on words with eau)

noie: to drown

Questions sur le texte

D. Les pronoms dans le texte

1. Notez les pronoms dans le texte *(je/me, tu/te, on)*. Le(s)quel(s) représente(nt)...

   a. la femme?

   b. l'homme?

2. Lesquels des pronoms prédominent? Implicitement, quel personnage semble jouer un rôle dominant?

E. Les verbes dans le texte

1. Etudiez les verbes dans ce texte. Faites une liste des verbes associés, directement ou indirectement, à chaque personnage.

   a. l'homme

   b. la femme

2. Maintenant déterminez, à partir de vos listes, ce que ces verbes nous révèlent sur chaque personnage.

F. L'homme

1. L'homme, dans la chanson, est assez énigmatique, et nous ne le connaissons qu'à travers ses actions et les parties de son corps. Enumérez les actions et les parties du corps qui sont citées.

2. Maintenant expliquez les aspects moraux et émotionnels que ces actions suggèrent.

G. La femme

1. Qu'est-ce que la femme attend de cet homme? (Quels gestes? Quelles actions?)

2. Qu'est-ce qu'elle reçoit de lui?

H. Les métaphores

Chaque strophe contient un langage métaphorique (comme *s'entasser*). Notez les métaphores et décrivez ce qu'elles suggèrent.

Post-lecture

I. Qu'est-ce que la mélodie et l'adaptation de la version enregistrée ajoutent au sens et à l'émotion de la chanson? Quel est, d'après vous, l'effet général?

J. Récrivez cette chanson sous la forme d'une narration où la femme raconte sa vie avec cet homme.

K. Ecrivez votre propre chanson d'amour, en vous inspirant de vos comparaisons dans la ***Pré-lecture*** et de la chanson elle-même.

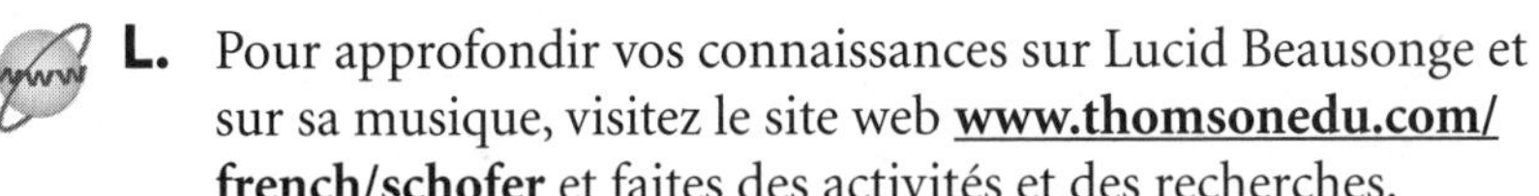

L. Pour approfondir vos connaissances sur Lucid Beausonge et sur sa musique, visitez le site web **www.thomsonedu.com/french/schofer** et faites des activités et des recherches.

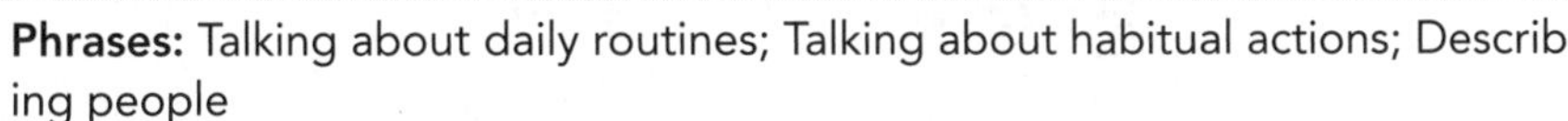

Phrases: Talking about daily routines; Talking about habitual actions; Describing people

Vocabulary: Body, body-gestures; House; Personality

Grammar: Reflexive Construction with **se;** Possessive Adjectives (summary); Pronouns: **je, me, moi;** Pronouns: **tu, te, toi**

Le Déserteur

Boris Vian

Né à Ville-d'Avray dans la banlieue parisienne, Boris Vian (1920–1959) a fait des études d'ingénieur avant de se consacrer peu à peu à la vie artistique. Critique et musicien de jazz (il jouait de la trompette), romancier *(L'Ecume des jours, L'Arrache-Cœur)* et dramaturge *(L'Equarrissage pour tous, Les Bâtisseurs d'Empire)*, il est devenu une figure mythique du Paris d'après-guerre, fréquentant le milieu existentialiste de Saint-Germain-des-Prés. Vian est mort à l'âge de 39 ans d'une maladie cardiaque dont il souffrait depuis l'adolescence. Après sa mort, son anticonformisme et son opposition aux valeurs bourgeoises ont fait de lui le héros culturel de plusieurs générations de jeunes.

Vian a été l'auteur de plus de 400 chansons, dont la plus connue est peut-être *Le Déserteur,* manifeste anti-militariste composé à l'époque de la guerre d'Algérie (1954–1962), un combat qui opposait les nationalistes algériens et leurs colonisateurs français. Cette lutte, que l'on peut comparer à la guerre au Viêt-nam, a divisé l'opinion et a donné lieu à de nombreuses manifestations.

Pré-lecture

A. Un déserteur

Qu'est-ce qu'un déserteur? Ecrivez un court paragraphe pour répondre à cette question.

Vocabulaire utile

un soldat • un conscrit • l'armée

déserter • abandonner • quitter (sans permission) • se réfugier • refuser de servir • protester (contre)

B. Le pour et le contre. On reçoit ses papiers militaires. Il faut décider si on va partir à la guerre ou pas.

1. Quels arguments pouvez-vous donner pour défendre la décision d'aller à la guerre?

2. Quels arguments pouvez-vous opposer à cette décision?

Vocabulaire utile

défendre son pays • obéir à la loi • suivre sa conscience • ne pas vouloir mourir • refuser de tuer • avoir le goût de l'aventure (du danger, de l'héroïsme)

les jeunes • les vieux • les anciens combattants • les innocents • l'ennemi • les envahisseurs • une guerre nécessaire • une guerre injuste

Lecture

Boris Vian

Le Déserteur

Monsieur le Président
Je vous fais une lettre
Que vous lirez peut-être
Si vous avez le temps

Je viens de recevoir
Mes papiers militaires
Pour partir à la guerre
Avant mercredi soir

Monsieur le Président
Je ne veux pas la faire
Je ne suis pas sur terre
Pour tuer des pauvres gens

C'est pas pour vous fâcher
Il faut que je vous dise
Ma décision est prise
Je m'en vais déserter.

Depuis que je suis né
J'ai vu mourir mon père
J'ai vu partir mes frères
Et pleurer mes enfants

Ma mère a tant souffert
Qu'elle est dedans sa tombe
Et se moque des bombes
Et se moque des vers°

vers: worms

Quand j'étais prisonnier
On m'a volé° ma femme
On m'a volé mon âme
Et tout mon cher passé

volé: to steal

Demain de bon matin
Je fermerai ma porte
Au nez des années mortes
J'irai sur les chemins.

Je mendierai° ma vie
Sur les routes de France
De Bretagne en Provence
Et je dirai aux gens

mendierai: to beg for

Refusez d'obéir
Refusez de la faire
N'allez pas à la guerre
Refusez de partir

S'il faut donner son sang°
Allez donner le vôtre
Vous êtes bon apôtre°
Monsieur le Président

sang: blood
bon apôtre: to play the saint, pretend to be well-intentioned

Si vous me poursuivez
Prévenez vos gendarmes
Que je n'aurai pas d'armes
Et qu'ils pourront tirer°.

tirer: to shoot

Questions sur le texte

C. En écoutant cette chanson, qu'est-ce qu'on apprend sur la vie du déserteur?

1. son passé (ses parents, sa femme)

2. sa situation actuelle

3. ce qu'il a l'intention de faire (Où ira-t-il? Que dira-t-il?)

D. La conclusion de la chanson

1. Dans quelle mesure le Président est-il «un apôtre»?

2. Dans quelle mesure pourrait-il «faire le bon apôtre»?

3. A quelle fin le déserteur s'attend-il? Quelle semble être l'attitude du déserteur à l'égard de cette fin? Pourquoi?

Post-lecture

E. Discutez avec vos camarades de classe des questions suivantes: A-t-on toujours le devoir de défendre son pays en cas de guerre? Y a-t-il des situations où on peut refuser d'être militaire? Lesquelles?

F. Vous êtes allé(e) à un concert où on a chanté *Le Déserteur*. Organisez un débat au sujet de cette chanson entre les personnages suivants: un ancien combattant, un jeune homme de 18 ans, une jeune femme de 18 ans, une veuve de guerre, un conseiller municipal, un prêtre (ou des gens de votre choix).

G. Nous sommes en 1954. Vous êtes un(e) jeune Français(e). On vous appelle à lutter dans la guerre d'Indochine. Votre famille a beaucoup souffert pendant la Deuxième Guerre mondiale. Ecrivez votre réponse à cet appel.

H. Imaginez que le Président ait répondu à cette chanson en écrivant au compositeur. Rédigez cette lettre.

I. Le texte de Vian traite d'un sujet controversé, mais la simplicité d'expression et les moyens poétiques atténuent la gravité de la pensée. Ecrivez un poème-chanson sur un autre sujet controversé—l'avortement, la Bombe, le terrorisme, la peine de mort, etc.

J. Pour approfondir vos connaissances sur Boris Vian et sur sa musique, visitez le site web **www.thomsonedu.com/french/schofer** et faites des activités et des recherches.

Phrases: Writing a letter (formal); Apologizing; Disagreeing; Disapproving; Expressing compulsion, obligation

Vocabulary: Family members; Countries; Problems

Grammar: Subjunctive: **subjonctif;** Infinitive Pronoun **vous;** Future Tense: **futur**

Mon Oncle Jules

Guy de Maupassant

Guy de Maupassant (1850–1893) est l'auteur de plus de 300 nouvelles et de six romans (dont *Bel-Ami* et *Pierre et Jean*). Garde mobile pendant la guerre franco-allemande, commis dans un ministère, athlète qui fréquentait les milieux aisés, il a pu observer les pauvres et les riches, les soldats et les bureaucrates, les citadins et les paysans. Grâce en partie à l'influence du grand romancier Flaubert, ami d'enfance de sa mère, Maupassant est devenu un des maîtres internationaux du conte. Le réalisme de ses œuvres est souvent teinté de pessimisme et d'ironie.

Bien que beaucoup de ses contes se passent à Paris, Maupassant situe un nombre important de nouvelles dans son pays de naissance, la Normandie. Connue pour la cultivation des pommes, l'élevage de vaches et la production de fromage, la Normandie donne sur la Manche, large bras de l'Atlantique qui sépare la France et l'Angleterre. Le Havre est le port principal de la région et l'un des ports les plus importants de la France, desservant la côte européenne et l'Amérique. *Mon Oncle Jules* joue sur l'idée de partir en bateau pour aller ailleurs.

Pré-lecture

A. Les ancêtres

Dans le passé, vos ancêtres sont probablement venus aux Etats-Unis après avoir quitté leur pays natal. Décrivez (ou imaginez) leurs raisons pour y venir, leurs premières années ici et leur vie 10 ans plus tard.

B. A la recherche d'une fortune

Vocabulaire utile

un travail sale • un travail dur • un salaire minable • la vie rude • la vie aisée • le confort • un patron exigeant • un patron accommodant

tomber malade • subir des insultes • s'amaigrir • s'épanouir • réussir • gagner une fortune

Même de nos jours, on part souvent pour faire fortune avec l'espoir de rentrer chez soi riche et respecté. Des exemples: les mineurs en Californie en 1848, les aventuriers de guerre, les travailleurs migrants. Racontez l'expérience d'un de ces «chercheurs de fortune».

C. Les vêtements

Vocabulaire utile

porter • mettre

riche • pauvre • propre • sale • attirant • répugnant • élégant • honteux • brillant • gênant

Selon le proverbe, «l'habit ne fait pas le moine». Néanmoins, on pourrait dire que les vêtements servent souvent à définir la personne. On a peu de considération pour une personne mal habillée tandis qu'on est attiré par une personne qui s'habille bien. Décrivez deux personnes habillées de manières totalement différentes et imaginez l'impression qu'elles créent.

D. Un membre de votre famille est parti faire fortune

Vocabulaire utile

joyeux(-euse) • désespéré(e) • impatient(e) • frustré(e) • curieux(-euse) • soulagé(e) • jaloux (-ouse) • déçu(e) • impressionné(e)

1. Faites une description de vos sentiments à son retour.

2. Décrivez vos sentiments s'il ne revient pas.

Lecture

Guy de Maupassant

Mon Oncle Jules

Un vieux pauvre, à barbe blanche, nous demanda l'aumône°. Mon camarade, Joseph Davranche, lui donna cent sous. Je fus surprise. Il me dit:

«Ce misérable m'a rappelé une histoire que je vais te dire et dont le souvenir me poursuit sans cesse. La voici:

Ma famille, originaire du Havre, n'était pas riche. On s'en tirait°, voilà tout. Le père travaillait, rentrait tard du bureau et ne gagnait pas grand-chose. J'avais deux sœurs.

Ma mère souffrait beaucoup de la gêne° où nous vivions, et elle trouvait souvent des paroles aigres° pour son mari, des reproches voilés° et perfides. Le pauvre homme avait alors un geste qui me navrait°. Il se passait la main ouverte sur le front, comme pour essuyer une sueur° qui n'existait pas, et il ne répondait rien. Je sentais sa douleur impuissante°. On économisait sur tout: on n'acceptait jamais un dîner, pour ne pas avoir à le rendre; on achetait les provisions au rabais°, les fonds de boutique°. Mes sœurs faisaient leurs robes elles-mêmes et avaient de longues discussions sur le prix du galon° qui valait cinquante centimes le mètre. Notre nourriture ordinaire consistait en soupe grasse° et bœuf accommodé à toutes les sauces. Cela est sain° et réconfortant, paraît-il; j'aurais préféré autre chose.

On me faisait des scènes abominables pour les boutons perdus et les pantalons déchirés°. **Q 1–3** www

Mais chaque dimanche nous allions faire notre tour de jetée en grande tenue°. Mon père, en redingote°, en grand chapeau, en gants, offrait le bras à ma mère, pavoisée° comme un navire° un jour de fête. Mes sœurs, prêtes les premières, attendaient le signal du départ; mais, au dernier moment, on découvrait toujours une tache° oubliée sur la redingote du père de famille, et il fallait bien vite l'effacer avec un chiffon mouillé de benzine°.

Mon père, gardant son grand chapeau sur la tête, attendait, en manches de chemise, que l'opération fût terminée, tandis que ma mère se hâtait, ayant ajusté ses lunettes de myope°, et ôté ses gants pour ne pas les gâter°.

On se mettait en route avec cérémonie. Mes sœurs marchaient devant, en se donnant le bras. Elles étaient en âge de mariage, et on en faisait montre° en ville. Je me tenais à gauche de ma mère, dont mon père gardait la droite. Et je me rappelle l'air pompeux de mes pauvres parents dans ces promenades du dimanche, la rigidité de leurs traits, la sévérité de leur allure; ils avançaient d'un pas grave, le corps droit, les jambes raides°, comme si une affaire d'une importance extrême eût dépendu de leur tenue.

to beg for money
to manage to get by
financial difficulties
harsh
veiled
to distress, upset
drop of sweat
powerless
at a discount / leftover stock
braiding
fatty
healthy
torn, ripped
dressed up / frock coat
decked out / ship
spot
cleaning fluid
nearsighted person
to ruin
to show off
stiff

Et chaque dimanche, en voyant entrer les grands navires qui revenaient de pays inconnus et lointains, mon père prononçait invariablement les mêmes paroles:

"Hein! si Jules était là-dedans, quelle surprise!"

Mon oncle Jules, le frère de mon père, était le seul espoir de la famille, après en avoir été la terreur. J'avais entendu parler de lui depuis mon enfance, et il me semblait que je l'aurais reconnu du premier coup°, tant sa pensée m'était devenue familière. Je savais tous les détails de son existence jusqu'au jour de son départ pour l'Amérique, bien qu'on° ne parlât qu'à voix basse de cette période de sa vie.

right away
even though

Il avait eu, paraît-il, une mauvaise conduite, c'est-à-dire qu'il avait mangé° quelque argent, ce qui est bien le plus grand des crimes pour les familles pauvres. Chez les riches, un homme qui s'amuse *fait des bêtises*. Il est ce qu'on appelle, un souriant, un noceur°. Chez les nécessiteux, un garçon qui force les parents à écorner° le capital devient un mauvais sujet, un gueux°, un drôle!

to go through, squander
high roller
to chip away at / rogue, villain

Et cette distinction est juste, bien que le fait soit le même, car les conséquences seules déterminent la gravité de l'acte.

Enfin l'oncle Jules avait notablement diminué l'héritage sur lequel comptait mon père; après avoir d'ailleurs mangé sa part jusqu'au dernier sou.

On l'avait embarqué pour l'Amérique, comme on faisait alors, sur un navire marchand allant du Havre à New York.

Une fois là-bas, mon oncle Jules s'établit marchand de je ne sais quoi, et il écrivit bientôt qu'il gagnait un peu d'argent et qu'il espérait pouvoir dédommager° mon père du tort° qu'il lui avait fait. Cette lettre causa dans la famille une émotion profonde. Jules, qui ne valait pas, comme on dit, les quatre fers d'un chien°, devint tout à coup un honnête homme, un garçon de cœur, un vrai Davranche, intègre comme tous les Davranche.

to repay / wrong
horse shoes on a dog

Un capitaine nous apprit en outre qu'il avait loué une grande boutique et qu'il faisait un commerce important.

Une seconde lettre, deux ans plus tard, disait: "Mon cher Philippe, je t'écris pour que tu ne t'inquiètes pas de ma santé, qui est bonne. Les affaires aussi vont bien. Je pars demain pour un long voyage dans l'Amérique du Sud. Je serai peut-être plusieurs années sans te donner de mes nouvelles. Si je ne t'écris pas, ne sois pas inquiet. Je reviendrai au Havre une fois fortune faite. J'espère que ce ne sera pas trop long, et nous vivrons heureux ensemble..."

Cette lettre était devenue l'évangile° de la famille. On la lisait à tout propos, on la montrait à tout le monde. Q 4–7 www

Gospel

Pendant dix ans, en effet, l'oncle Jules ne donna plus de nouvelles; mais l'espoir de mon père grandissait à mesure que le temps marchait; et ma mère aussi disait souvent:

"Quand ce bon Jules sera là, notre situation changera. En voilà un qui a su se tirer d'affaire°!"

to manage, succeed

Et chaque dimanche, en regardant venir de l'horizon les gros vapeurs° noirs vomissant sur le ciel des serpents de fumée, mon père répétait sa phrase éternelle:

steam boats

"Hein! si Jules était là-dedans, quelle surprise!"

Et on s'attendait presque à le voir agiter un mouchoir, et crier: "Ohé! Philippe."

On avait échafaudé° mille projets sur ce retour assuré; on devait même acheter, avec l'argent de l'oncle, une petite maison de campagne près d'Ingouville°. Je n'affirmerais pas que mon père n'eût point entamé° déjà des négociations à ce sujet.

L'aînée de mes sœurs avait alors vingt-huit ans; l'autre vingt-six. Elles ne se mariaient pas, et c'était là un gros chagrin pour tout le monde.

Un prétendant° enfin se présenta pour la seconde. Un employé pas riche, mais honorable. J'ai toujours eu la conviction que la lettre de l'oncle Jules, montrée un soir, avait terminé les hésitations et emporté la résolution du jeune homme.

On l'accepta avec empressement°, et il fut décidé qu'après le mariage toute la famille ferait ensemble un petit voyage à Jersey°.

Jersey est l'idéal du voyage pour les gens pauvres. Ce n'est pas loin; on passe la mer dans un paquebot° et on est en terre étrangère, cet îlot appartenant aux Anglais. Donc, un Français, avec deux heures de navigation, peut s'offrir la vue d'un peuple voisin chez lui et étudier les mœurs°, déplorables d'ailleurs, de cette île couverte par le pavillon° britannique, comme disent les gens qui parlent avec simplicité.

Ce voyage de Jersey devint notre préoccupation, notre unique attente, notre rêve de tous les instants. **Q 8–10**

On partit enfin. Je vois cela comme si c'était d'hier: le vapeur chauffant contre le quai de Granville; mon père, effaré°, surveillant l'embarquement de nos trois colis; ma mère inquiète ayant pris le bras de ma sœur non mariée, qui semblait perdue depuis le départ de l'autre, comme un poulet resté seul de sa couvée°; et, derrière nous, les nouveaux époux qui restaient toujours en arrière, ce qui me faisait souvent tourner la tête.

Le bâtiment° siffla. Nous voici montés, et le navire, quittant la jetée, s'éloigna sur une mer plate comme une table de marbre vert. Nous regardions les côtes s'enfuir, heureux et fiers comme tous ceux qui voyagent peu.

Mon père tendait son ventre, sous sa redingote dont on avait, le matin même, effacé avec soin les taches, et il répandait° autour de lui cette odeur de benzine des jours de sortie, qui me faisait reconnaître les dimanches.

Tout à coup, il avisa° deux dames élégantes à qui deux messieurs offraient des huîtres°. Un vieux matelot déguenillé° ouvrait d'un coup de couteau les coquilles et les passait aux messieurs, qui les tendaient ensuite aux dames. Elles mangeaient d'une manière délicate, en tenant l'écaille° sur un mouchoir fin et en avançant la bouche pour ne point tacher° leurs robes. Puis elles buvaient l'eau d'un petit mouvement et jetaient la coquille° à la mer.

Mon père, sans doute, fut séduit par cet acte distingué de manger des huîtres sur un navire en marche. Il trouva cela bon genre, raffiné, supérieur, et il s'approcha de ma mère et de mes sœurs en demandant:

"Voulez-vous que je vous offre quelques huîtres?"

to build, construct
small inland village in Normandy / to undertake, begin
suitor
eagerly
small island between France and England
liner, ship
manners, customs
flag
filled with trepidation
brood
ship
to spread
to notice
oysters / in tatters
shell
to get a spot on
shell

Ma mère hésitait, à cause de la dépense; mais mes deux sœurs acceptèrent tout de suite. Ma mère dit, d'un ton contrarié:

"J'ai peur de me faire mal à l'estomac. Offre ça aux enfants seulement, mais pas trop, tu les rendrais malades."

Puis, se tournant vers moi, elle ajouta:

"Quant à Joseph, il n'en a pas besoin; il ne faut point gâter° les garçons."

Je restai donc à côté de ma mère, trouvant injuste cette distinction. Je suivais de l'œil mon père, qui conduisait pompeusement ses deux filles et son gendre° vers le vieux matelot déguenillé. **Q 11–13**

Les deux dames venaient de partir, et mon père indiquait à mes sœurs comment il fallait s'y prendre° pour manger sans laisser couler° l'eau; il voulut même donner l'exemple et il s'empara° d'une huître. En essayant d'imiter les dames, il renversa immédiatement tout le liquide sur sa redingote et j'entendis ma mère murmurer:

"Il ferait mieux de se tenir tranquille."

Mais tout à coup mon père me parut inquiet; il s'éloigna de quelques pas, regarda fixement sa famille pressée autour de l'écailleur, et, brusquement, il vint vers nous. Il me sembla fort pale, avec des yeux singuliers. Il dit, à mi-voix, à ma mère:

"C'est extraordinaire comme cet homme qui ouvre les huîtres ressemble à Jules."

Ma mère, interdite°, demanda:

"Quel Jules?..."

Mon père reprit:

"Mais... mon frère... Si je ne le savais pas en bonne position, en Amérique, je croirais que c'est lui."

Ma mère effarée balbutia°:

"Tu es fou! Du moment que tu sais bien que ce n'est pas lui, pourquoi dire ces bêtises-là?"

"Va donc le voir, Clarisse; j'aime mieux que tu t'en assures toi-même, de tes propres yeux."

Elle se leva et alla rejoindre ses filles. Moi aussi, je regardais l'homme. Il était vieux, sale, tout ridé°, et ne détournait pas le regard de sa besogne°.

Ma mère revint. Je m'aperçus qu'elle tremblait. Elle prononça très vite:

"Je crois que c'est lui. Va donc demander des renseignements au capitaine. Surtout sois prudent, pour que ce garnement° ne nous retombe pas sur les bras, maintenant!" **Q 14–16**

Mon père s'éloigna, mais je le suivis. Je me sentais étrangement ému°.

Le capitaine, un grand monsieur, maigre, à longs favoris°, se promenait sur la passerelle° d'un air important, comme s'il eût commandé le courrier des Indes°.

Mon père l'aborda° avec cérémonie, en l'interrogeant sur son métier avec accompagnement de compliments:

"Quelle était l'importance de Jersey? Ses productions? Sa population? Ses mœurs? Ses coutumes? La nature du sol?", etc., etc.

to spoil
son-in-law
to go about it
to spill / to seize
taken back
to stammer
wrinkled
task
hellion
moved (emotionally)
sideburns
bridge
Indian (Asia) shipping line / to approach

On eût cru qu'il s'agissait au moins des Etats-Unis d'Amérique.

Puis on parla du bâtiment qui nous portait, *L'Express,* puis on en vint à l'équipage°. Mon père, enfin, d'une voix troublée:

crew

"Vous avez là un vieil écailleur d'huîtres qui paraît bien intéressant. Savez-vous quelques détails sur ce bonhomme?"

Le capitaine, que cette conversation finissait par irriter, répondit sèchement:

"C'est un vieux vagabond français que j'ai trouvé en Amérique l'an dernier, et que j'ai rapatrié. Il a, paraît-il, des parents au Havre, mais il ne veut pas retourner près d'eux, parce qu'il leur doit de l'argent. Il s'appelle Jules... Jules Darmanche ou Darvanche, quelque chose comme ça, enfin. Il paraît qu'il a été riche un moment là-bas, mais vous voyez où il en est réduit maintenant."

Mon père, qui devenait livide, articula, la gorge serrée° les yeux hagards:

tight

"Ah! ah! très bien... fort bien... Cela ne m'étonne pas... Je vous remercie beaucoup, capitaine."

Et il s'en alla, tandis que le marin le regardait s'éloigner avec stupeur. **Q 17–18**

Il revint auprès de ma mère, tellement décomposé qu'elle lui dit: "Assieds-toi; on va s'apercevoir de quelque chose."

Il tomba sur le banc en bégayant°:

to stutter

"C'est lui, c'est bien lui!"

Puis il demanda:

"Qu'allons-nous faire?..."

Elle répondit vivement:

"Il faut éloigner les enfants. Puisque Joseph sait tout, il va aller les chercher. Il faut prendre garde surtout que notre gendre ne se doute° de rien."

to suspect

Mon père paraissait atterré°. Il murmura:

dismayed

"Quelle catastrophe!"

Ma mère ajouta, devenue tout à coup furieuse:

"Je me suis toujours doutée que ce voleur ne ferait rien, et qu'il nous retomberait sur le dos! Comme si on pouvait attendre quelque chose d'un Davranche!..."

Et mon père se passa la main sur le front, comme il faisait sous les reproches de sa femme.

Elle ajouta:

"Donne de l'argent à Joseph pour qu'il aille payer ces huîtres, à présent. Il ne manquerait plus que° d'être reconnus par ce mendiant. Cela ferait un joli effet sur le navire. Allons-nous-en à l'autre bout, et fais en sorte que° cet homme n'approche pas de nous!"

That's all we'd need

so that

Elle se leva, et ils s'éloignèrent après m'avoir remis une pièce de cent sous.

Mes sœurs, surprises, attendaient leur père. J'affirmai que maman s'était trouvée un peu gênée° par la mer, et je demandai à l'ouvreur d'huîtres:

bothered

"Combien est-ce que nous vous devons, Monsieur?"

J'avais envie de dire: mon oncle.

Il répondit:

"Deux francs cinquante."

Je regardais sa main, une pauvre main de matelot toute plissée°, et je regardais son visage, un vieux et misérable visage, triste, accablé°, en me disant:

"C'est mon oncle, le frère de papa, mon oncle!"

Je lui laissai dix sous de pourboire°. Il me remercia:

"Dieu vous bénisse, mon jeune monsieur!"

Avec l'accent d'un pauvre qui reçoit l'aumône. Je pensai qu'il avait dû mendier°, là-bas!

Mes sœurs me contemplaient, stupéfaites de ma générosité.

Quand je remis les deux francs à mon père, ma mère, surprise, demanda:

"Il y en avait pour trois francs?... Ce n'est pas possible."

Je déclarai d'une voix ferme:

"J'ai donné dix sous de pourboire."

Ma mère eut un sursaut° et me regarda dans les yeux:

"Tu es fou! Donner dix sous à cet homme, à ce gueux!..."

Elle s'arrêta sous un regard de mon père, qui désignait son gendre.

Puis on se tut°. **Q 19–20**

Devant nous, à l'horizon, une ombre violette semblait sortir de la mer. C'était Jersey.

Lorsqu'on s'approcha des jetées, un désir violent me vint au cœur de voir encore une fois mon oncle Jules, de m'approcher, de lui dire quelque chose de consolant, de tendre.

Mais, comme personne ne mangeait plus d'huîtres, il avait disparu, descendu sans doute au fond de la cale infecte° où logeait ce misérable.

Et nous sommes revenus par le bateau de Saint-Malo, pour ne pas le rencontrer. Ma mère était dévorée d'inquiétude.

Je n'ai jamais revu le frère de mon père!

Voilà pourquoi tu me verras quelque fois donner cent sous aux vagabonds.» **Q 21**

plissée: wrinkled
accablé: overwhelmed with grief
pourboire: tip
avait dû mendier: must have begged
sursaut (eut un sursaut): to give a start, jump
se tut: to be quiet, stop talking
cale infecte: filthy hold

Questions sur le texte

E. Les vêtements

1. Notez les descriptions des vêtements que portent les membres de la famille en faisant leur promenade du dimanche. Ensuite, notez les impressions que la famille cherche à créer: Pourquoi la famille s'habille-t-elle de cette façon? Enfin, précisez vos réactions aux vêtements et à l'effet cherché: Dans quelle mesure la famille réussit-elle à créer l'effet voulu?

   Vêtements (ce que portent le père, la mère, les sœurs)

Effet recherché

Vos impressions

2. Notez ce que porte l'oncle Jules. Quelle impression se dégage de ses vêtements? En quoi ceux-ci font-ils contraste avec les vêtements de la famille?

F. Les repas

Les repas tiennent une grande place dans le conte. Notez les allusions les plus importantes aux repas (aux moments où on mange) et précisez ce que les repas (les moments) semblent signifier (statut social et économique, désir de faire une impression, moment exceptionnel, etc.).

G. Les nouvelles de l'oncle Jules

Notez les différents moments où la famille reçoit des nouvelles de Jules. Quelles sont les réactions?

H. Dans la scène sur le bateau, commentez les différentes réactions de la famille envers Jules.

Post-lecture

I. La famille dit qu'elle voudrait habiter le village d'Ingouville. Imaginez un repas idéal pendant que toute la famille y est réunie.

J. Racontez cette histoire du point de vue de l'oncle Jules.

K. L'oncle Jules espérait faire fortune rapidement. La famille espérait trouver le bonheur grâce à un héritage. Discutez avec vos camarades de cette notion de trouver le bonheur par l'argent.

L. Pour approfondir vos connaissances sur la vie de Maupassant, sur la Normandie et sur Le Havre, visitez le site web **www.thomsonedu.com/french/schofer** et faites des activités et des recherches.

SYSTÈME-D

Phrases: Describing the past; Describing people; Talking about past events; Sequencing events

Vocabulary: Countries; Dreams and aspirations; Family members; Problems

Grammar: Compound Past Tense: **passé composé;** Past Imperfect: **imparfait;** Possessive Adjectives (summary); Conditional: **conditionnel**

Le Pagne noir

Bernard Dadié

Bernard Dadié (1916–) est l'écrivain le plus connu de la Côte d'Ivoire, un ancien territoire colonial français en Afrique occidentale. Conteur, poète, dramaturge, romancier, il a toujours travaillé—d'abord, au Sénégal, ensuite dans divers postes gouvernementaux en Côte d'Ivoire avant d'être nommé Ministre de la Culture et de l'Information en 1977. Il est connu pour ses pièces de théâtre *(Béatrice du Congo, Iles de la tempête),* son roman autobiographique *(Un Nègre à Paris)* et surtout pour ses contes traditionnels dans lesquels il se donne pour tâche de faire vivre et revivre les traditions folkloriques de son pays, où depuis des siècles des hommes (appelés des *griots*) racontent des contes en public dans les villages. Dans ses contes, Dadié traduit cette tradition orale de sa langue natale en français écrit tout en cherchant à garder l'esprit d'un texte raconté et joué (comme une petite pièce) à haute voix.

Le Pagne noir est le titre du conte le plus connu de ses recueils de contes. Comme beaucoup de contes folkloriques, *Le Pagne noir* a pour sujet une tâche—l'héroïne est envoyée quelque part pour accomplir un travail particulier. Elle rencontre un nombre d'obstacles et a besoin d'une aide surnaturelle afin d'accomplir sa tâche.

Pré-lecture

A. La structure d'un conte

Beaucoup de contes de fées ou de légendes mythologiques ont pour sujet une *tâche* (un personnage est envoyé quelque part pour accomplir un travail particulier) ou bien une *quête* (un personnage est envoyé à la recherche de quelqu'un ou de quelque chose). Ces récits se composent, avec des variations, d'un nombre limité de personnages. Pensez à un conte ou à une légende que vous connaissez et donnez les renseignements demandés ci-dessous.

Nom du conte ou de la légende ______________________________

Personnage qui précise les conditions de la quête ou de la tâche

____

Héros / Héroïne

Objet de sa quête ou nature de sa tâche

Personnage(s) qui aide(nt) le héros / l'héroïne

Personnage(s) qui s'oppose(nt) au succès du héros / de l'héroïne

---

Généralement, quel type de personnage joue chacun de ces rôles? Pour répondre à cette question, comparez vos réponses à celles d'autres membres de la classe.

B. La marâtre

1. La marâtre (la seconde femme du père, celle qui remplace la mère) est un personnage familier de la littérature folklorique et populaire.

   Encerclez les adjectifs qui la décrivent généralement.

   généreuse • gentille • laide • belle • jalouse • injuste • méchante • vindicative • heureuse

2. Y a-t-il des raisons psychologiques qui expliquent l'image négative de la marâtre?

C. Le cadre du conte

Le conte que vous allez lire a pour cadre la forêt africaine. Voici quelques mots désignant des objets, des endroits, des animaux, des plantes qui donnent au conte son caractère africain. Lisez les définitions ci-dessous. Ensuite, associez chaque mot à un objet sur le dessin.

un bananier: grande plante des régions équatoriales qui produit des bananes
une case: habitation traditionnelle en Afrique (et chez d'autres peuples d'outre-mer)
une clairière: endroit dans une forêt où il n'y a pas d'arbres
un crapaud: petit animal à tête large qui se nourrit d'insectes qu'il chasse souvent à la tombée de la nuit
une fourmi: petit insecte qui vit en colonies nombreuses
un fromager: très grand arbre tropical à bois blanc
un nénuphar: plante aquatique aux larges feuilles et aux fleurs blanches, jaunes ou rouges
un ruisseau: petit cours d'eau, affluent d'une rivière ou d'un lac
une source: eau qui sort de la terre
un vautour: grand oiseau au bec crochu qui se nourrit d'animaux morts

1.
2.
3.
4.
5.
6.
7.
8.
9.
10.

Lecture

Track 4

Bernard Dadié

Le Pagne noir

Il était une fois°, une jeune fille qui avait perdu sa mère. Elle l'avait perdue, le jour même où elle venait au monde.

Depuis une semaine, l'accouchement durait°. Plusieurs matrones avaient accouru°. L'accouchement durait.

Le premier cri de la fille coïncida avec le dernier soupir° de la mère.

Le mari, à sa femme, fit des funérailles grandioses. Puis le temps passa et l'homme se remaria. De ce jour commence le calvaire° de la petite Aïwa.

Pas de privations° et d'affronts qu'elle ne subisse°; pas de travaux pénibles° qu'elle ne fasse! Elle souriait° tout le temps. Et son sourire irritait la marâtre qui l'accablait de quolibets°. **Q 1–2**

Elle était belle, la petite Aïwa, plus belle que toutes les jeunes filles du village. Et cela encore irritait la marâtre qui enviait cette beauté resplendissante, captivante.

Plus° elle multipliait les affronts, les humiliations, les corvées°, les privations, plus Aïwa souriait, embellissait, chantait—et elle chantait à ravir°—cette orpheline°. Et elle était battue° à cause de sa bonne humeur, à cause de sa gentillesse. Elle était battue parce que courageuse, la première à se lever, la dernière à se coucher. Elle se levait avant les coqs°, et se couchait lorsque les chiens eux-mêmes s'étaient endormis.

La marâtre ne savait vraiment plus que faire pour vaincre° cette jeune fille. Elle cherchait ce qu'il fallait faire, le matin, lorsqu'elle se levait, à midi, lorsqu'elle mangeait, le soir, lorsqu'elle somnolait°. Et ces pensées, par ses yeux, jetaient des lueurs fauves°. Elle cherchait le moyen de ne plus faire sourire la jeune fille, de ne plus l'entendre chanter, de freiner° la splendeur de cette beauté.

Elle chercha ce moyen avec tant de patience, tant d'ardeur, qu'un matin, sortant de sa case, elle dit à l'orpheline: —Tiens! Va me laver ce pagne° noir où tu voudras. Me le laver de telle sorte qu'°il devienne aussi blanc que le kaolin°.

Aïwa prit le pagne noir qui était à ses pieds et sourit. Le sourire pour elle, remplaçait les murmures, les plaintes°, les larmes°, les sanglots°.

Et ce sourire magnifique qui charmait tout, à l'entour, au cœur de la marâtre, sema des braises°. A bras raccourcis°, elle tomba sur l'orpheline qui souriait toujours. **Q 3–5**

Once upon a time
birth was lasting (a long time) / matronly women had run over / gasp
suffering
deprivations / to undergo
difficult, painful / to smile
insults
The more / chores
to delight / orphan / beaten
roosters
to vanquish, conquer
to doze
wild glimmers
to put a brake on
skirt, loin cloth
in such a way that / white clay used for pottery
complaints / tears
sobs
to spread hot coals (reinforce her anger) / with full force

Enfin, Aïwa prit le linge° noir et partit. Après avoir marché pendant une lune°, elle arriva au bord d'un ruisseau. Elle y plongea le pagne. Le pagne ne fut point mouillé°. Or l'eau coulait° bien, avec dans son lit, des petits poissons, des nénuphars. Sur ses berges°, les crapauds enflaient° leur voix comme pour effrayer° l'orpheline qui souriait. Aïwa replongea le linge noir dans l'eau et l'eau refusa de le mouiller. Alors elle reprit sa route en chantant.

cloth
one month
not at all wet / to flow
banks / to blow up, increase / to frighten

Ma mère, si tu me voyais sur la route,
Aïwa-ô! Aïwa!
Sur la route qui mène° au fleuve
Aïwa-ô! Aïwa!
Le pagne noir doit devenir blanc
Et le ruisseau refuse de le mouiller
Aïwa-ô! Aïwa!
L'eau glisse° comme le jour
L'eau glisse comme le bonheur
O ma mère, si tu me voyais sur la route,
Aïwa-ô! Aïwa! **Q 6–7**

to lead
to slide (off)

Devant elle, un gros fromager couché en travers de° la route et dans un creux° du tronc, de l'eau, de l'eau toute jaune et bien limpide°, de l'eau qui dormait sous la brise, et tout autour de cette eau de gigantesques fourmis aux pinces° énormes, montaient la garde. Et ces fourmis se parlaient. Elles allaient, elles venaient, se croisaient, se passaient la consigne°. Sur la maîtresse° branche qui pointait un doigt° vers le ciel, un doigt blanchi, mort, était posé un vautour phénoménal dont les ailes° sur des lieues° et des lieues, voilaient° le soleil. Ses yeux jetaient des flammes, des éclairs°, et les serres°, pareilles à de puissantes racines° aériennes, traînaient à terre°. Et il avait un de ces becs°!

Dans cette eau jaune et limpide, l'orpheline plongea son linge noir que l'eau refusa de mouiller.

across
hollow
clear
claws, pincers
password, assignment / main / finger
wings / leagues (unit of measure, miles) / to obscure, veil / lighting bolts / claws / powerful roots / to drag on the ground / beaks

Ma mère, si tu me voyais sur la route,
Aïwa-ô! Aïwa!
La route de la source qui mouillera le pagne noir
Aïwa-ô! Aïwa!
Le pagne noir que l'eau du fromager refuse de mouiller
Aïwa-ô! Aïwa!

Et toujours souriante, elle poursuivit son chemin°.

Elle marcha pendant des lunes et des lunes, tant de lunes qu'on ne s'en souvient plus. Elle allait le jour et la nuit, sans jamais se reposer, se nourrissant de fruits cueillis° au bord du chemin, buvant la rosée déposée° sur les feuilles. **Q 8–9**

Elle atteignit° un village de chimpanzés, auxquels° elle conta son aventure.

Les chimpanzés, après s'être tous et longtemps frappé la poitrine° des deux mains en signe d'indignation, l'autorisèrent à laver le pagne noir dans la source qui passait dans le village. Mais l'eau de la source, elle aussi, refusa de mouiller le pagne noir. **Q 10–11**

to continue on her way
picked
dew left
to reach / to whom
to beat their chests

Et l'orpheline reprit sa route. Elle était maintenant dans un lieu° vraiment étrange. La voie° devant elle s'ouvrait pour se refermer° derrière elle. Les arbres, les oiseaux, les insectes, la terre, les feuilles mortes, les feuilles sèches°, les lianes°, les fruits, tout parlait. Et dans ce lieu, nulle° trace de créature humaine. Elle était bousculée, hélée°, la petite Aïwa! qui marchait, marchait et voyait qu'elle n'avait pas bougé° depuis qu'elle marchait. Et puis, tout d'un coup, comme poussée par une force prodigieuse, elle franchissait des étapes° et des étapes qui la faisaient s'enfoncer davantage° dans la forêt où régnait° un silence angoissant°.

place / path, way / to open up only to close up again / dry / vines / no / jostled, shoved / to move, budge / to complete stages (of a trip) / to go deeper, further / to rule / upsetting, anguishing

Devant elle, une clairière et au pied d'un bananier, une eau qui sourd°. Elle s'agenouille°, sourit. L'eau frissonne°. Et elle était si claire, cette eau, que là-dedans se miraient° le ciel, les nuages, les arbres.

to spurt out / to kneel down / to tremble / to reflect in it

Aïwa prit de cette eau, la jeta sur le pagne noir. Le pagne noir se mouilla. Agenouillée sur le bord de la source, elle mit deux lunes à laver le pagne noir qui restait noir. Elle regardait ses mains pleines d'ampoules° et se remettait à l'ouvrage°.

blisters / to go back to work

Ma mère, viens me voir!
Aïwa-ô! Aïwa!
Me voir au bord de la source,
Aïwa-ô! Aïwa!
Le pagne noir sera blanc comme kaolin
Aïwa-ô! Aïwa!
Viens voir ma main, viens voir ta fille!
Aïwa-ô! Aïwa!

A peine° avait-elle fini de chanter que voilà sa mère qui lui tend° un pagne blanc, plus blanc que le kaolin. Elle lui prend le linge noir et sans rien dire, fond° dans l'air. **Q 12–16**

Scarcely, Hardly / to hand / to melt

Lorsque la marâtre vit le pagne blanc, elle ouvrit des yeux stupéfaits.

Elle trembla, non de colère° cette fois, mais de peur; car elle venait de reconnaître l'un des pagnes blancs qui avait servi à enterrer° la première femme de son mari.

anger / to be used to bury

Mais Aïwa, elle, souriait. Elle souriait toujours.

Elle sourit encore du sourire qu'on retrouve sur les lèvres° des jeunes filles. **Q 17–18**

lips

Questions sur le texte

D. L'intrigue d'un conte ou d'une légende consiste souvent en une série de causes et d'effets. Retracez la chaîne de causes et d'effets qui forme l'intrigue du *Pagne noir.*

Cause		Effet
Aïwa est née	→	sa mère est morte
sa mère est morte	→	
	→	

elle avait un beau sourire ⟶

⟶

la marâtre était irritée ⟶

⟶ Aïwa a souri encore une fois

E. En essayant d'accomplir sa tâche, Aïwa visite quatre endroits. En quoi ces quatre scènes se ressemblent-elles? En quoi diffèrent-elles? Notez les détails importants qui caractérisent les lieux et qui décrivent ce qui s'y passe.

1. au ruisseau

2. près du fromager

3. au village des chimpanzés

4. près du bananier

F. Comparez les trois chants-poèmes. Quels sont les éléments qui restent les mêmes? Quels sont les éléments qui changent?

	RESSEMBLANCES	DIFFÉRENCES
1. après la scène du ruisseau		
2. près du fromager		
3. près du bananier		

G. *Le Pagne noir* est fondé sur une série d'oppositions. Complétez la liste suivante en donnant le second terme de chaque opposition, puis proposez d'autres oppositions que vous remarquez.

la marâtre	ou	la jeune fille
la naissance	ou	
les funérailles	ou	
noir	ou	
	ou	
	ou	
	ou	

H. La dernière phrase du conte suggère un rapport entre le sourire d'Aïwa et le sourire de toutes les jeunes filles. A votre avis, que signifie ce sourire à la fois particulier et général?

Post-lecture

I. Ce conte a pour sujet une tâche. Jusqu'à quel point la tâche correspond-elle aux tâches traditionnelles associées à ce genre de conte? (Voir l'exercice A.) En quoi diffère-t-elle? Quelle est l'importance de ces différences pour le sens de ce conte? Répondez à ces questions en comparant *Le Pagne noir* à un autre conte ou à une autre légende que vous connaissez.

J. Jusqu'à quel point ce conte est-il particulièrement africain? Dans quelle mesure est-il universel? En pensant à ces questions, essayez de composer une version américaine du *Pagne noir*.

K. Jusqu'à quel point ce conte reflète-t-il la psychologie féminine? Dans quelle mesure est-il universel? En pensant à ces questions, essayez de composer une version masculine du *Pagne noir*—c'est-à-dire, mettez un jeune garçon à la place d'Aïwa et un homme à la place de la marâtre.

L. Pour approfondir vos connaissances sur Bernard Dadié et sur les griots, visitez le site web **www.thomsonedu.com/french/schofer** et faites des activités et des recherches.

Phrases: Talking about past events; Sequencing events; Describing people

Vocabulary: Clothing; City; Personality; Body-gestures

Grammar: Compound Past Tense: **passé composé;** Simple Past Tense: **passé simple;** Past Imperfect: **imparfait;** Imperative: **impératif**

Publicités: Bien manger

Les Français aiment manger et, traditionnellement, ils prennent des repas équilibrés. Un déjeuner, dans le passé le plus gros repas de la journée, consistait en un hors-d'œuvre (par exemple, des carottes râpées, du saucisson, des crudités), un plat principal (de la viande ou du poisson, des pommes de terre, des légumes) suivi d'une salade, du fromage ou du yaourt et des fruits. Le repas du soir, moins copieux, comportait des aliments frais et naturels, souvent achetés le jour même. Mais, depuis 20 ans, les Français subissent l'influence du «fast food», des produits congelés et des repas pris rapidement et à l'improviste.

Voici des publicités pour quatre produits alimentaires—du yaourt, du jambon et deux eaux minérales. La plupart des questions portent sur les publicités pour les deux premiers produits. Vous aurez, dans la section *Post-lecture,* la possibilité d'analyser vous-même les publicités pour les deux marques d'eau minérale.

Pré-lecture

A. Tout le monde sait que les Français aiment manger, mais quand nous pensons à la cuisine française, nous pensons souvent à des repas au restaurant. Encerclez les adjectifs qui pourraient décrire ce genre de repas.

maigre	moderne / ancien	luxueux	délicat
sain	en conserve	décadent	léger (légère) / lourd
somptueux	frais (fraîche)	compliqué	naturel
gras	artificiel	simple	recherché
malsain	savoureux		

B. Maintenant imaginez que vous êtes allé(e) à un restaurant français et écrivez un paragraphe qui décrit cette expérience.

Publicités

Comme autrefois.
La Laitière de Chambourcy.
La laitière
AU LAIT ENTIER
chambourcy
Goûte: la qualité Chambourcy.

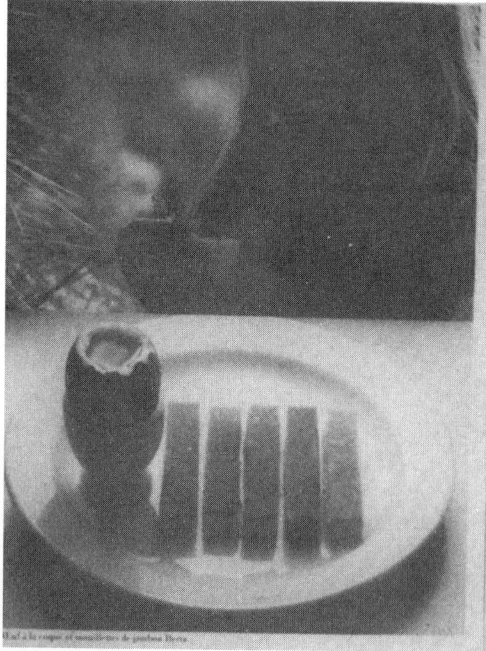

Ne passons pas à côté des choses simples.

Qu'il fait bon quelquefois de retrouver le goût des choses simples.
Le croquant délicieux d'un pain frais du jour.
Les senteurs délicates d'un bouquet d'aromates.
Ces saveurs si discrètes qu'on finit par les oublier.
Ces recettes simples, presque évidentes, comme toutes les recettes Herta.
Un œuf coque et quelques mouillettes de jambon. Connaissez-vous plus simple ?
Herta c'est aussi des pâtes fraîches, des quenelles, des knackis. Des plats de tous les jours. Des plats qui ont le charme et le goût qu'on connaît.
Des recettes si bien faites pour la vie d'aujourd'hui. On dirait que le temps n'est plus au compliqué.

Herta

HERTA. LE TEMPS N'EST PLUS AU COMPLIQUÉ.

VOLVIC. A NOUS LE BIEN-ETRE !
volvic
Volvic. La bonne minéralité.

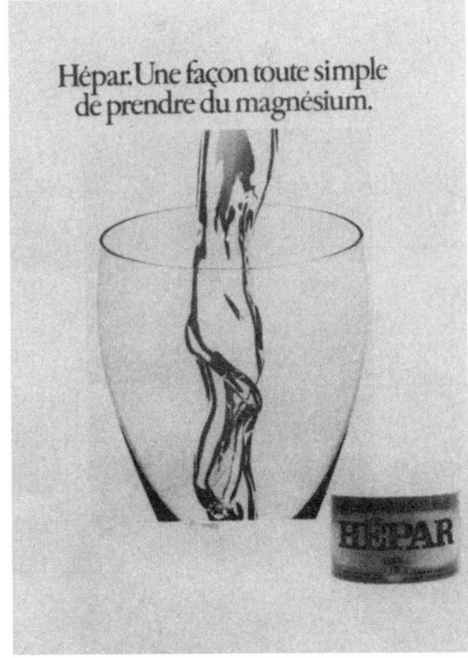
Hépar. Une façon toute simple
de prendre du magnésium.
HÉPAR

Questions sur les publicités

C. Les pages de publicité donnent une autre impression de la cuisine française.

1. Regardez-les rapidement et choisissez, dans la liste de l'exercice A, les adjectifs qui décrivent le mieux les produits représentés.

2. Quels autres adjectifs, ne figurant pas sur la liste, vous viennent à l'esprit?

D. Maintenant regardez de près la page de publicité pour le yaourt La Laitière.

1. La photo montre un tableau ancien. Qu'est-ce que cela suggère sur le produit Chambourcy?

2. Quels autres aspects du tableau et quels éléments du texte soulignent l'idée d'«autrefois»?

3. Quelles sont les caractéristiques de la femme suggérées par le tableau (âge, taille, qualités physiques, classe et milieu social...)?

4. La Laitière nous nourrit physiquement, mais de quelle autre manière est-ce qu'elle nous «nourrit»? (Qu'est-ce qu'elle nous donne en plus?)

E. Regardez maintenant la page de publicité pour le jambon Herta.

1. Sans lire le texte, regardez la photo et décrivez ce que vous voyez et ce que vous croyez voir.

2. Selon la disposition des objets, la position de la petite fille et l'objet qu'elle tient dans les mains, quelle impression la photo crée-t-elle?

3. Maintenant lisez le texte. Quels semblent en être les mots-clefs (les mots les plus importants)?

4. D'après vos réponses et les détails communiqués par la photo et le texte, expliquez ce que veulent dire les derniers mots du texte, «le temps n'est plus au compliqué».

Post-lecture

F. Les deux publicités (La Laitière, Herta) présentent deux conceptions différentes de la cuisine. Faites un résumé de ces deux conceptions, en prenant comme point de départ les adjectifs et les mots-clefs que vous avez choisis.

G. Ces deux publicités suggèrent deux modes de vie différents. Créez une petite histoire ou une petite description de la vie idéale qu'un de ces produits est censé apporter.

Modèle: Le jambon Herta me transporterait dans un monde moderne de simplicité où la vie serait...

H. Les Français boivent beaucoup de bière et de vin aussi, bien entendu. Mais presque tous les Français boivent de l'eau minérale. Observez les images des publicités pour deux marques d'eau minérale (Hépar et Volvic) et déterminez l'attrait de ces produits.

I. Pour des recherches sur les produits alimentaires et sur les marchés traditionnels, visitez le site web **www.thomsonedu.com/french/schofer** et faites des activités et des recherches.

Phrases: Expressing an opinion; Hypothesizing

Vocabulary: Health; Problems

Grammar: Conditional: **conditionnel;** Relative Pronouns: **qui, que;** Pronouns: **je, me, moi;** Possessive Adjectives: **mon, ma, mes**

Acte sans paroles I

Samuel Beckett

Samuel Beckett (1906–1989) est né à Dublin, en Irlande, où il a fait des études de français à Trinity University. A l'âge de 22 ans, il est venu à Paris, où il a été d'abord lecteur à l'Ecole Normale Supérieure et ensuite secrétaire du célèbre écrivain irlandais, James Joyce. Il a voyagé, il a habité en Angleterre, puis, en 1938, il s'est installé définitivement à Paris. Il a écrit son premier roman, *Molloy*, en anglais. Mais beaucoup de ses nombreux romans (par exemple, *Watt, Malone meurt, L'Innomable*) et pièces de théâtre (par exemple, *En attendant Godot [Waiting for Godot], Fin de Partie [Endgame]*) ont été écrits d'abord en français avant d'être traduits en anglais.

Plusieurs des écrits dramatiques de Beckett explorent les possibilités de certains éléments fondamentaux du théâtre. *La dernière Bande (Krapp's Last Tape)* comprend un seul personnage qui parle à un magnétophone; *Paroles et Musique (Words and Music)* est une pièce radiophonique (c'est-à-dire, les acteurs parlent sans être vus) tandis qu'*Acte sans paroles (Act Without Words)* est un mime (c'est-à-dire, l'unique acteur est vu mais ne dit rien).

Pré-lecture

A. Le désert

Ecrivez un paragraphe sur le désert en parlant de ce qu'on y voit, de ce qu'on y fait et des sentiments que vous lui associez.

Vocabulaire utile

le soleil • le sable • les chameaux • les nomades • les caravanes • les oasis • la chaleur • la végétation • la solitude • le danger • la monotonie • l'absence

avoir soif • s'égarer • traverser • briller • brûler

B. Réussir ou échouer?

Ecrivez deux courts paragraphes. Dans le premier, parlez d'une situation où vous avez atteint un but que vous vous êtes proposé, mais seulement après des efforts considérables; dans le second, parlez d'une situation où vous n'avez pas réussi malgré vos efforts.

Vocabulaire utile

se proposer de • faire des efforts pour • rencontrer des obstacles • surmonter des obstacles • se décourager • continuer • essayer encore une fois • réussir • échouer

1.

2.

C. Un problème à résoudre

1. Regardez le premier dessin à la page 73. En utilisant le vocabulaire suivant, décrivez le problème qui se pose à cet homme.

   une carafe d'eau • atteindre • trop haut

2. Regardez le second dessin à la page 73. En utilisant le vocabulaire suivant, expliquez comment l'homme peut réussir à avoir de l'eau.

   placer • monter • un cube • une corde • faire un lasso • attraper

D. Un théâtre

Situez sur le dessin les différentes parties d'un théâtre dont voici une liste:

1) la scène 2) la salle 3) la coulisse droite 4) la coulisse gauche

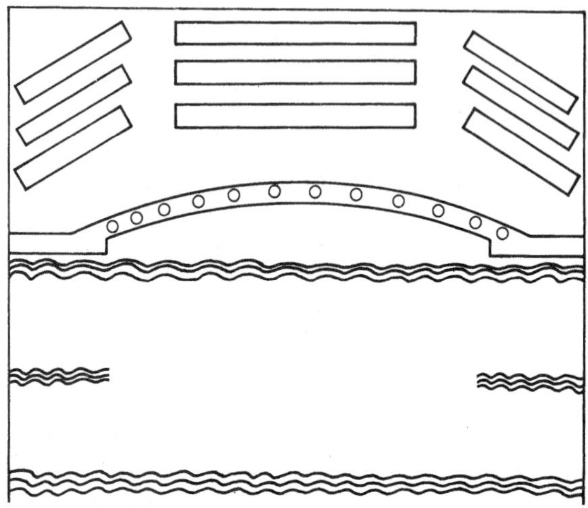

Lecture

Samuel Beckett

Acte sans paroles I

Personnage:
Un homme. Geste familier: il plie° et déplie son mouchoir.

to fold

Scène:
Désert. Eclairage éblouissant°.

Dazzling lighting

Action:
Projeté à reculons° de la coulisse droite, l'homme trébuche°, tombe, se relève aussitôt, s'époussette°, réfléchit°.

backwards / to stumble / to brush oneself off / to reflect, think / Blast of a whistle

Coup de sifflet° coulisse droite.

Il réfléchit, sort à droite.

Rejeté aussitôt en scène, il trébuche, tombe, se relève aussitôt, s'époussette, réfléchit.

Coup de sifflet coulisse gauche.

Il réflechit, sort à gauche.

Rejeté aussitôt en scène, il trébuche, tombe, se relève aussitôt, s'époussette, réfléchit.

Coup de sifflet coulisse gauche.

Il réfléchit, va vers la coulisse gauche, s'arrête avant de l'atteindre, se jette en arrière°, trébuche, tombe, se relève aussitôt, s'époussette, réfléchit. **Q 1–3**

Un petit arbre descend des cintres°, atterrit°. Une seule branche à trois mètres° et à la cime° une maigre touffe° de palmes qui projette une ombre° légère.

Il réfléchit toujours.

Coup de sifflet en haut°.

Il se retourne°, voit l'arbre, réfléchit, va vers l'arbre, s'assied à l'ombre, regarde ses mains.

Des ciseaux de tailleur° descendent des cintres, s'immobilisent devant l'arbre à un mètre du sol.

Il regarde toujours ses mains.

Coup de sifflet en haut.

Il lève la tête, voit les ciseaux, réfléchit, les prend et commence à se tailler les ongles°.

Les palmes se rabattent° contre le tronc, l'ombre disparaît.

Il lâche° les ciseaux, réfléchit. **Q 4–7**

Une petite carafe, munie d'une grande étiquette° rigide portant l'inscription EAU, descend des cintres, s'immobilise à trois mètres du sol.

Il réfléchit toujours.

Coup de sifflet en haut.

Il lève les yeux, voit la carafe, réfléchit, se lève, va sous la carafe, essaie en vain de l'atteindre, se détourne°, réfléchit.

Un grand cube descend des cintres, atterrit.

Il réfléchit toujours.

Coup de sifflet en haut.

Il se retourne, voit le cube, le regarde, regarde la carafe, prend le cube, le place sous la carafe, en éprouve° la stabilité, monte dessus°, essaie en vain d'atteindre la carafe, descend, rapporte le cube à sa place, se détourne, réfléchit.

Un second cube plus petit descend des cintres, atterrit.

Il réfléchit toujours.

Coup de sifflet en haut.

Il se retourne, voit le second cube, le regarde, le place sous la carafe, en éprouve la stabilité, monte dessus, essaie en vain d'atteindre la carafe, descend, veut rapporter le cube à sa place, se ravise, le dépose°, va chercher le grand cube, le place sur le petit, en éprouve la stabilité, monte dessus, le grand cube glisse°, il tombe, se relève aussitôt, s'époussette, réfléchit.

Il prend le petit cube, le place sur le grand, en éprouve la stabilité, monte dessus et va atteindre la carafe lorsque celle-ci remonte légèrement et s'immobilise hors d'atteinte°.

Il descend, réfléchit, rapporte les cubes à leur place, l'un après l'autre, se détourne, réfléchit.

Un troisième cube encore plus petit descend des cintres, atterrit.

Il réfléchit toujours.

to throw oneself backwards
part of theatre above the stage / lands on the ground / between nine and ten feet / top / clump / shadow / up high / to turn around
Tailor's scissors
to cut one's fingernails
to fold down
to let go of
sign, label
to turn away
to test
on top (of it)
to set down
to slip
out of reach

Coup de sifflet en haut.

Il se retourne, voit le troisième cube, le regarde, réfléchit, se détourne, réfléchit.

Le troisième cube remonte et disparaît° dans les cintres. **Q 8–12**

A côté de la carafe, une corde à nœuds° descend des cintres, s'immobilise à un mètre du sol.

Il réfléchit toujours.

Coup de sifflet en haut.

Il se retourne, voit la corde, réfléchit, monte° à la corde et va atteindre la carafe lorsque la corde se détend° et le ramène° au sol.

Il se détourne, réfléchit, cherche des yeux les ciseaux, les voit, va les ramasser°, retourne vers la corde et entreprend de° la couper.

La corde se tend°, le soulève°, il s'accroche°, achève de° couper la corde, retombe, lâche les ciseaux, tombe, se relève aussitôt, s'époussette, réfléchit.

La corde remonte vivement et disparaît dans les cintres.

Il se détourne, réfléchit.

Avec son bout de corde, il fait un lasso dont il se sert pour essayer d'attraper la carafe.

La carafe remonte vivement et disparaît dans les cintres.

Lasso en main il va vers l'arbre, regarde la branche, se retourne, regarde les cubes, regarde de nouveau la branche, lâche le lasso, va vers les cubes, prend le petit et le porte sous la branche, retourne prendre le grand et le porte sous la branche, veut placer le grand sur le petit, se ravise, place le petit sur le grand, en éprouve la stabilité, regarde la branche, se détourne et se baisse° pour reprendre le lasso.

La branche se rabat le long du tronc.

Il se redresse°, le lasso à la main, se retourne, constate°.

Il se détourne, réfléchit.

Il rapporte les cubes à leur place, l'un après l'autre, enroule soigneusement° le lasso et le pose sur le petit cube.

Il se détourne, réfléchit. **Q 13–16**

Coup de sifflet coulisse droite.

Il réfléchit, sort à droite.

Rejeté aussitôt en scène, il trébuche, tombe, se relève aussitôt, s'époussette, réfléchit.

Coup de sifflet coulisse gauche.

Il ne bouge° pas.

Il regarde ses mains, cherche des yeux les ciseaux, les voit, va les ramasser, commence à se tailler les ongles, s'arrête, réfléchit, passe le doigt° sur la lame° des ciseaux, l'essuie° avec son mouchoir, va poser ciseaux et mouchoir sur le petit cube, se détourne, ouvre son col°, dégage son cou° et le palpe°.

Le petit cube remonte et disparaît dans les cintres emportant lasso, ciseaux et mouchoir.

Il se retourne pour prendre les ciseaux, constate, s'assied sur le grand cube.

Le grand cube s'ébranle°, le jetant par terre, remonte et disparaît dans les cintres.

to disappear
rope with knots
to climb up
to go slack / to bring back
to pick up / to begin to
to go taut / to pick up / to grab on / to finish
to bend down
to stand up again / to verify
to roll up carefully
to move
finger / blade / to wipe
collar / to free up one's neck / to feel
to move off

Il reste allongé sur le flanc°, face à la salle, le regard fixe. (° side)

La carafe descend, s'immobilise à un demi-mètre de son corps.

Il ne bouge pas.

Coup de sifflet en haut.

Il ne bouge pas.

La carafe descend encore, se balance° autour de son visage. (° to swing)

Il ne bouge pas.

La carafe remonte et disparaît dans les cintres.

La branche de l'arbre se relève°, les palmes se rouvrent°, l'ombre revient. (° to lift up / to reopen)

Coup de sifflet en haut.

Il ne bouge pas.

L'arbre remonte et disparaît dans les cintres.

Il regarde ses mains. **Q 17–20** www

Questions sur le texte

E. La structure de la pièce

1. Scène première: L'arrivée de l'homme

   a. Quel rapport peut-il y avoir entre ce qui arrive à l'homme et les coups de sifflet?

   b. Quelle progression la quatrième chute *(fall)* de l'homme marque-t-elle?

2. Scène deux: L'arbre et les ciseaux

   a. En quoi cette scène renforce-t-elle la première?

   b. Quel(s) nouvel(-eaux) élément(s) y est (sont) ajouté(s)?

3. Scène trois: L'eau et les cubes

a. En quoi l'action de cette scène répète-t-elle ce qui a précédé?

b. Qu'est-ce qu'il y a de nouveau?

4. Scène quatre: La corde

a. Quels détails rappellent la première scène?

b. Quelles variations remarquez-vous dans cette scène?

5. Scène dernière: Tableau final

a. A la fin, pendant que les objets montent et descendent, l'homme reste allongé par terre, le regard fixe. Dans quel sens le fait que l'homme ne bouge pas constitue-t-il une victoire?

b. Dans quel sens cette victoire est-elle inquiétante?

Post-lecture

F. Imaginez que l'on vous ait demandé de mettre en scène cette pièce. Qu'est-ce que vous allez dire à l'acteur (ou à l'actrice) qui va jouer le rôle? Considérez son costume, ses gestes, sa façon de marcher, les sentiments qu'il (elle) doit communiquer dans chaque scène, les impressions qu'il (elle) doit essayer de provoquer chez les spectateurs.

G. L'homme n'a pas de nationalité; le désert n'a pas de situation géographique; il n'y a rien qui indique l'époque où se déroule l'action. Par conséquent, Beckett nous invite à y apporter notre propre interprétation. Pour certains, il s'agit de l'homme moderne, obsédé par les choses matérielles, mais qui ne trouve la paix qu'en y renonçant. Pour d'autres, la pièce est une métaphore de la vie, allant de la naissance jusqu'à la mort. Choisissez une de ces interprétations ou bien proposez-en une autre, puis discutez de cette interprétation en expliquant les cinq scènes.

H. Imaginez un autre «acte sans paroles». Décrivez le personnage, la scène et l'action.

I. Pour approfondir vos connaissances sur Samuel Beckett et sur le théâtre de l'absurde, visitez le site web **www.thomsonedu.com/french/schofer** et faites des activités et des recherches.

Phrases: Writing an essay; Writing about characters; Writing about structure; Comparing and distinguishing; Expressing a wish or desire

Vocabulary: Dreams and aspirations

Grammar: Verb + **à** + Infinitive; Verb + **de** + Infinitive; Verb + Infinitive; Present Tense: **présent**

Deuxième partie

Textes de difficulté moyenne

Le Laüstic

Marie de France

Nous en savons très peu sur la vie de Marie de France. Née au 12e siècle, en France apparemment, elle a passé une partie de sa vie en Angleterre, et elle maîtrisait parfaitement la langue et la culture anglaises ainsi que le français. Elle est surtout connue pour une douzaine de *lais,* des histoires courtes, parfois des aventures, des histoires romanesques, et même des récits fantastiques.

Un petit oiseau, le rossignol, joue un rôle capital dans *Le Laüstic.* Cet oiseau est connu pour la pureté de sa voix harmonieuse. Au printemps, le mâle chante longuement pour attirer la femelle.

Pré-lecture

A. Un jeune homme célibataire et honnête tombe amoureux de la femme mariée et fidèle qui habite à côté de chez lui. Composez le récit de leur amour en tenant compte aussi des réactions du voisin (le mari de la femme).

Vocabulaire utile

le (la) voisin(e) • l'époux(-se) • l'amant(e)

s'éprendre de • s'aimer • se voir • échanger des cadeaux • se retrouver • être ensemble • s'enfuir • se quitter

surprendre • découvrir • épier • se fâcher • se venger

B. L'amour est un sentiment complexe qui peut prendre des formes variées: l'amour-passion, l'amour-amitié, l'amour-admiration, etc. Choisissez trois types d'amour que vous pouvez distinguer. Décrivez chacun d'eux et l'effet qu'il a sur les gens qui le ressentent.

VOCABULAIRE UTILE

aimer follement (discrètement, passionnément, de loin) • admirer • adorer • être aveuglé par • passer tout son temps à • penser (rêver, songer) à • ne pas pouvoir • être heureux (triste, jaloux, confus) • souffrir

agir contre la raison (l'honneur) • dominer • ravager • troubler

C. Décrivez un rossignol en choisissant dans la liste à droite les mots qui conviennent.

VOCABULAIRE UTILE

ressembler à un aigle (un cardinal, un moineau) • grand, petit • un oiseau de proie • un chant très fort (doux, mélodieux)

Lecture

Marie de France

Le Laüstic

Je vais vous raconter une aventure dont les Bretons° ont fait un lai. On le nomme *Le Laüstic* et je crois bien qu'ils l'appellent ainsi dans leur pays. Cela correspond à «rossignol» en français et à «nihtegale°» en bon anglais.

Il y avait dans la région de Saint-Malo une ville réputée. Deux chevaliers demeuraient° là, dans deux maisons fortifiées. Les qualités des deux barons avaient fait la réputation de la ville. L'un d'eux était marié à une femme pleine de sens°, courtoise et avenante°. Elle se faisait estimer au plus haut point en conformant sa conduite° aux usages° et aux bonnes manières.

L'autre était un jeune chevalier célibataire°, bien connu entre ses pairs° pour sa prouesse° et sa grande valeur. Il aimait à mener le train° d'un chevalier fastueux°: il participait à de nombreux tournois°, dépensait beaucoup, et donnait généreusement. Il s'éprit° de la femme de son voisin. Ses multiples sollicitations°, ses multiples prières, autant que ses grands mérites firent qu'elle l'aima plus que tout au monde, à la fois pour tout le bien qu'elle entendit raconter de lui, et parce qu'il était son voisin. **Q 1–5** Leur amour fut prudent et profond. Ils prirent grand soin° de se cacher, veillant° à n'être pas découverts ni dérangés° ni soupçonnés°. C'était pour eux chose aisée, car leurs demeures° étaient proches. Voisines étaient leurs maisons ainsi que les grandes salles de leurs donjons°. Pas d'autre obstacle, pas d'autre séparation qu'un grand mur de pierre grise. De l'appartement où elle couchait, la dame pouvait, se mettant à la fenêtre, parler à son ami de l'autre côté, et lui à elle. Ils pouvaient échanger des cadeaux en les jetant ou en se les lançant. Ils n'ont pas de sujet de mécontentement et sont tous deux fort heureux, à cela près seulement° qu'ils ne peuvent être ensemble quand il leur plaît, car la dame est l'objet d'une étroite surveillance° quand son ami° se trouve dans le pays. Ils ont du moins en compensation la possibilité de se parler de nuit comme de jour. Personne ne peut les empêcher° d'aller à la fenêtre et de s'y voir. **Q 6–8** Pendant longtemps ils se sont aimés ainsi, jusqu'à la venue d'un printemps où les bosquets° et les prés° ont retrouvé leur verdure° et les jardins leurs fleurs. Les petits oiseaux du printemps, par leurs chants pleins de douceur, expriment leur joie au sommet des arbres en fleurs. Il n'est pas étonnant alors que celui qui aime selon son cœur s'abandonne à l'amour. Quant au chevalier, je vous dirai la vérité: il s'y abandonne° autant qu'il peut, et la dame aussi, et en paroles et en regards. La nuit, quand la lune

residents of Brittany
old English spelling of nightingale
to live
intelligent / gracious
molding her conduct
customs
bachelor
equals, peers / feats
to lead the life / showy / tournaments / to fall in love / appeals
to take care / being on their guard / disturbed / suspected / residences / main towers (of the castles)
with the one exception
close watch / here, husband
to prevent
groves of trees / meadows / greenery
to give oneself over

luisait° et que son mari était couché, souvent elle le quittait pour se laver, passait son manteau et allait se mettre à la fenêtre pour son ami, dont elle savait qu'il en faisait tout autant°, et passait la plus grande partie de la nuit à veiller°. Ils avaient du plaisir à se voir, faute de mieux°. Mais tant de stations à la fenêtre, tant de levers nocturnes finirent par irriter le mari et, à maintes reprises°, il lui demanda pourquoi elle se levait et où elle était allée. «Seigneur, lui répond la dame, il ne connaît pas la joie en ce monde celui qui n'entend pas chanter le rossignol. C'est pour cela que je vais me placer ici, à la fenêtre. J'écoute son chant si doux, la nuit, que j'en éprouve° une très grande joie. J'y prends une telle volupté° et je désire tellement l'entendre que je ne peux fermer l'œil.» Le mari, entendant ces paroles, a un ricanement° furieux et sarcastique. Il mûrit° un projet: il prendra le rossignol au piège°. Tous les domestiques de maison confectionnent° pièges, filets et lacets°, qu'ils disposent ensuite dans le jardin. Il n'y a ni coudrier° ni châtaignier°, où ils ne placent des lacets ou de la glu°, si bien qu'à la fin, ils prennent le rossignol et le gardent. Une fois pris, ils le remettent° vivant entre les mains du seigneur. Tout joyeux de le tenir, il se rend° à l'appartement de la dame. «Dame, dit-il, où êtes-vous? Approchez, venez donc me parler! J'ai pris au piège le rossignol qui vous a tant fait veiller. Désormais vous pouvez rester couchée tranquillement: il ne vous réveillera plus.» En l'entendant parler ainsi, la dame est triste et peinée°. Elle demande le rossignol à son mari, mais lui le tue par méchanceté°. De ses deux mains, il lui brise le cou. Ce fut là le geste d'un homme ignoble°. Puis il jette le corps sur la dame, si bien qu'il tache° d'un peu de sang sa tunique par devant, au niveau de la poitrine°. Après quoi, il sort de la chambre. **Q 9–13** La dame, elle, prend le petit oiseau mort, pleure à chaudes larmes et maudit° alors ceux qui par traîtrise° se sont emparés° du rossignol en confectionnant pièges et lacets, car ils lui ont enlevé° une grande joie. «Hélas, dit-elle, quel malheur pour moi! Je ne pourrai plus me lever pendant la nuit, ni aller me tenir° à la fenêtre où j'ai l'habitude de voir mon ami. Mais il y a une chose dont je suis bien sûre, c'est qu'il va croire que je l'abandonne et il me faut prendre des mesures. Je lui enverrai le rossignol et lui ferai savoir ce qui est arrivé.» Dans une pièce de brocart°, avec leur histoire brodée en fils d'or°, elle enveloppe l'oiselet°. Elle fait venir un de ses domestiques, lui confie le message et l'envoie à son ami. Le domestique arrive chez le chevalier, lui fait part des salutations de sa dame et après avoir délivré tout son message, il lui offre le rossignol. Quand il lui a tout dit et raconté, le chevalier, qui l'avait écouté avec attention, resta peiné° de ce qui était arrivé. Mais un homme courtois et prompt, il fait forger un coffret° non en fer° ni acier°, mais tout d'or pur et enrichi de pierres précieuses de grande valeur. Dans le coffret, dont le couvercle ferme très bien, il place le rossignol. Puis il fait sceller la châsse° qu'il fait toujours porter avec lui.

On raconta cette aventure qui ne put rester longtemps cachée°. Les Bretons en ont fait un lai qu'on nomme *Le Laüstic*. **Q 14–16**

to shine
as much
to stay up
for lack of anything better
frequently
to experience / delight, pleasure
sneer
to develop / in a trap
to make / nets and snares / hazel-tree / chestnut-tree / birdlime (sticky substance) / to give
to go
pained, distressed
wickedness
vile
to stain
chest
to curse / treachery
to catch
to take away
to stand
brocade (embossed silk)
stitched with gold thread / little bird
was distressed
small jewelry box
iron / steel
to have the relic box sealed
hidden

Questions sur le texte

D. Vous et les personnages

1. Comment réagissez-vous à chacun des personnages (le chevalier, la femme, le mari)? Votre réaction est-elle positive? négative? ambivalente?

2. Pour chaque personnage, faites une liste des qualités et des actions qui expliquent votre réaction.

   le chevalier

   la femme

   le mari

E. La littérature médiévale utilise souvent des symboles pour suggérer les sentiments. Quelle valeur symbolique les objets suivants prennent-ils?

le mur

le printemps

le chant du rossignol

la tache de sang

le coffret

Post-lecture

F. Discutez avec des camarades de classe des différences entre l'amitié, l'amour platonique, l'amour passionné et l'amour «domestique».

G. Ecrivez un petit conte où un oiseau (ou bien un autre animal) prend une valeur symbolique.

H. A notre époque, avons-nous de la difficulté à comprendre les sentiments et les faits racontés dans cette histoire? Pourquoi ou pourquoi pas? En répondant à cette question, discutez de l'amour tel qu'il est présenté dans *Le Laüstic* et tel que vous l'avez décrit dans les exercices A et B.

I. Pour approfondir vos connaissances sur Marie de France et sur les lais, visitez le site web **www.thomsonedu.com/french/schofer** et faites des activités et des recherches.

Phrases: Talking about habitual actions; Talking about past events; Describing the past

Vocabulary: Tales and legends; Animals-bird, animals-domestic, animals-wild

Grammar: Compound Past Tense: **passé composé;** Past Imperfect: **imparfait;** Simple Past Tense: **passé simple;** Relative Pronouns: **qui, que;** Relative Pronouns: **ce qui, ce que**

Chanson d'automne

Paul Verlaine

Paul Verlaine (1844–1896) a mené une vie orageuse et pleine de contradictions. Il semble toujours tiraillé entre, d'un côté, son désir de stabilité et de pureté et, de l'autre côté, son humeur vagabonde et son penchant pour l'alcool. Quelques mois après avoir épousé une jeune fille de seize ans, il la quitte pour s'enfuir avec le jeune poète Arthur Rimbaud. Après deux années de vagabondage en Angleterre et en Belgique, Verlaine, ivre et en colère, blesse Rimbaud de deux coups de revolver. Condamné à un séjour en prison, Verlaine se reconvertit au christianisme mais, après sa libération, il recommence à boire. Pauvre et malade à la fin de sa vie, il est néanmoins sacré «prince des poètes» par ses contemporains.

Pré-lecture

A. Les saisons

1. Faites une liste de phénomènes naturels, d'activités et de couleurs que vous associez à chaque saison.

Saisons	Phénomènes naturels	Activités	Couleurs
l'hiver	la neige	faire du ski	blanc
le printemps			
l'été			
l'automne			

2. Quels sont les sentiments et les états d'esprit que vous associez à chaque saison?

la joie • le bonheur • l'espoir, le désespoir • la dépression • la tristesse • la mélancolie • l'anticipation • l'énergie

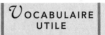

B. Voyelles orales / voyelles nasales

La nasalisation d'une voyelle annonce «la présence» d'un *m* ou d'un *n* non prononcés—dem*an*der [ɑ̃], p*ein*tre [ɛ̃], b*on* [ɔ̃].

1. Soulignez dans les paires suivantes le mot qui a une voyelle nasale.

   Modèle: banane • <u>danser</u>

viens • vienne	sonne • chanson	ancien • ennemi
long • automne	vent • fenêtre	âne • quand
monotone • mon		

2. Ajoutez aux listes suivantes des mots que vous connaissez.

AN, AM EN, EM	IN, IM, AIN, AIM EIN, IEN, OIN	ON, OM
chanter	pain	son
entendre	important	tomber

Lecture

Paul Verlaine

Track 5

Chanson d'automne

Les sanglots° longs
Des violons
   De l'automne
Blessent° mon cœur
D'une langueur
   Monotone.

Tout suffocant
Et blême°, quand
   Sonne l'heure,
Je me souviens
Des jours anciens
   Et je pleure,

Et je m'en vais
Au vent mauvais
   Qui m'emporte°,
Deçà, delà°,
Pareil° à la
   Feuille morte.

- sanglots: *sobs*
- Blessent: *to wound*
- blême: *pale*
- m'emporte: *to carry away*
- Deçà, delà: *Here and there*
- Pareil: *Similar*

Questions sur le texte

C. Quels éléments naturels de l'automne le poète a-t-il choisis?

D. Le poète utilise des métaphores—c'est-à-dire qu'il n'utilise pas les mots dans leur sens littéral. Essayez d'expliquer les métaphores suivantes.

1. Quels sont les violons de l'automne? Comment un violon peut-il sangloter?

2. A quelle «heure» le poète fait-il allusion dans le neuvième vers?

3. Pourquoi le vent est-il mauvais?

E. Comment le poète (qui est le narrateur) se sent-il? Quelles sont, selon vous, les causes de son état?

F. Le dernier mot du poème fait directement allusion à la mort.

1. Quels sont les mots du poème qui font allusion à la mort avant le dernier vers?

2. Dans quel sens peut-on dire que ces mots marquent une progression?

G. Le titre du poème contient le mot chanson.

1. Quelles allusions le poète fait-il à la musique?

2. En quoi le poème est-il musical? (Rappelez-vous que deux éléments essentiels de la musique sont les sons et le rythme.) Relevez les mots et les sons qui se répètent dans le poème.

Post-lecture

H. On a défini la poésie comme «la déformation ou la reformation du langage de tous les jours». En quoi le poème *Chanson d'automne* illustre-t-il cette définition? Avec vos camarades de classe, expliquez comment le poème déforme ou reforme le langage de tous les jours.

I. Imaginez que vous soyez peintre et que vous ayez décidé de faire un tableau en vous inspirant de ce poème. Décrivez le tableau que vous peindriez.

J. Choisissez une saison autre que l'automne. Décrivez cette saison en essayant d'évoquer un sentiment ou un état émotionnel sans mentionner directement ce sentiment ou cet état.

K. Ecrivez un court poème sur un sujet autre que celui traité par Verlaine. Fondez votre poème sur une ou deux voyelles nasales.

Suggestion: Commencez par faire une liste de mots ayant le(s) son(s) que vous allez utiliser. Puis, trouvez dans cette liste le sujet de votre poème.

L. Pour approfondir vos connaissances sur Verlaine et sa poésie, visitez le site web **www.thomsonedu.com/french/schofer** et faites des activités et des recherches.

Phrases: Describing weather; Describing objects; Describing people

Vocabulary: Geography; Colors; Plants-trees; Seasons

Grammar: Locative Pronoun: **y;** Indefinite articles: **un, une, des;** Relative Pronouns: **qui, que;** Prepositions of Location

Demain, dès l'aube

Victor Hugo

Poète, dramaturge, romancier, homme politique, Victor Hugo (1802–1885) a dominé la vie culturelle de son siècle par la quantité et la grande diversité de ses œuvres. A cause de son opposition au gouvernement tyrannique de Napoléon III, Hugo s'est exilé entre 1851 et 1870 sur l'île de Jersey, puis à Guernesey. Pendant ces années d'exil, il a écrit ses plus grandes œuvres poétiques, parmi lesquelles *Les Châtiments* (attaque violente contre Napoléon III), *La Légende des siècles* (longue narration de l'histoire de l'humanité) et *Les Contemplations*, un recueil de poèmes à la fois personnels et cosmiques sur la mort et la situation de l'homme devant la mort.

Le poème que vous allez lire traite des pensées et des actions du poète qui se trouve en Normandie. On peut imaginer la scène finale sur une falaise en face de la mer.

Pré-lecture

A. Vous allez partir en voyage et la veille du départ vous imaginez ce voyage: l'endroit où vous irez, ce que vous ferez, ce que vous verrez et entendrez, etc. Imaginez aussi que vous parlez à la personne que vous verrez à la fin du voyage. (Parlez à cette personne comme si elle était avec vous pendant le voyage imaginaire.)

Modèle: Je viendrai vous voir demain. Je partirai à 8h du matin...

Vocabulaire utile

la campagne • la mer • des voiles (de bateaux) • des tombes • la bruyère • le houx vert • le jour • la nuit

triste • courbé • croisé

demeurer • partir • entendre • écouter • tomber • voir • regarder • attendre • marcher • penser

ne... pas • ne... rien • sans

B. Imaginez ce même voyage, mais entrepris *(undertaken)* par une personne très triste. Décrivez son aspect physique aussi bien que ce qu'elle fait et voit.

C. Le jeu d'associations

Faites des associations avec les mots suivants (couleurs, activités, sentiments, etc.).

l'aube

le soir

le houx

la bruyère

Lecture

Victor Hugo

Track 6

Demain, dès l'aube

Demain, dès° l'aube, à l'heure où blanchit la campagne,
Je partirai. Vois-tu, je sais que tu m'attends.
J'irai par la forêt, j'irai par la montagne.
Je ne puis° demeurer loin de toi plus longtemps.

Je marcherai les yeux fixés sur mes pensées,
Sans rien voir au-dehors, sans entendre aucun bruit,
Seul, inconnu, le dos courbé, les mains croisées,
Triste, et le jour pour moi sera comme la nuit.

Je ne regarderai ni l'or du soir qui tombe,
Ni les voiles au loin descendant vers Harfleur°,
Et quand j'arriverai, je mettrai sur ta tombe
Un bouquet de houx° vert et de bruyère° en fleur.

dès: as soon as

puis: alternate form of je peux

Harfleur: town in northwestern France (near Le Havre) / houx: holly / bruyère: heather

Questions sur le texte

D. Dans ce poème, le narrateur s'adresse à une personne en particulier. A votre avis, qui sont ces deux personnages? Qu'est-ce qui, dans le poème, justifie votre idée?

E. Le poème se compose de trois strophes. Répondez aux questions suivantes pour chaque strophe.

a. Quel moment de la journée est-ce que ce sera? Soyez aussi précis(e) que possible.
b. Où se trouvera le poète?
c. Que fera-t-il? Que ne fera-t-il pas?
d. Que ressentira-t-il?

Première strophe

Deuxième strophe

Troisième strophe

F. Quelle est la valeur symbolique du bouquet qu'il mettra sur la tombe? (Dans le langage traditionnel des fleurs, le houx et la bruyère symbolisent *la permanence* et *la fidélité.* Quelles autres qualités y associez-vous? Quelles autres fleurs ou plantes le poète aurait-il pu choisir? Pourquoi aurait-il préféré celles-ci?)

Post-lecture

G. On dit que les Américains ont du mal à affronter la réalité de la mort et que les morts fictives dans les médias nous suggèrent que nous sommes invulnérables. Qu'en pensez-vous?

H. Reprenez un de vos exercices de la ***Pré-lecture*** et refaites-le à la manière du poème. (Vous n'êtes pas obligé[e] d'écrire un poème en vers.)

I. Ecrivez un petit poème, sans faire attention à la longueur des vers, en vous servant du vocabulaire de *Demain, dès l'aube.*

J. En poésie, la nuit représente souvent la mort et le jour représente les étapes *(stages)* de la vie—la jeunesse, l'âge mûr, la vieillesse. Expliquez comment le poète se sert de ces symboles pour exprimer sa douleur face à la mort.

K. Pour approfondir vos connaissances sur la vie de Victor Hugo et sur le fond autobiographique de *Demain, dès l'aube*, visitez le site web **www.thomsonedu.com/french/schofer** et faites des activités et des recherches.

Phrases: Sequencing events; Planning a vacation; Expressing intention; Describing people

Vocabulary: Traveling; Time of day; Personality

Grammar: Future Tense: **futur;** Future Past: **futur antérieur;** Pronouns: **tu, te, toi;** Pronoun: **vous**

L'Autre Femme

COLETTE

Gabrielle-Sidonie Colette (1873–1954) est la femme de lettres française la plus importante de la première moitié du vingtième siècle. Elevée par une mère généreuse, puis victime d'un mari plus âgé (qui a signé de son propre nom les premiers romans de sa jeune femme), danseuse de music-hall et grand amateur de chattes, Colette a publié une cinquantaine de romans et de recueils de contes. Ses œuvres—tantôt des évocations lyriques de sa jeunesse, tantôt des études ironiques des mœurs parisiennes—se déroulent dans un univers féminin dont la femme est le centre et, en général, le personnage le plus fort.

L'Autre Femme, tiré d'un recueil de contes (*La Femme cachée*) publié pour la première fois en 1924, montre comment Colette décrit de façon peu conventionnelle les rapports entre les hommes et les femmes. A l'époque où se déroule l'action de *L'Autre Femme*, on divorçait relativement peu en France en raison des pressions en faveur du mariage exercées par l'Eglise et par la famille. Par conséquent, la «bonne société» considérait avec défaveur les femmes divorcées.

Pré-lecture

A. Le mariage

Quelles différences y a-t-il entre un mariage dit «traditionnel» et ce qu'on appelle un mariage «moderne»?

VOCABULAIRE UTILE

dominer • choisir • décider • commander • discuter (de) • écouter • échanger • partager • respecter • garder son indépendance • dépendre de • se disputer • diviser • accepter • refuser

B. Des réactions différentes

Un homme se retrouve avec sa femme et son ex-femme pour la première fois. Imaginez les réactions de chaque personne.

VOCABULAIRE UTILE

se demander • regarder • remarquer • comparer • se cacher • se détourner • éviter • s'adresser à • sourire • parler froidement à • surveiller • soigner sa ligne • rire (trop) fort • s'interroger • envier • être surpris

gêné • fâché • jaloux • curieux • mal à l'aise • content

Lecture

Colette

L'Autre Femme

—Deux couverts°? Par ici, monsieur et madame, il y a encore une table contre la baie°, si madame et monsieur veulent profiter de la vue.

Alice suivit le maître d'hôtel°.

—Oh! oui, viens, Marc, on aura l'air de déjeuner sur la mer dans un bateau... Son mari la retint° d'un bras passé sous le sien°.

—Nous serons mieux là.

—Là? Au milieu de tout ce monde? J'aime bien mieux...

—Je t'en prie, Alice.

Il resserra son étreinte° d'une manière tellement significative qu'elle se retourna.

—Qu'est-ce que tu as?

Il fit «ch...tt» tout bas, en la regardant fixement, et l'entraîna° vers la table du milieu.

—Qu'est-ce qu'il y a, Marc?

—Je vais te dire, chérie. Laisse-moi commander le déjeuner. Veux-tu des crevettes°? ou des œufs en gelée°?

—Ce que tu voudras, tu sais bien.

Ils se sourirent, gaspillant° les précieux moments d'un maître d'hôtel surmené°, atteint d'°une sorte de danse nerveuse, qui transpirait° près d'eux.

Table for two
bay
head waiter
to hold back / hers (her arm)
to tighten his grip
to pull along
shrimp / jellied
wasting
overworked / affected by (struck by) / to perspire

—Les crevettes, commanda Marc. Et puis les œufs bacon. Et du poulet froid avec une salade de romaine. Fromage à la crème? Spécialité de la maison? Va° pour la spécialité. Deux très bons cafés. Qu'on fasse déjeuner mon chauffeur°, nous repartons à deux heures. Du cidre? Je me méfie°... Du champagne sec°. **Q 1–5**

Il soupira° comme s'il avait déménagé° une armoire°, contempla la mer décolorée de midi, le ciel presque blanc, puis sa femme qu'il trouva jolie sous un petit chapeau de Mercure à grand voile pendant°.

—Tu as bonne mine°, chérie. Et tout ce bleu de mer te fait les yeux verts, figure-toi°! Et puis tu engraisses°, en voyage... C'est agréable, à un point, mais à un point!...

Elle tendit orgueilleusement sa gorge° ronde, en se penchant° au-dessus de la table:

—Pourquoi m'as-tu empêchée° de prendre cette place contre la baie?

Marc Séguy ne songea° pas à mentir°.

—Parce que tu allais t'asseoir° à côté de quelqu'un que je connais.

—Et que je ne connais pas?

—Mon ex-femme.

Elle ne trouva pas un mot à dire et ouvrit plus grands ses yeux bleus.

—Quoi donc, chérie? Ça arrivera encore. C'est sans importance.

Alice, retrouvant la parole°, lança dans leur ordre logique les questions inévitables:

—Elle t'a vu? Elle a vu que tu l'avais vue? Montre-la moi!

—Ne te retourne pas tout de suite, je t'en prie, elle doit nous surveiller°... Une dame brune, tête nue°, elle doit habiter cet hôtel... Toute seule, derrière ces enfants en rouge...

—Oui. Je vois. **Q 6–9**

Abritée° derrière des chapeaux de plage à grandes ailes°, Alice put regarder celle qui était encore, quinze mois auparavant°, la femme de son mari. «Incompatibilité», lui racontait Marc. «Oh! mais, là... incompatibilité totale! Nous avons divorcé en gens bien élevés, presque en amis, tranquillement, rapidement. Et je me suis mis à t'aimer, et tu as bien voulu être heureuse avec moi. Quelle chance° qu'il n'y ait, dans notre bonheur, ni coupables, ni victimes!»

La femme en blanc, casquée° de cheveux plats et lustrés° où la lumière de la mer miroitait° en plaques d'azur, fumait une cigarette en fermant à demi les yeux. Alice se retourna vers son mari, prit des crevettes et du beurre, mangea posément°. Au bout d'un moment de silence:

—Pourquoi ne m'avais-tu jamais dit qu'elle avait aussi les yeux bleus?

—Mais je n'y ai pas pensé!

Il baisa° la main qu'elle étendait° vers la corbeille à pain° et elle rougit de plaisir. Brune et grasse, on l'eût trouvée un peu bestiale°, mais le bleu changeant de ses yeux, et ses cheveux d'or ondé°, la déguisaient en blonde frêle° et sentimentale. Elle vouait° à son mari une gratitude éclatante. Immodeste sans le savoir, elle portait sur toute sa personne les marques trop visibles d'une extrême félicité°. **Q 10–13**

OK
Have lunch given to my driver / to be wary / dry / to sigh / to move / cabinet
with a veil that hangs down / to look good
would you believe / to put on weight
to proudly push forward her bosom / to lean
to prevent
to dream / to lie
to sit down
able to speak again
to probably be keeping an eye on someone / bareheaded (hatless)
Hidden / with wide rims
earlier
What luck
helmeted / lustrous (glossy) / to shimmer
slowly and deliberately
to kiss / to stretch out / bread basket / If she had been brunette and stout, people would have found her to be a bit brutish (animal-like) / wavy / fragile / to vow / happiness

Ils mangèrent et burent de bon appétit, et chacun d'eux crut que l'autre oubliait la femme en blanc. Pourtant, Alice riait parfois trop haut, et Marc soignait sa silhouette, élargissant les épaules et redressant la nuque°. Ils attendirent le café assez longtemps, en silence. Une rivière incandescente, reflet étiré° du soleil haut et invisible, se déplaçait° lentement sur la mer, et brillait d'un feu insoutenable°.

—Elle est toujours là, tu sais, chuchota° brusquement Alice.

—Elle te gêne°? Tu veux prendre le café ailleurs?

—Mais pas du tout! C'est plutôt elle qui devrait être gênée! D'ailleurs, elle n'a pas l'air de s'amuser follement, si tu la voyais...

—Pas besoin. Je lui connais cet air-là°.

—Ah! oui, c'était son genre°?

Il souffla° de la fumée par les narines° et fronça les sourcils°:

—Un genre... Non. A te parler franchement, elle n'était pas heureuse avec moi.

—Ça, par exemple!...

—Tu es d'une indulgence délicieuse, chérie, une indulgence folle... Tu es un amour, toi... Tu m'aimes... Je suis si fier°, quand je te vois ces yeux... oui, ces yeux-là... Elle... Je n'ai sans doute pas su la rendre heureuse. Voilà, je n'ai pas su.

—Elle est difficile!

Alice s'éventait° avec irritation, et jetait de brefs regards sur la femme en blanc qui fumait, la tête appuyée° au dossier de rotin°, et fermait les yeux avec un air de lassitude° satisfaite.

Marc haussa les épaules° modestement:

—C'est le mot, avoua°-t-il. Que veux-tu? Il faut plaindre° ceux qui ne sont jamais contents. Nous, nous sommes si contents... N'est-ce pas, chérie? **Q 14–18**

Elle ne répondit pas. Elle donnait une attention furtive au visage de son mari, coloré, régulier, à ses cheveux drus°, faufilés° çà et là de soie° blanche, à ses mains courtes et soignées. Dubitative° pour la première fois, elle s'interrogea:

«Qu'est-ce qu'elle voulait donc de mieux, elle?»

Et jusqu'au départ, pendant que Marc payait l'addition, s'enquérait° du chauffeur, de la route, elle ne cessa plus de regarder avec une curiosité envieuse la dame en blanc, cette mécontente°, cette difficile, cette supérieure... **Q 19–20**

sitting up straight
stretched out
to move
unbearable
to whisper
to bother
that look
her manner (style)
to blow / nostrils / eyebrows
proud
to fan herself
leaning / cane-back (of chair) / weariness
to shrug
to admit / to feel sorry for
thick / threaded
silk / Wondering (Doubting)
to ask about
displeased or dissatisfied woman

Questions sur le texte

C. Qu'est-ce que vous savez du mariage de Marc et d'Alice? (Quel âge ont-ils? Quelle est leur expérience de la vie? Se connaissent-ils bien?)

D. Quelle est la version que Marc donne de son premier mariage? (Pourquoi sa première femme et lui se sont-ils séparés? Dans quelles conditions?)

E. Alice et l'autre femme

1. Qu'est-ce qu'on apprend sur l'apparence physique et le caractère d'Alice (ses vêtements, son corps, son visage, son attitude envers son mari, etc.)?

2. On n'apprend que quelques tout petits détails sur l'ex-femme de Marc. Faites-en une liste.

3. Dans quel sens peut-on dire que «l'autre femme» est vraiment «autre»? (En quoi diffère-t-elle d'Alice?)

F. La conclusion

1. Pourquoi Alice trouve-t-elle l'ex-femme «supérieure»? (Quelle question Alice se pose-t-elle pour la première fois?)

2. En quoi la fin du conte est-elle ironique? (Comparez les pensées de Marc et d'Alice.)

Post-lecture

G. Commentez la fin du conte. Jusqu'à quel point cette conclusion correspond-elle à votre idée de la psychologie féminine? Pouvez-vous comprendre la réaction d'Alice? Pourquoi ou pourquoi pas? Auriez-vous imaginé une autre réaction de sa part? Laquelle?

H. Récrivez ce conte en renversant la situation. Une femme se retrouve avec son mari et son ex-mari pour la première fois.

I. Pour approfondir vos connaissances sur la vie de Colette et sur la condition de la femme en France depuis le début du 20e siècle, visitez le site web **www. thomsonedu.com/french/schofer** et faites des activités et des recherches.

Phrases: Describing people; Pointing out a person; Comparing and distinguishing; Asking for information

Vocabulary: Family members; Restaurant; Personality; Clothing; Colors

Grammar: Compound Past Tense: **passé composé;** Past Imperfect: **imparfait;** Interrogative Pronoun: **qui;** Interrogative Pronouns: **que, quoi;** Indirect Object: **lui, leur;** Direct Object: **le, la, l', les**

Le Pont Mirabeau

GUILLAUME APOLLINAIRE

Guillaume Apollinaire (1880–1918), le fils naturel d'un officier italien et d'une jeune fille de la société romaine, est né à Rome. Elevé dans le sud de la France, il est arrivé à Paris en 1891, où il a lié amitié avec de nombreux peintres—Picasso, Derain, Vlaminck et surtout Marie Laurencin, avec qui il a eu une liaison de plusieurs années. Amateur de peinture et de poésie, Apollinaire est connu surtout pour deux recueils de poésie—*Alcools* (1913), d'où est tiré *Le Pont Mirabeau,* et *Calligrammes* (1918), dont les poèmes sont disposés de façon à former des dessins illustrant leur sujet. Apollinaire a été blessé à la tête pendant la Première Guerre mondiale et, affaibli par sa blessure, est mort à l'âge de 38 ans dans l'épidémie de grippe espagnole qui ravageait la France.

Un des poèmes de langue française les plus célèbres, *Le Pont Mirabeau* date de 1912, année où la liaison du poète avec Marie Laurencin est en train de se terminer. Le poème est caractérisé par une absence de ponctuation et par son refrain mélodieux.

Pré-lecture

Vocabulaire utile

passer de longues heures dans votre chambre • pleurer • relire les lettres qu'il (elle) vous a écrites • revisiter les endroits que vous fréquentiez avec lui (elle) • chercher à l'oublier

triste • seul • abandonné • fâché • mélancolique • découragé • désespéré

A. La fin d'une relation amoureuse

Imaginez que vous êtes amoureux(-se) de quelqu'un depuis un certain temps et que votre relation commence progressivement à se détériorer. Que faites-vous? Comment vous sentez-vous?

B. Les ponts

Vocabulaire utile

fluidité • solidité • permanence • instabilité • stabilité • changement • communication • séparation

Faites une liste de caractéristiques que vous associez...

1. aux ponts

2. aux fleuves ou aux rivières

C. L'amour

comme • ainsi que • pareil • contraire à • ressembler à • différer de

En vous inspirant de vos réponses aux exercices A et B, rédigez un petit poème en prose au sujet de l'amour et de sa disparition.

Note grammaticale

Il n'existe pas de formes de l'impératif à la troisième personne. Il faut donc utiliser un équivalent. On emploie le présent du subjonctif avec **que** et le pronom sujet. Par exemple:

Qu'elle fasse ce qu'elle veut.	*Let her do what she wants.*
Qu'ils attendent ici.	*Have them wait here.*

Dans certains cas, on n'utilise pas **que** et le verbe précède le sujet. Par exemple:

Vive le roi!	*Long live the king!*

Lecture

Guillaume Apollinaire

Track 7

Le Pont Mirabeau

Sous le pont Mirabeau coule° la Seine
Et nos amours
Faut-il qu'il m'en souvienne°
La joie venait toujours après la peine°

Vienne la nuit sonne l'heure
Les jours s'en vont° je demeure°

Les mains dans les mains restons face à face
Tandis que sous
Le pont de nos bras passe
Des éternels regards l'onde° si lasse°

Vienne la nuit sonne l'heure
Les jours s'en vont je demeure

L'amour s'en va comme cette eau courante
L'amour s'en va
Comme la vie est lente°
Et comme l'Espérance° est violente

Vienne la nuit sonne l'heure
Les jours s'en vont je demeure

Passent les jours et passent les semaines
Ni° temps passé
Ni° les amours reviennent
Sous le pont Mirabeau coule la Seine

Vienne la nuit sonne l'heure
Les jours s'en vont je demeure

flows
to recall, remember
suffering
go away / to stay, remain
wave, waters / weary, tired
slow
Hope
Neither…
Nor…

Questions sur le texte

D. Trouvez dans le poème tous les mots et toutes les expressions associés...

1. au temps

2. au mouvement, à ce qui change

3. à la solidité, à ce qui ne change pas

E. Le poème est divisé en quatre strophes et chaque strophe est suivie d'un refrain. Par ailleurs, le poète a supprimé toute ponctuation.

1. Quels aspects de la structure du poème renforcent l'idée de solidité, de permanence?

2. Quels aspects de la structure du poème renforcent l'idée de changement, d'instabilité?

3. Comment le poète utilise-t-il la comparaison, la métaphore et l'opposition pour relier son amour et la présence réelle du pont et du fleuve?

Première strophe

Deuxième strophe

Troisième strophe

Quatrième strophe

F. Le Pont Mirabeau traverse la Seine vers le quartier d'Auteuil, où Apollinaire habitait avec le peintre Marie Laurencin. Quels semblent être les rapports entre le poète et la femme au moment où il écrit le poème? Où en est leur relation—au début? au milieu? juste avant la fin? juste après la fin? Qu'est-ce qui, dans le poème, justifie vos réponses à ces questions?

Post-lecture

G. Ce poème traite de deux thèmes traditionnels de la poésie lyrique—la fuite du temps et le regret d'un amour perdu. Discutez avec vos camarades des questions suivantes. Les meilleurs poèmes naissent-ils de la souffrance personnelle? Peut-on écrire de bons poèmes sur des sujets heureux?

H. Rédigez le scénario d'un court métrage *(short film)* inspiré par ce poème.

I. Le premier vers du poème est construit de la façon suivante: préposition + nom objet de la préposition + verbe + nom sujet. En vous inspirant de cette structure syntaxique, écrivez un petit poème en prose sur un sujet de votre choix.

J. Pour approfondir vos connaissances sur Guillaume Apollinaire et sa poésie, ainsi que sur Marie Laurencin et les ponts de Paris, visitez le site web **www.thomsonedu.com/french/schofer** et faites des activités et des recherches.

Phrases: Describing people; Talking about the present; Pointing out a person; Describing weather

Vocabulary: Clothing; Colors

Grammar: Present Tense: **présent;** Adverbs of Time

Publicité: Les vacances au Portugal

Le Portugal se situe à l'ouest de l'Espagne le long de la côte Atlantique. Un pays très étroit au relief accidenté (sans beaucoup de plaines pour l'agriculture), il est connu pour ses belles plages de sable. Depuis l'Antiquité, le Portugal cherche sa fortune dans la mer et les Portugais voyagent loin à la poursuite de poissons.

Comme l'Angleterre, le Portugal est devenu une puissance maritime et coloniale à partir du 14e siècle. Sous la monarchie de Bourgogne puis sous la dynastie d'Aviz (1385–1580), les Portugais ont fait de grandes explorations. Ils ont, entre autres, découvert l'Amérique du Sud (le Brésil), la côte est de l'Afrique (l'Ethiopie, le Mozambique) et la route des Indes.

Malgré ses exploits et ses grandes découvertes, le Portugal n'a jamais réussi à établir des colonies permanentes, comme les Espagnols au Mexique, les Anglais aux Indes ou les Français en Afrique. En 1580, le roi d'Espagne devient roi du Portugal, unissant ainsi les deux royaumes. En 1668, le Portugal retrouve son indépendance, mais il ne retrouve pas la gloire de ses grandes explorations.

Vocabulaire utile

le soleil • la mer • le sable • le ciel bleu • les musées • les concerts • les églises • les vieilles villes

se reposer • se détendre • s'amuser • se perfectionner • cultiver son corps • cultiver son esprit • retrouver la bonne forme • apprendre des choses sur le passé

Pré-lecture

A. Où aller?

Deux personnes décident de partir en vacances ensemble. L'une aime les loisirs et les sports (la mer, le bateau à voile, la natation); l'autre s'intéresse à la culture (l'histoire, l'art, la musique). Imaginez une conversation dans laquelle ces deux personnes cherchent un endroit qui satisfasse à l'une et à l'autre.

B. Le ciel et la mer

Quelles images vous viennent à l'esprit quand vous voyez les mots suivants?

ciel

mer

Vocabulaire utile

la beauté • la chaleur • la couleur • la crainte • l'éternité • l'idéal • l'impossible • l'infini • la liberté • la profondeur • la retenue

C. Le temps et l'espace

On se sert des mots «profond» et «profondeur» pour décrire les pensées, par exemple, mais aussi pour parler du temps et de l'espace.

1. Composez des phrases qui comprennent les mots «profondeur», «mer», «terre» et «ciel».

2. Composez des phrases qui comprennent les mots «profond», «passé» et «histoire».

Vocabulaire utile

des cavernes • l'inconnu • le noir • des ombres • des traces

chercher • déchiffrer • découvrir • déterrer • lire • nager • plonger

Publicités

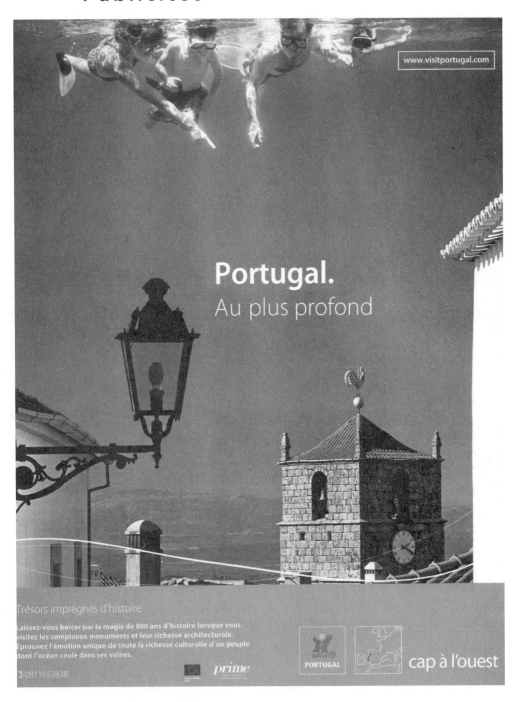

www.visitportugal.com

Portugal.
Au plus profond

Trésors imprégnés d'histoire

Laissez-vous bercer par la magie de 800 ans d'histoire lorsque vous visitez les somptueux monuments et leur richesse architecturale. Éprouvez l'émotion unique de toute la richesse culturelle d'un peuple dont l'océan coule dans ses veines.

0811653838

prime

PORTUGAL

cap à l'ouest

Vous trouverez les publicités en couleurs sur Internet.
www.thomsonedu.com/french/schofer

Questions sur les publicités

D. Le texte écrit

1. Lisez ce qui est écrit en bas de la publicité. Qu'est-ce qu'on vous promet de trouver au Portugal?

2. Vers la fin du texte, quels sont les seuls mots qui ne se réfèrent pas à l'histoire culturelle?

3. Quel rapport le texte suggère-t-il entre les Portugais, la mer et la culture?

E. L'image

1. En bas de l'image, quels détails picturaux suggèrent l'histoire et le passé?

2. Tout en haut de l'image, quelles sortes de personnes voyez-vous? Que font-elles? Qu'est-ce qu'elles indiquent du doigt?

F. Le sens

1. Que veut dire «Au plus profond»? (Où est le ciel? Où est la mer?)

2. Quelles sortes de vacances le Portugal offre-t-il?

Post-lecture

G. Créez une publicité semblable pour une ville ou un état aux Etats-Unis.

H. Inventez un dialogue entre un mari et une femme après des vacances dans un endroit qui offre un mélange de culture et d'activité physique.

I. Pour approfondir vos connaissances sur le Portugal, visitez le site web **www.thomsonedu.com/french/schofer** et faites des activités et des recherches.

Phrases: Persuading; Planning a vacation; Describing weather; Expressing a wish or desire

Vocabulary: Beach; Countries; City; Leisure

Grammar: Imperative: **impératif;** Prepositions **à, en** with Places

Le Maître

EUGÈNE IONESCO

Eugène Ionesco (1912–1994) a été un des dramaturges à l'origine du théâtre de l'absurde. Né en Roumanie, il a habité en France de 1945 jusqu'à sa mort. Parmi ses pièces les plus connues, on peut citer *La Cantatrice chauve, Les Chaises* et *Rhinocéros.* A partir de 1949, on joue *La Cantatrice chauve* à Paris sans interruption, un record dans le monde théâtral.

Pour Ionesco, l'absurde réside dans la société moderne et dans le langage contemporain, y compris le langage de tous les jours et le langage politique. Ayant vécu l'arrivée des régimes totalitaires (fascistes et communistes) en Europe, la génération d'Ionesco a perdu confiance dans la raison et dans un langage direct et logique. Dans *La Cantatrice chauve,* les couples échangent des banalités et répètent les mêmes phrases sans vraiment communiquer. Dans *Rhinocéros,* les paroles raisonnables sont littéralement écrasées par l'animalité. *Le Maître* nous jette dans un monde d'incongruités et, à la fin, d'actions peu crédibles.

Pré-lecture

A. L'admiration

On admire les gens pour des raisons diverses et cette admiration peut se manifester de façons variées.

1. Choisissez, dans la liste suivante, les deux ou trois qualités que vous admirez le plus chez une personne. Pour chaque qualité, décrivez quelques activités que vous y associez.

Qualités: l'intelligence • la beauté • l'imagination • l'énergie • la bonté • la force • le sens de l'humour • la fidélité • la popularité • la richesse • la générosité

Modèle: J'admire beaucoup les intellectuels. Ce sont des gens qui lisent beaucoup. Ils vont souvent au théâtre, au concert et dans les musées. Ils aiment les idées.

VOCABULAIRE UTILE

écrire à • téléphoner à • demander un autographe • parler de • applaudir • crier bravo • acclamer • sauter • jeter des confettis

2. Quand vous admirez quelqu'un, comment exprimez-vous votre admiration?

B. Au théâtre

Regardez le plan d'un théâtre ci-dessous et indiquez à quel numéro correspondent les endroits suivants.

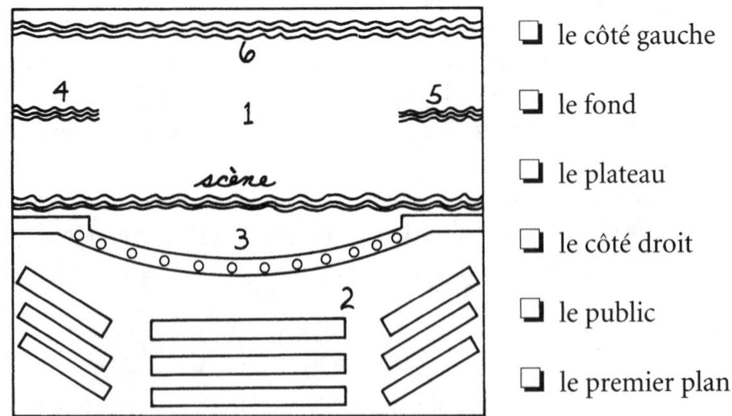

C. Le comique des gestes

Il y a plusieurs moyens de faire rire les gens. Les clowns ou les acteurs de vaudeville peuvent amuser un public en parlant très peu, mais en insistant sur le comique des gestes. Imaginez une scène comique à laquelle participent trois ou quatre acteurs (actrices) qui parlent à peine. C'est à vous de décrire ce qu'ils font.

Suggestions: trois clowns; deux hommes qui courtisent une jolie femme; deux enfants qui se moquent d'un policier

Vocabulaire utile

paraître • réapparaître • disparaître • s'élancer • se diriger • faire un pas • crier • se rencontrer • s'arrêter • sortir • s'embrasser • se taire • sauter • cracher • s'appuyer • se heurter • se relever • tomber • descendre • saluer • enfiler

Lecture

Eugène Ionesco

Le Maître

Dos au public, au milieu de la scène, le regard fixé sur la sortie du fond, l'Annonciateur guette° l'arrivée du maître. A droite et à gauche, collés° au mur, l'Admirateur et l'Admiratrice guettent aussi l'arrivée du maître.

guette: to watch for
collés: glued

L'ANNONCIATEUR, *au bout de quelques instants assez tendus°, toujours dans la même position.* Le voilà! Le voilà! Au bout de la rue! *(On entend des «Hourrah!», etc.)* Voilà le maître!... Il vient, il approche!... *(Acclamations dans la coulisse, applaudissements.)*... Il vaut mieux qu'il ne nous voie pas... *(Les deux Admirateurs se collent davantage contre le mur.)*... Attention!... *(L'Annonciateur s'enthousiasme, brusquement:)* Hourrah! Hourrah! Le maître! Le maître! Vive le maître! *(Le corps immobile et aplati° contre le mur, les deux Admirateurs avancent, le plus qu'ils peuvent, leur cou, leur tête, pour apercevoir le maître.)* Le maître!

tendus: tense
aplati: flattened

Encore (Again)
to get weak

Le maî-aî-tre! *(Les deux Admirateurs, ensemble:)* Hourrah! Hourrah! *(D'autres «Hourrah!», et «Hourrah! Bis°!», venant des coulisses, s'affaiblissent°, progressivement.)* Hourrah! Bis!

to spring

L'ANNONCIATEUR *s'élance° d'un pas vers le fond, s'arrête, puis sort, par le fond toujours, suivi des deux Admirateurs.* Ah! zut! il s'en va! il s'en va! Suivez-moi, vite! Suivons-le! *(L'Annonciateur et les deux Admirateurs sortent, en criant:)* Maître, Maî-aître! Maî-aî-aî-aî-aî-tre! Q 1

bleating (of sheep)
empty

Ce dernier «Maî-aî-aî-aî-tre» s'entend dans les coulisses, comme un bêlement°.

Silence. Scène vide° quelques instants brefs. Par la droite, entre le Jeune Amant; par la gauche, la Jeune Amante; ils se rencontrent au milieu du plateau.

LE JEUNE AMANT Pardon, Madame ou Mademoiselle?

LA JEUNE AMANTE Monsieur, je n'ai pas l'honneur de vous connaître!...

LE JEUNE AMANT Moi non plus, je ne vous connais pas!...

LA JEUNE AMANTE Nous ne nous connaissons donc ni l'un ni l'autre.

grounds for understanding

LE JEUNE AMANT Justement. Nous avons un point commun. Il y a donc, entre nous, un terrain d'entente° sur lequel nous pourrions bâtir l'édifice de notre avenir.

I couldn't care less

LA JEUNE AMANTE Je m'en balance°, Monsieur.

to pretend

Elle fait mine de° s'en aller.

LE JEUNE AMANT Chérie, oh, je vous adore!...

LA JEUNE AMANTE Chéri, moi aussi!

Ils s'embrassent.

to take away

LE JEUNE AMANT Chérie, je vous emmène°. Nous nous marierons ensuite.

Ils sortent par la gauche. Scène vide un court instant. Q 2

to swear

L'ANNONCIATEUR *réapparaît, par le fond, suivi des deux Admirateurs.* Le maître avait pourtant bien juré° qu'il passerait par ici.

L'ADMIRATEUR Finalement, en êtes-vous bien sûr?

L'ANNONCIATEUR Mais oui, mais oui!

L'ADMIRATRICE Est-ce bien son chemin?

L'ANNONCIATEUR Oui, oui. Il devait passer par là, je vous dis, c'était sur le programme des festivités...

L'ADMIRATEUR L'avez-vous vu vous-même et l'avez-vous entendu de vos propres yeux et oreilles?

L'ANNONCIATEUR Il l'a dit à quelqu'un! Quelqu'un d'autre!

L'ADMIRATEUR A qui? Qui est ce quelqu'un d'autre?

L'ADMIRATRICE Est-ce une personne sûre? Un ami à vous?

L'ANNONCIATEUR Un ami à moi que je connais bien. Q 3

L'ANNONCIATEUR *(Brusquement, dans le fond, on entend, de nouveau, des puissants° «Hourrah!», des «Vive le maître!»)* Le voilà, cette fois! Le voilà! Hip! Hip! Hourrah! Le voilà! Cachez-vous°! Cachez-vous!

powerful
to hide

Comme au début, les deux Admirateurs se collent au mur, le cou tendu vers l'endroit des coulisses d'où viennent les acclamations; l'Annonciateur regarde vers le fond, le dos tourné au public.

L'ANNONCIATEUR Le maître arrive. Il apparaît. Il coule°. Il roucoule°. *(A chaque parole de l'Annonciateur, les deux Admirateurs sursautent, ils allongent davantage encore le cou; ils frémissent°.)* Il saute. Il passe la rivière. On lui serre la main. Il fait pouce. Vous entendez? On rit. *(L'Annonciateur et les deux Admirateurs rient aussi.)* Ah!... on lui donne une boîte à outils°. Que va-t-il en faire? Ah!... il signe des autographes. Le maître caresse un hérisson°, un hérisson superbe!... La foule° applaudit. Il danse, le hérisson en main. Il embrasse sa danseuse. Hourrah! Hourrah! *(Les exclamations s'entendent dans les coulisses.)* On le photographie, avec sa danseuse d'une main, le hérisson de l'autre... Il salue la foule... Il crache très loin.

to flow / to coo
to shudder
tool kit
hedgehog
crowd

L'ADMIRATRICE Vient-il par ici? Fait-il un pas vers nous?

L'ADMIRATEUR Sommes-nous vraiment sur sa route?

L'ANNONCIATEUR *tourne la tête vers les deux Admirateurs.* Taisez-vous, ne bougez° pas, vous gâchez° tout...

to move / to ruin

L'ADMIRATRICE Pourtant...

L'ANNONCIATEUR Taisez-vous, vous dis-je! Puisque je vous assure qu'il a promis, qu'il a lui-même fixé son itinéraire... *(Il se tourne de nouveau vers le fond; il crie:)* Hourrah! Hourrah! Vive le maître! *(Silence.)* Vive, vive le maître! *(Silence.)* Vive, vive, vive le maî-aître! *(Les deux Admirateurs, ne pouvant plus se contenir, crient, eux aussi, soudain:)* Hourrah! Vi-i-ve le maître!
L'ANNONCIATEUR, *aux Admirateurs.* Silence, vous deux! Calmez-vous! Vous gâchez tout! *(Puis, de nouveau, regardant vers le fond, tandis que les deux Admirateurs se sont tus.)* Vive le maître! Q 4–5

L'ANNONCIATEUR *(Effréné.)* Hourrah! Hourrah! Il change de chemise. Il disparaît derrière un paravent° rouge. Il réapparaît! *(On entend les applaudissements s'intensifier.)* Bravo! Bravo! *(Les Admirateurs veulent dire «Bravo!» ou applaudir; ils mettent leur main à la bouche, ils s'arrêtent.)* Il met sa cravate! Il lit son journal en buvant son café au lait! Il a toujours son hérisson… Il s'appuie sur le bord du parapet°. Le parapet se brise°. Il se relève… il se relève tout seul! *(Applaudissements, «Hourrah!»)* Bravo! Chouette°! Il brosse ses vêtements qui s'étaient salis.

screen / *low railing* / *to break* / *Great*

L'ADMIRATEUR ET L'ADMIRATRICE *trépignent*°. Oh! Ah! Oh! Oh! Ah! Ah!

to dance (for joy)

L'ANNONCIATEUR, *même jeu.* Il monte sur l'escabeau°! Il fait la courte échelle°, on lui présente une courte paille°, il sait que c'est pour rigoler°, il ne se fâche pas, il rit.

stool / *to give a boost* / *short straw (to draw lots)* / *to joke*

Applaudissements et acclamations énormes.

L'ADMIRATEUR, *à l'Admiratrice.* Tu entends! Tu entends! Ah! si j'étais roi...

L'ADMIRATRICE Ah!... maître!

Cela est dit d'un ton exalté.

L'ANNONCIATEUR, *toujours de dos au public.* Il monte sur l'escabeau. Non. Il en descend. Une petite fille lui offre un bouquet de fleurs… Que va-t-il faire? Il lui prend les fleurs… Il embrasse la petite fille… lui dit «mon enfant»…

L'ADMIRATEUR Il embrasse la petite fille… lui dit «mon enfant»…

L'ADMIRATRICE Il embrasse la petite fille… lui dit «mon enfant»…

L'ANNONCIATEUR Il lui donne le hérisson. La petite fille pleure… Vive le maître! Vive le maî-aî-aître!

L'ADMIRATEUR Vient-il de notre côté?

L'ADMIRATRICE Vient-il de notre côté?

L'ANNONCIATEUR, *soudain, se met à courir et sort par le fond.* Il s'en va! Dépêchez-vous! Allons! *(Il disparaît, suivi par les deux Admirateurs, ils crient, tous «Hourrah! Hourrah!»)* **Q 6**

Plateau vide quelques instants. De la gauche arrivent, enlacés°, les deux Amants; ils s'arrêtent au milieu du plateau, se séparent; elle a un panier° à son bras.

clasped in each other's arms / *basket*

L'AMANTE Allons au marché, nous y trouverons des œufs!

L'AMANT Oh! je les aime autant que toi!

Elle prend son bras. Arrivent, en courant, par la droite, l'Annonciateur qui va vite à sa place, dos au public, et, l'un par la gauche, l'autre par la droite, le suivant de très près, l'Admirateur et l'Admiratrice; l'Admirateur et l'Admiratrice se heurtent aux deux Amants qui se préparaient à sortir par la droite.

L'ADMIRATEUR Pardon!

L'AMANT Oh! Pardon!

L'ADMIRATRICE Pardon! Oh! Pardon!

L'AMANTE Oh! Pardon, pardon, pardon, pardon!

L'ADMIRATEUR Pardon, pardon, pardon, ah! pardon, pardon, pardon!

L'AMANT Oh, oh, oh, oh, oh, oh! Pardon! Messieurs-dames!

L'AMANTE, *à l'Amant.* Viens, Adolphe! *(Aux deux Admirateurs.)* Pas de mal!

Elle sort, traînant° l'Amant par la main. Q 7

to drag

L'ANNONCIATEUR, *regardant dans le fond.* Le maître passe et repasse°, on repasse son pantalon.

to pass a second time; to iron

Les deux Admirateurs reprennent leurs places.

L'ANNONCIATEUR Le maître sourit. Tandis qu'on lui repasse son pantalon, il se promène. Il goûte aux fleurs et aux fruits qui poussent dans le ruisseau°. Il goûte aussi à la racine des arbres. Il laisse venir à lui les tout-petits enfants. Il a confiance dans tous les hommes. Il instaure la police. Il salue la justice. Il honore les grands vainqueurs, il honore les grands vaincus. Enfin, il dit des vers°. L'assistance° est très émue°.

stream

to recite poetry / audience / touched, moved / sobbing

LES DEUX ADMIRATEURS Bravo! Bravo! *(Puis sanglotant°.)* Beuh! Beuh! Beuh!

L'ANNONCIATEUR Tout le public pleure! *(On entend des beuglements dans les coulisses; L'Annonciateur et les deux Admirateurs beuglent aussi très fort.)* Silence! *(Les deux Admirateurs se taisent; silence aussi dans les coulisses.)* On a rendu au maître son pantalon. Le maître l'enfile. Il est content! Hourrah! *(Bravos, acclamations dans les coulisses. Les deux Admirateurs acclament, sautent, sans rien voir, bien entendu, de ce qui est présumé se passer dans les coulisses.)* Le maître suce son pouce°! *(Aux deux Admirateurs.)* A vos places, à vos places, vous autres, ne bougez pas, tenez-vous bien, criez: Vive le maître!

to suck his thumb

LES DEUX ADMIRATEURS, *collés au mur, crient:* Vive, vive le maître!

L'ANNONCIATEUR Taisez-vous, taisez-vous, vous allez tout gâcher! Attention, attention, le maître vient!

L'ADMIRATEUR, *dans la même position.* Le maître vient!

L'ADMIRATRICE, *même jeu.* Le maître vient!

L'ANNONCIATEUR Attention! Taisez-vous! Oh! Le maître s'en va! Suivons-le! Suivez-moi!

L'Annonciateur sort, en courant, par le fond; les deux Admirateurs sortent par la gauche et la droite, tandis que, dans les coulisses, les acclamations s'intensifient, puis faiblissent. Q 8

Plateau vide un instant. Réapparaissent, par la gauche, se dirigeant, en courant, vers la droite, l'Amant, puis l'Amante.

to catch

L'AMANT, *en courant.* Tu ne m'attraperas° pas! Tu ne m'attraperas pas!

Il sort.

L'AMANTE, *en courant.* Attends un peu! Attends un peu!

Elle sort. Un instant, le plateau vide; puis, de nouveau, l'Amant suivi de l'Amante, traverse la scène, toujours courant, et sort.

L'AMANT Tu ne m'attraperas pas!

L'AMANTE Attends un peu!

Ils sortent par la droite.

Plateau vide un instant. Réapparaissent par le fond l'Annonciateur, par la gauche l'Admiratrice, par la droite l'Admirateur. Ils se rencontrent au milieu de la scène.

to miss

L'ADMIRATEUR On l'a raté°!

No luck

L'ADMIRATRICE Pas de chance°!

L'ANNONCIATEUR C'est votre faute!

L'ADMIRATEUR C'est pas vrai!

L'ADMIRATRICE Non, c'est pas vrai!

L'ANNONCIATEUR Est-ce donc la mienne?

L'ADMIRATEUR On n'a pas voulu dire ça!

Bruits, acclamations, «Hourrah!» dans les coulisses.

L'ANNONCIATEUR Hourrah!

L'ADMIRATRICE C'est par là!

Elle montre le fond de la scène.

L'ADMIRATEUR Oui, c'est par là!

Il montre à gauche.

L'ANNONCIATEUR Bon. Suivez-moi! Vive le maître!

Il sort, en courant, par la droite, suivi des deux Admirateurs, qui crient aussi. **Q 9–10**

LES DEUX ADMIRATEURS Vive le maître! *(Ils sortent. Plateau vide, un instant. Par la gauche apparaissent les deux Amants; l'Amant sort par le fond; l'Amante, après avoir dit:)* Je t'aurai! *(sort, toujours en courant, par la droite; du fond apparaît l'Annonciateur, l'Admirateur, l'Admiratrice. L'Annonciateur dit aux Admirateurs:)* Vive le maître! *(Répété par les Admirateurs. Puis, toujours aux Admirateurs.)* Suivez-moi! Suivons le maître! *(Il sort par le fond, tandis que toujours courant et criant:)* Suivons-le!

L'Admirateur sort par la droite, l'Admiratrice par la gauche, dans les coulisses; pendant tout ce jeu, les acclamations s'entendent plus fort, moins fort, selon le rythme du mouvement scénique; scène vide un très court instant, l'Amante et l'Amant apparaissent, par la gauche et par la droite, en criant:

LUI Je t'aurai!

ELLE Tu ne m'auras pas! *(Et sortent, en courant et criant:)* Vive le maître! *(Du fond sortent, en criant, également:* Vive le maître! *L'Annonciateur, suivi de l'Admirateur et de l'Admiratrice, puis de l'Amant et de l'Amante, sortent par la droite, en file indienne; puis, courant, criant:)* Le maître! Vive le maître! On l'aura! C'est par ici! Tu ne m'auras pas! *(Ils entrent et sortent, utilisant toutes les issues°; finalement, entrant, de la gauche, de la droite, du fond, ils se rencontrent tous au milieu du plateau, pendant que les applaudissements et acclamations des coulisses font un bruit insupportable, et crient tous à tue-tête, en s'embrassant frénétiquement:)* Vive le maître! Vive le maître! Vive le maître!

exits

Puis, brusquement un silence.

L'ANNONCIATEUR Le maître arrive. Voici le maître. A vos places. Attention!

L'Admirateur et l'Amante s'aplatissent sur le mur de droite; l'Admiratrice et l'Amant sur le mur de gauche; les deux couples sont enlacés et s'embrassent.

L'ADMIRATEUR, L'AMANTE Chéri, chérie!

L'ADMIRATRICE, L'AMANT Chéri, chérie!

Cependant que° l'Annonciateur a repris sa place, dos au public, regard fixé vers le fond; accalmie dans les applaudissements.

Meanwhile

L'ANNONCIATEUR Silence. Le maître a mangé sa soupe. Il vient. Il vient.

Acclamations redoublant d'intensité; l'Admirateur, l'Admiratrice, l'Amant, l'Amante, crient:

even before
to jump aside
even though having

TOUS Hourrah! Hourrah! Vive le maître! *(On lui jette des confettis, dès avant° qu'il apparaisse. Puis l'Annonciateur se jette brusquement de côté° pour laisser passer le maître; les quatre autres personnages s'immobilisent le bras tendu, avec leurs confettis; ils disent, tout de même:)* Hourrah! *(Le maître entrera par le fond de la scène, ira jusqu'au milieu du plateau, premier plan, hésitera, fera un pas vers la gauche, puis se décidera et sortira, énergiquement, à grands pas, par la droite, sous les «Hourrah!» énergiques de l'Annonciateur et les «Hourrah!» plus faibles et étonnés de l'Admirateur, l'Admiratrice, l'Amante, l'Amant; ceux-ci semblant avoir, en effet, un peu raison d'être surpris car le maître n'a pas de tête, bien qu'ayant° un chapeau; cela est facile à faire: le comédien devant jouer le maître n'aura qu'à porter un pardessus dont il montera le col au-dessus de son front et couvrira, le tout, d'un chapeau; l'homme-à-pardessus-avec-un-chapeau-sans-tête est une apparition assez surprenante; elle produira, sans doute, une certaine sensation. Après la disparition du maître, l'Admiratrice dit:)* Mais, mais... il n'a pas de tête, le maître! Q 11

L'ANNONCIATEUR Il n'en a pas besoin, puisqu'il a du génie.

L'AMANT C'est juste! *(A l'Amante.)* Comment vous appelez-vous? *(L'Amant à l'Admiratrice, l'Admiratrice à l'Annonciateur, l'Annonciateur à l'Amante, l'Amante à l'Amant:)* Et vous? Et vous? Et vous? *(Puis, tous ensemble, les uns aux autres:)* Comment vous appelez-vous? Q 12

Eugène Ionesco, «Le Maître» in *Théâtre, tome II* © Éditions Gallimard

Questions sur le texte

D. Les activités du maître

1. Faites une liste de quelques-unes des activités du maître telles que l'Annonciateur les décrit.

Modèle: Le maître arrive en coulant et en roucoulant. Il saute et il passe la rivière...

2. A votre avis, lesquelles de ses activités méritent l'admiration?

3. Lesquelles sont ridicules?

4. Qu'est-ce qu'il ne fait pas avant la fin, malgré les déclarations de l'Annonciateur?

E. L'Annonciateur et les Admirateurs

1. Quel est le rapport entre l'Annonciateur et les Admirateurs? (Qui domine? Comment le savons-nous?)

2. Que fait l'Annonciateur et comment réagissent les Admirateurs?

3. Est-ce que l'Annonciateur continue à dominer les Admirateurs tout au long de la pièce?

F. L'Amant et l'Amante

1. Examinez la première scène où apparaissent l'Amant et l'Amante. Comment les rapports entre ces deux personnages changent-ils au cours de cette petite scène?

2. Comment continuent-ils à changer pendant les scènes qui suivent?

3. Quels sont les couples à la fin de la pièce?

G. La fin de la pièce

1. A votre avis, pourquoi le maître n'a-t-il pas de tête? Par quels moyens garde-t-il le pouvoir s'il n'a pas de tête?

2. Pourquoi tous les personnages demandent-ils «Comment vous appelez-vous?» (Est-ce qu'ils semblaient se connaître auparavant?)

Post-lecture

H. Vous êtes le maître. Racontez l'action de la pièce de votre point de vue: Qu'est-ce que vous faites? Qu'est-ce que vous voyez et entendez? Qu'est-ce que vous en pensez?

I. En écrivant *Le Maître,* Ionesco pensait peut-être aux dirigeants communistes de son pays natal. La pièce semble pourtant avoir une valeur plus universelle. A quels «maîtres» contemporains (hommes ou femmes politiques, acteurs ou actrices, musiciens, athlètes, etc.) pouvez-vous penser? Choisissez-en un et comparez ce «maître» et ses admirateurs à ceux de la pièce d'Ionesco.

J. Vous avez décidé de monter cette pièce et vous avez choisi un(e) de vos camarades de classe pour le rôle de... Faites-lui des suggestions sur la façon de jouer ce personnage. Vous pouvez parler de son costume, de ses gestes, de sa façon de parler et de marcher, etc. Essayez de lui faire comprendre en quoi son rôle contribue au sens de la pièce.

K. Pour approfondir vos connaissances sur Eugène Ionesco et sur son théâtre, visitez le site web **www.thomsonedu.com/french/schofer** et faites des activités et des recherches.

Phrases: Talking about daily activities; Talking about the present; Sequencing events; Expressing an opinion

Vocabulary: Personality

Grammar: Present Tense: **présent;** Pronouns: **je, me, moi;** Pronouns: **ils, les, leur, eux**

Leçon d'histoire

Maryse Condé

Maryse Condé (1937–) est née en Guadeloupe, à Pointe-à-Pitre, d'un père ancien fonctionnaire et d'une mère institutrice. La plus jeune d'une famille de huit enfants, elle a quitté l'île à l'âge de 16 ans pour faire des études littéraires en France. En 1959, elle épouse un acteur d'origine africaine, Mamadou Condé, qu'elle suit en Côte d'Ivoire. Pendant une quinzaine d'années, elle vit en Afrique (Guinée, Ghana, Sénégal, Mali), où elle enseigne, milite dans les groupes révolutionnaires et poursuit ses études, se spécialisant dans la littérature africaine d'expression orale. Deux ans après son divorce, en 1973, elle retourne en France, où elle étudie la littérature à Paris et où elle se remarie avec Richard Philcox, le traducteur de la plupart de ses livres. Elle est l'auteur d'une quinzaine de romans *(Ségou, La vie scélérate, Traversée de la mangrove)* et de plusieurs pièces de théâtre sans compter de nombreux essais et nouvelles. Depuis 1985, elle partage son temps entre les Etats-Unis, où elle a enseigné dans plusieurs universités (notamment Columbia University), et la Guadeloupe.

Leçon d'histoire est tiré d'un recueil de «contes vrais de [son] enfance», *Le cœur à rire et à pleurer* (1999). Ces courts récits racontent des moments-clés de son enfance, de son adolescence et de ses années estudiantines à Paris.

Vocabulaire utile

se promener (en ville, au bord de la mer, à la campagne) • parler (des événements de la journée, des actualités, de la famille) • s'asseoir (sur un banc au jardin public, par terre) • regarder (les passants, la nature) • rentrer à la maison

préférer rester à la maison • s'ennuyer • s'amuser à • chercher une partenaire de son âge avec qui jouer

Pré-lecture

A. Une promenade habituelle

Imaginez que tous les soirs après le dîner, un homme et une femme font une promenade accompagnés de leur fille de huit ou neuf ans. Décrivez les activités des parents et de l'enfant.

B. Une camarade méchante

Imaginez qu'en jouant ensemble, un enfant domine et maltraite son (sa) camarade. Décrivez les actions et les réactions des deux enfants.

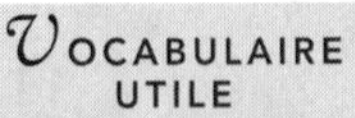

prendre la direction des jeux • maltraiter • battre • gifler • donner des coups de pied à • monter à cheval sur son dos • administrer une fessée • tirer les cheveux

accepter • se soumettre • protester • refuser de jouer

C. L'esclavage

Sous un système esclavagiste, que font les maîtres? Que font les esclaves?

VOCABULAIRE UTILE

acheter • battre • dominer • donner des ordres • exploiter • opprimer • vendre • violer

accepter • obéir • se rebeller • se soumettre

D. Des questions gênantes *(Embarassing questions)*

Souvent les enfants posent à leurs parents des questions auxquelles les grandes personnes préféreraient ne pas répondre. Quelles sont des questions gênantes qu'un enfant pourrait poser à un parent?

Lecture

Maryse Condé

Leçon d'histoire

Souvent, après le dîner qu'Adélia servait à sept heures du soir tapantes°, mon père et ma mère, se tenant par le bras, sortaient prendre de la fraîcheur°. Ils descendaient notre rue jusqu'à la somptueuse maison entre cour et jardin des Lévêque, des blancs-pays° qu'on voyait à la grand-messe°, le père, la mère, cinq enfants et une tante demoiselle montée en graine sous sa mantille°, mais qui, le reste du temps, semblaient vivre derrière rideaux° baissés et portes closes. Après quoi mes parents tournaient à gauche et en passant devant le cinéma-théâtre la Renaissance, ils jetaient un coup d'œil de mépris° aux affiches des premiers films américains en Technicolor. Ils haïssaient l'Amérique sans y avoir jamais mis les pieds parce qu'on y parlait anglais et parce que ce n'était pas la France. Ils faisaient le tour de la darse° humant° la brise qui venait de la mer, poussaient jusqu'au quai° Ferdinand-de-Lesseps où une odeur de morue salée° s'accrochait toujours aux branches basses des amandiers-pays°, revenaient vers la place de la Victoire et, après avoir monté et descendu trois fois l'allée des Veuves, ils s'asseyaient sur un banc. Ils demeuraient là jusqu'à neuf heures et demie. Puis, se levaient avec ensemble° et rentraient à la maison par le même chemin tortueux°. **Q 1**

Ils me traînaient° toujours derrière eux. Parce que ma mère était toute fière d'avoir une si jeune enfant dans son âge plus que mûr° et aussi parce qu'elle n'était jamais en paix lorsque je me trouvais loin d'elle. Moi, je ne prenais aucun plaisir dans ces promenades. J'aurais préféré rester à la maison avec mes frères et sœurs. Sitôt que° mes parents leur avaient donné dos, ils commençaient à chahuter°. Mes frères s'entretenaient° avec leurs gamines° sur le pas de la porte. Ils mettaient des disques de biguine° sur le phonographe, se racontaient toutes espèces de blagues° en créole. Sous le prétexte qu'une personne bien élevée ne mange pas dans la rue, au cours de ces sorties, mes parents ne m'offraient ni pistaches° bien grillées, ni sukakoko. J'en étais réduite à convoiter° toutes ces douceurs et à me poster devant les marchandes dans l'espoir que malgré° mes vêtements achetés à Paris, elles me prendraient en pitié. Des fois, la ruse marchait et l'une d'entre elles, la figure à moitié éclairée par son quinquet°, me tendait une main pleine:

—Tiens pour toi! Pitit à manman°!

En plus, mes parents ne s'occupaient guère de moi et parlaient entre eux. De Sandrino° qu'on avait encore menacé de renvoyer° du lycée. D'une de mes sœurs qui n'étudiait pas à l'école. D'investissements financiers, car mon père était un

on the dot
fresh air
whites born in Guadeloupe / high mass / growing up fast underneath her lace scarf / curtains
scorn
dock area / breathing in
wharf
salt cod
almond trees native to the area
in unison
twisting, winding
to drag along
beyond mature
As soon as
to create a rumpus / to speak to / young girlfriends / Caribbean dance step / jokes
pistachio nuts
to covet, lust after
in spite of
oil lamp
Momma's girl (creole)
older brother of the narrator / to throw out, expel

excellent gestionnaire°. Encore et surtout de la méchanceté de cœur° des gens de La Pointe qui n'en revenaient pas° que des nègres réussissent leur vie comme ils réussissaient la leur. A cause de cette paranoïa de mes parents, j'ai vécu mon enfance dans l'angoisse. J'aurais tout donné pour être la fille de gens ordinaires, anonymes. J'avais l'impression que les membres de ma famille étaient menacés, exposés au cratère d'un volcan dont la lave en feu risquait à tout instant de les consumer. Je masquais ce sentiment tant bien que mal par des affabulations° et une agitation constante, mais il me rongeait°.

Mes parents s'asseyaient toujours sur le même banc, contre le kiosque à musique. S'il était occupé par des indésirables, ma mère restait plantée devant eux, battant la mesure du pied°, avec une mine° tellement impatiente qu'ils ne tardaient pas à déguerpir°. Seule, je m'amusais comme je pouvais. Je sautais à cloche-pied° dans les allées. Je shootais des cailloux°. J'écartais° les bras et je devenais un avion qui s'élève dans les airs. J'interpellais° les étoiles et le croissant de lune. A voix haute, avec de grands gestes, je me racontais des histoires. **Q 2–3**

Un soir au milieu de mes jeux solitaires, une petite fille surgit de la noirceur. Blondinette, mal fagotée°, une queue de cheval fadasse° dans le dos. Elle m'apostropha° en créole:

—Ki non a-w?°

Je me demandai en mon for intérieur° pour qui elle me prenait. Pour l'enfant de riens-du-tout? Espérant produire mon petit effet, je déclinai mon identité avec emphase. Elle ne sembla pas ébranlée°, car il était visible qu'elle entendait mon patronyme° pour la première fois et elle poursuivit avec la même autorité, toujours en créole:

—Moi, c'est Anne-Marie de Surville. On va jouer! Mais attention, ma maman ne doit pas me voir avec toi sinon°, elle me battrait.

Je suivis son regard et j'aperçus quelques femmes blanches immobiles, assises de dos, les cheveux flottant uniformément sur les épaules. Les façons° de cette Anne-Marie ne me plaisaient pas du tout. Un moment, je fus tentée° de tourner les talons° et de rejoindre mes parents. En même temps, j'étais trop heureuse de trouver une partenaire de mon âge même si elle me commandait comme à sa servante. **Q 4**

Immédiatement, Anne-Marie prit la direction de nos jeux et, toute la soirée, je me soumis à ses caprices°. Je fus la mauvaise élève et elle me tira les cheveux. En plus, elle releva ma robe pour m'administrer la fessée°. Je fus le cheval. Elle monta sur mon dos et elle me bourra les côtes de coup de pied°. Je fus la bonne° et elle me souffleta°. Elle m'abreuvait de gros mots°. Je frémissais° en entendant voler les kouni à manman a-w et les tonnè dso interdits°. Finalement, une ultime taloche° me fit tellement mal que je courus me réfugier dans les bras de ma mère. Dans ma honte°, je ne m'expliquai pas. Je prétextai que j'avais pris un saut° et laissai mon bourreau gambader en toute impunité° près du kiosque à musique.

Le lendemain, Anne-Marie m'attendait au même endroit. Pendant plus d'une semaine, elle fut fidèle au poste et je me livrai sans

business administrator
nastiness / to not get over the fact that
made up stories
to gnaw at, eat away at
marking time with her foot / face, look / to not delay in clearing out, leaving / to hop / to play marbles with pebbles / to spread / to shout out to
badly dressed
wishy-washy pony tail / to shout at / What's your name? (creole) / in my heart of hearts
impressed / last name
otherwise
manners, behavior
tempted / to turn on my heel and walk away
to give in to her whims
spanking
to kick in the ribs / maid
to slap / to shower with swear words / to tremble / creole swear words / final clout / shame / to take a leap and fall / to allow my executioner to prance around without suffering any consequences

protester à ses sévices°. Après qu'elle eut manqué m'éborgner°, je finis par protester, lassée° de sa brutalité:

—Je ne veux plus que tu me donnes des coups.

Elle ricana° et m'allongea une vicieuse bourrade° au creux° de l'estomac:

—Je dois te donner des coups parce que tu es une négresse.

J'eus la force de m'éloigner d'elle. Q 5–6

Sur le chemin du retour, j'eus beau méditer° sa réponse, je ne lui trouvai ni rime ni raison. Au moment du coucher, après les prières aux divers bons anges gardiens et à tous les saints du paradis, j'interrogeai ma mère:

—Pourquoi doit-on donner des coups aux nègres?

Ma mère sembla estomaquée°, elle s'exclama:

—Comment une petite fille aussi intelligente que toi peut-elle poser pareilles questions?

Elle traça en vitesse un signe de croix sur mon front, se leva et se retira en éteignant° la lumière de ma chambre. Le lendemain matin, à l'heure de la coiffure, je revins à la charge°. Je sentais que la réponse fournirait la clé de l'édifice souvent mystérieux de mon monde. La vérité sortirait de la jarre° où on la tenait enfermée. Devant mon insistance, ma mère me frappa sèchement avec le dos du peigne:

—Enfin, cesse de raconter des bêtises°. Est-ce que tu vois quelqu'un donner des coups à ton papa ou à moi?

La suggestion était invraisemblable. Pourtant, la fébrilité° de ma mère trahissait° son embarras. Elle me cachait° quelque chose. A midi, j'allai rôder° dans la cuisine autour des jupes d'Adélia. Hélas! Elle faisait tourner une sauce. Aussitôt qu'elle m'aperçut, avant seulement que j'ouvre la bouche, elle se mit à crier:

—Sors de là ou j'appelle ta maman. Q 7–8

Je ne pus qu'obéir. J'hésitai, puis montai frapper à la porte du bureau de mon père. Alors qu'à tout moment je me sentais enveloppée de l'affection chaude et tatillonne° de ma mère, je savais que je n'intéressais guère mon père. Je n'étais pas un garcon. Après tout, j'étais sa dixième enfant, car il avait eu deux fils d'un premier mariage. Mes pleurs, mes caprices, mon désordre l'excédaient°. Je lui posai ma question en forme de leit-motiv°:

—Pourquoi doit-on donner des coups aux nègres?

Il me regarda et me répondit distraitement:

—Qu'est-ce que tu racontes? On nous donnait des coups dans le temps°. Va trouver ta maman, veux-tu?

Désormais°, je ravalai° mes questions. Je ne demandai rien à Sandrino, car j'avais peur de son explication. Je devinais° qu'un secret était caché au fond de mon passé, secret douloureux, secret honteux dont il aurait été inconvenant° et peut-être dangereux de forcer la connaissance. Il valait mieux l'enfouir° au fin fond° de ma mémoire comme mon père et ma mère, comme tous les gens que nous fréquentions, semblaient l'avoir fait. Q 9–10

Les jours suivants, je retournai sur la place de la Victoire avec mes parents, bien décidée à refuser de jouer avec Anne-Marie. Mais j'eus beau la chercher° tout partout, remonter les allées, errer° de droite et de gauche, je ne la revis pas. Je courus jusqu'au banc

to give in to her ill-treatment of me / to just miss putting my eye out / tired / to snigger / punch, blow / pit

to think in vain about

flabbergasted

turning off

to go back on attack

jar

stupidities

nervousness

to betray, reveal / to hide

to hang around

finicky

to irritate, infuriate / general theme

in the past

From that time on / to swallow, stifle, hold back on / to guess

improper

to be better to bury it / deep down

to look in vain for / to wander

où s'étaient assises sa maman et ses tantes. Il était vide°. Je ne les revis plus jamais. Ni elle. Ni les femmes de sa famille.

Aujourd'hui, je me demande si cette rencontre ne fut pas surnaturelle. Puisque tant de vieilles haines°, de vieilles peurs jamais liquidées demeurent ensevelies° dans la terre de nos pays, je me demande si Anne-Marie et moi, nous n'avons pas été, l'espace de nos prétendus jeux, les réincarnations miniatures d'une maîtresse et de son esclave° souffre-douleur°.

Sinon° comment expliquer ma docilité° à moi si rebelle°? Q 11

empty

hatreds
buried

slave / scapegoat
Otherwise / easy obedience / (usually) so rebellious

Questions sur le texte

E. La classe sociale

Qu'est-ce qui suggère que la famille de la narratrice appartient à une classe sociale privilégiée? (Comment est le quartier où elle habite? Quelles sont les attitudes et les préoccupations de ses parents?)

F. Quelques oppositions

Décrivez les oppositions suivantes.

1. la narratrice ↔ ses frères et sœurs

2. Anne-Marie de Surville: son apparence ↔ son image d'elle-même

3. la narratrice ↔ Anne-Marie de Surville

4. la narratrice: sa docilité ↔ son indépendance

G. Une question gênante

Quelle question la narratrice pose-t-elle à ses parents? En quoi la réponse de la mère et celle du père diffèrent-elles? En quoi sont-elles pareilles?

H. Une leçon d'histoire

De quelle «leçon d'histoire» s'agit-il dans le titre du récit?

Post-lecture

I. Quelle(s) leçon(s) d'histoire sociale et économique avez-vous dû apprendre? Quand et comment avez-vous appris cette (ces) leçon(s)?

J. Rédigez le récit de votre rencontre avec quelqu'un de «différent».

K. Pour approfondir vos connaissances sur Maryse Condé, sur l'histoire de la Guadeloupe et sur l'attrait touristique de la Guadeloupe aujourd'hui, visitez le site web **www.thomsonedu.com/french/schofer** et faites des activités et des recherches.

Phrases: Describing people; Making a judgment; Introducing

Vocabulary: Hair colors; Clothing; Personality

Grammar: Compound Past Tense: **passé composé;** Prepositions of Location; Pronouns: **elle, la, lui;** Pronouns: **il, le, lui**

L'Os

Birago Diop

Birago Diop (1906–1989) est né au Sénégal, mais il a fait des études de médecine vétérinaire en France. Il a commencé par écrire des poèmes, mais au cours d'un voyage au Soudan, il a rencontré le vieux griot *(minstrel)* Amadou Koumba N'Gorou. Diop a donc entrepris de restaurer sous forme écrite les récits oraux du conteur traditionnel *(Les Contes d'Amadou Koumba, Les Nouveaux Contes d'Amadou Koumba, Contes et Lavanes).* Ces contes, ayant pour sujets tantôt les hommes, tantôt les animaux, révèlent le don de l'observation et le sens de l'humour du vieux griot et de son traducteur. Après l'indépendance de son pays, Diop a été diplomate en Tunisie avant de retourner au Sénégal pour ouvrir une clinique vétérinaire, mais c'est comme maître incontesté du conte africain que l'on se souvient de lui.

L'un des premiers contes «traduits» par Diop, *L'Os,* a été publié dans une revue avant de paraître dans *Les Contes d'Amadou Koumba* (1947). En 1966, on l'a monté comme pièce de théâtre à Dakar, où il a eu un grand succès.

Pré-lecture

A. La viande

A cause d'une crise économique, les gens d'un certain village n'ont pas mangé de viande depuis plusieurs années. Enfin, la situation s'améliore et on a un peu de viande. Ecrivez un paragraphe où vous décrivez comment les différents membres du village vont réagir.

Vocabulaire utile

les uns • les autres • certains • d'autres gens

diviser en parts égales • donner la plus grande (la meilleure) part à • prendre tout ce qu'on peut pour sa famille • partager selon l'âge (la santé, le rang social, etc.) • organiser une loterie

Vocabulaire utile

une marmite • un feu • des os • de la viande

poser sur • faire cuire doucement (longuement, lentement) • poser, lever, remettre (le couvercle) • piquer • attendre qu'il se ramolisse • goûter à • sentir l'odeur du bouillon

B. Un bouillon

On veut faire un bouillon en utilisant les os d'un bœuf qu'on a mangé. Ecrivez un paragraphe pour décrire comment on s'y prend.

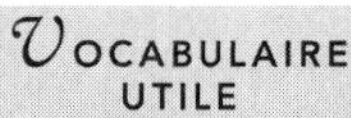

mettre dans un cercueil • porter au cimetière • descendre dans la tombe • combler la tombe

C. L'enterrement

Ecrivez un paragraphe pour décrire comment on enterre un mort.

D. Deux proverbes

Voici deux proverbes africains qui parlent des gourmands—c'est-à-dire des gens qui aiment manger de bonnes choses et qui en mangent beaucoup. Cherchez les mots que vous ne comprenez pas; ensuite, expliquez le sens de chaque proverbe.

1. S'il avait le ventre derrière lui, ce ventre le mettrait dans un trou.

2. Si la cupidité ne t'a pas entièrement dépouillé, c'est que tu n'es vraiment pas cupide.

Note grammaticale

La conjonction **que** suivie d'un verbe au subjonctif sert à exprimer un ordre (un impératif) à la troisième personne.

Qu'il attende!	*Let him wait!*
Qu'elle nous écrive!	*Let her write us!*
Que personne n'entre!	*Don't let anyone come in!*

Lecture

Birago Diop

Track 8

L'Os

«*S'il avait le ventre derrière lui, ce ventre le mettrait dans un trou°.*» Ainsi dit-on d'un gourmand impénitent°.

hole / unrepentant

A propos de Mor Lame l'on ajouta: «*Si la cupidité ne t'a pas entièrement dépouillé, c'est que tu n'es vraiment pas cupide!*»

Dans nombre de villages du pays, le bétail°, ravagé par la plus meurtrière° des pestes° dont on eut jamais entendu parler de mémoire de vieillard, s'était lentement reconstitué. Mais, dans Lamène, aucun homme de vingt ans ne savait encore comment était faite une bête à cornes°.

cattle
murderous / plagues
animal with horns

Lamène était certes beaucoup moins vieux que le village de Niangal, où le passant, jadis°, n'avait trouvé, comme il le chanta plus tard, que:

in the past

Le poisson frais des uns
Le poisson sec des autres
Le poulet n'était pas encore à la mode°!

in style

Le chaume° de toutes ses cases° avait été renouvelé moins de fois et ses champs moins de fois labourés que ceux de Niangal. Mais, si le poulet y était à la mode depuis longtemps, le bœuf y était inconnu de deux générations d'hommes. Q 1–4

thatch / cabins

Cette année-là, les pluies avaient été abondantes, la terre généreuse, les criquets absents. Les enfants n'avaient pas été, plus qu'il ne faut, entraînés° par leurs jeux et ils avaient veillé° raisonnablement aux épis° contre ses ravageurs impudents que sont les mange-mil°.

Force° gourdins° avaient contraint° Golo-le-Singe et sa tribu à respecter les arachides°.

Quelques membres de sa famille ayant laissé plus d'une patte° aux pièges° posés par les Lamène-Lamène, Thile-le-Chacal avait jugé plus sage d'aller ailleurs chercher d'autres melons sinon plus succulents que ceux de Lamène, du moins de récolte° plus facile et à moindres risques.

Bref! La récolte avait été magnifique, inespérée pour ceux de Lamène. Q 5

On avait donc décidé d'envoyer des ânes chargés de mil°, de maïs°, d'arachides là-bas, au Ferlo, où paissaient° les immenses troupeaux de ces Peulhs° qui ne mangent presque jamais de viande, tant il est vrai que l'abondance dégoûte et que «quand ramasser° devient trop aisé, se baisser° devient difficile». Le Peulh ne vit cependant pas que de lait et se trouve fort aisé, lui qui ne touche, de sa vie, ni *gop* ni *daba* (ni hilaire, ni hoyau°), d'avoir du mil. Pour faire de ce mil un couscous°, qu'il mélangera au lait de ses vaches: lait frais, lait endormi, lait caillé° ou lait aigre°.

Depuis trois lunes°, les ânes étaient donc partis, guidés, sur les sentiers° menant vers le Ferlo, par les plus forts des jeunes gens de Lamène, qui avaient reçu ordre de revenir avec, devant eux, un beau taureau de sept ans.

Le partage° de cet animal, le *Tong-Tong*, entre les chefs de familles réapprendrait, au plus vieux du village, aux vieux et aux gens mûrs°, la plupart hélas, maintenant sans dent, la saveur de la viande rouge. Aux jeunes et aux plus jeunes qui n'auraient peut-être, en fin de compte, que des os à ronger°, il ferait connaître à tous, sinon le goût, du moins l'odeur de la chair° bouillie à point° et de la grillade°. Q 6–8

Le jour même du départ des ânes et de leurs convoyeurs, Mor Lame avait choisi, dans sa tête, le morceau qu'il prendrait lors du *Tong-Tong*: un os, un jarret° bien fourni en chair et bourré de moelle onctueuse°!

—Tu le feras cuire° doucement, lentement, longuement, avait-il depuis ce jour et chaque jour recommandé à sa femme, Awa, jusqu'à ce qu'il s'amollisse° et fonde° comme du beurre dans la bouche. Et que, ce jour-là, personne n'approche de ma demeure°!

Le jour arriva où les jeunes gens de Lamène, partis pour le Ferlo, revinrent au village avec au milieu d'eux, une corde à la patte postérieure droite, un splendide taureau aux cornes immenses, au poil fauve°, brillant au soleil couchant. De son cou massif, comme une souche de baobab°, son fanon° balayait° la terre.

Au risque de recevoir un coup de pied, qu'il évita de justesse°, Mor Lame était venu tâter° l'os de son jarret. Et, après avoir rappelé à ceux qui allaient tuer et partager la bête au premier chant du coq que c'était bien là la part qu'il avait choisie et qu'il voulait, il s'en était allé recommander à sa femme de le faire cuire doucement, lentement, longuement. Q 9

carried away / to watch over / ears of grain
grain-eating insect
Many / blows with a club / to force / peanuts / paw
traps
harvest
millet
corn / to graze
people of a West African tribe / to pick up
to bend down
neither a pickaxe nor a hoe / Arab dish, made of wheat, meat and vegetables / curdled / sour / moons / paths
sharing
mature
to gnaw
meat / well cooked / grilled meat
hock (ankle)
crammed full of oily marrow / to cook
to become soft, tender / to melt / dwelling
tawny skin
stump of a baobab tree / dewlap (skin hanging under chin) / to sweep / to just miss / to touch, feel

Le partage s'était fait aussitôt dit le *assaloumou Aleykoum* de la prière de Fidjir.

Les enfants n'avaient pas encore commencé à racler° les lambeaux° de chair adhérant à la dépouille° que Mor Lame était déjà dans la case, après avoir fermé et barricadé sa porte, et donnait sa part à sa femme:

to scrape
shreds / hide

—Fais-le cuire doucement, lentement, longuement!

Awa mit, dans la marmite, tout ce qu'un jarret réclame° pour, une fois cuit à point, fondre délicieusement dans la bouche. Pour qu'il puisse donner un bouillon gras et moelleux, qui mouillera° onctueusement une calebasse° de couscous. Un couscous étuvé° comme il faut et malaxé° avec la quantité juste nécessaire de poudre de baobab, de *lalo,* qui l'aide si bien à descendre de la bouche au ventre.

to call for
to soak
gourd / stewed
mixed

Elle posa la marmite sur le feu et le couvercle sur la marmite.

Mor Lame était étendu° sur son *tara,* son lit de branches et de fibres d'écorce°. Awa était accroupie° auprès du feu qui enfumait le haut de la case. Le fumet° du bouillon montait lentement et, peu à peu, chassait l'odeur de la fumée et remplissait toute la case, chatouillant° les narines de Mor Lame.

to be laying down
bark / kneeling down
aroma
tickling

Mor Lame se releva légèrement, s'appuya sur le coude et demanda à sa femme:

—Où est l'os?

—L'os est là, répondit Awa après avoir soulevé le couvercle et piqué le jarret.

—S'amollit-il?

—Il s'amollit.

—Remets le couvercle et attise° le feu! ordonna Mor Lame. **Q 10** www

to stir up (with a poker)

A Lamène, tout le monde était fervent croyant° et aucun adulte n'y manquait° aucune prière°. Aussi Moussa s'étonna-t-il de ne point voir, ce jour-là, à la prière de yor-yor, Mor Lame, son frère de case, son *'bokm'bar.*

religious believer
to miss / prayer

Moussa, se jurant° qu'il mangerait de cette viande, s'en fut° à la demeure de celui qui était plus que son frère.

swearing to himself / to go off

Plus forte que l'amour fraternel, plus tyrannique que l'amour paternel, la fraternité de «case» soumet l'homme digne de ce nom à des règles, à des obligations, à des lois qu'il ne peut transgresser sans déchoir° aux yeux de tous.

to decline

Avoir mêlé°, à l'âge de douze ans, le sang de votre sexe au sang d'un autre garçon sur un vieux mortier° couché sur le sol, par une aube fraîche, avoir chanté avec lui les mêmes chants initiatiques, avoir reçu les mêmes coups, avoir mangé, dans les mêmes calebasses que lui, les mêmes mets° délicieux ou infects; bref! avoir été fait homme en même temps que lui dans la même case, dans la même m'bar, cela fait de vous, toute votre vie durant, l'esclave° de ses désirs, le serviteur de ses besoins, le captif de ses soucis°, envers et contre tout et tous: père et mère, oncles et frères.

to mix
mixing bowl
dishes
slave
worries

De ce droit, que coutumes et traditions lui octroyaient° sur Mor Lame, Moussa entendait user et même abuser en ce jour du *Tong-Tong.* **Q 11–13** www

to grant

—Il ne mangera pas tout seul cet os! Il ne le mangera pas sans moi! se disait-il en heurtant°, de plus en plus fort, la tapate de Mor Lame et en appelant son frère de case:

—C'est moi, Mor! C'est moi, Moussa, ton plus-que-frère, ton 'bokm'bar! Ouvre-moi!

Entendant frapper et appeler, Mor Lame s'était levé brusquement et avait demandé:

—Où est l'os?

—L'os est là.

—S'amollit-il?

Awa avait levé le couvercle, piqué le jarret:

—Il s'amollit.

—Remets le couvercle, attise le feu, sors et ferme la porte! ordonna le mari en prenant une natte°.

Il alla étendre la natte à l'ombre° du flamboyant°, au milieu de la cour et s'en fut ouvrir à Moussa.

Salutations cordiales et joyeuses d'une part, de l'autre, des grognements° et un visage renfrogné°, comme une fesse° découverte à l'air frais du matin.

L'on ne ferme pas sa porte au nez de qui y frappe et encore moins à un frère-de-case. Moussa entra donc et s'étendit à côté de Mor Lame, dont la tête reposait sur une cuisse° d'Awa.

On eût peut-être entendu° davantage que le bavardage° des oiseaux, surtout la voix rauque° et hargneuse° des perroquets, si Moussa, intarissable, ne faisait, à lui tout seul, les frais de la conversation°.

Il parlait du pays, des uns, des autres, du bon temps de leur jeunesse, ressuscitant les souvenirs de leur case d'hommes pour rappeler discrètement Mor Lame à ses devoirs et obligations, si d'aventure° celui-ci les avait oubliés ou inclinait à les négliger.

Mor Lame, n'étant pas d'humeur loquace, sans doute, ce jour-là, ne répondait que par des oui, des non, des peut-être, des *inch Allah,* quelquefois et le plus souvent, par les mêmes grognements qui avaient constitué le gros° de ses salutations.

L'ombre du flamboyant se rétrécissait° de plus en plus et livrait°, déjà, les pieds des deux frères-de-case aux ardeurs du soleil.

Mor Lame fit signe à sa femme, qui se pencha° vers lui et, dans le creux° de l'oreille, il lui murmura:

—Où est l'os?

—Il est là-bas!

—S'est-il amolli?

Awa se leva, entra dans la case. Elle souleva le couvercle de la marmite, piqua le jarret, referma la marmite et revint s'asseoir, puis confia à son mari:

—Il s'est amolli. **Q 14–18**

Le soleil, après avoir hésité au zénith° pour savoir s'il reviendrait sur ses pas ou s'il continuerait son chemin, commença à descendre vers l'Occident.

L'ombre du flamboyant s'étendit vers le levant.

Le Muezzin° appela à la prière de Tésbar. Mor Lame et Moussa, Awa loin derrière eux, firent leurs dévotions, saluèrent leurs anges

to bang
straw mat
in the shade / tree with bright red leaves
grunts / scowling / buttock
thigh
would have heard / chatting / hoarse / surly
to do most of the talking
if by any chance
main part
to narrow / to give over
to lean over
hollow
high point
person who calls Muslims to the mosque for prayer

gardiens, demandèrent au Seigneur pardon et rémission de leurs péchés° puis s'étendirent à nouveau à l'ombre du flamboyant, qui s'étendait toujours vers le levant.

Encore une prière. Puis la prière de l'izan, après que le soleil, las° de sa journée, se fut couché.

Mor Lame, immédiatement après la dernière génuflexion, demanda, à l'écart°, à sa femme:

—Où est l'os?

—L'os est là-bas.

—S'est-il amolli?

Awa s'en fut dans la case et revint:

—Il s'est amolli.

—Ce Moussa! fit le mari tout bas, mais la rage au cœur, ce chien ne veut pas s'en aller; Awa, je vais tomber malade.

Ainsi, dit-il, ainsi, fit-il.

Et tremblant, raide°, il se mit à transpirer° comme une gargoulette° remplie d'eau et pendue à l'ombre d'un tamarinier°, et à frissonner° comme le lait qui va bouillir.

Aidée de Moussa, qui, en vrai frère-de-case, compatissait° grandement aux douleurs° de Mor Lame, Awa transporta son époux dans une autre case que celle où bouillait la marmite.

Sa femme à son chevet°, son frère-de-case à ses pieds, Mor Lame geignait°, frissonnant et transpirant. Il écouta passer le temps jusqu'au milieu de la nuit.

Faiblement, il demanda à Awa:

—Où est l'os?

—L'os est là-bas!

—S'est-il amolli?

—Il s'est amolli.

—Laisse-le là-bas. Ce chien ne veut pas partir. Femme, je vais mourir. Il sera bien forcé de s'en aller.

Ayant dit, il fit le mort°; un cadavre déjà tout raide, tout sec!

Sa femme, poussant des hurlements, se griffant le visage, dit alors à Moussa:

Moussa, ton frère-de-case est mort. Va chercher Serigne-le-Marabout et les gens du village.

—Jamais de la vie, affirma Moussa. Jamais, je n'abandonnerai, à cette heure-ci, mon plus-que-frère, ni toi toute seule devant son cadavre. La terre n'est pas encore froide, le premier coq n'a pas encore chanté. Je ne vais pas ameuter° tout le village. Nous allons le veiller, tous les deux seuls, comme nous le devons, nous qui sommes, nous qui fûmes les êtres qui lui furent les plus chers. Quand le soleil se lèvera, les femmes passeront bien par ici pour aller au puits°, elles se chargeront toutes seules de prévenir° les gens du village.

Et Moussa se rassit aux pieds du cadavre et Awa à son chevet.

La terre se refroidit, le premier coq chanta. Le soleil, sortit de sa demeure.

Des femmes, allant au puits, passèrent devant la maison de Mor Lame. Le silence inaccoutumé les intrigua. Elles entrèrent et furent mises au courant du décès° de Mor Lame.

Comme un tourbillon°, la nouvelle se répandit° dans Lamène.

Serigne-le-Marabout et les notables et les hommes envahirent° la maison. **Q 19–22**

sins
tired
off to the side
stiff / to perspire
jug / tamarind tree
to shiver
to sympathize with
pains
by his side
to moan
to play dead
to stir up
well
to inform
death
tornado / to spread
to invade

Awa se pencha sur l'oreille de son mari et murmura:

—Mor, la chose devient trop sérieuse. Voici, dans la maison, tout le village venu pour te laver, t'ensevelir et t'enterrer.

—Où est Moussa? demanda, dans un souffle°, le cadavre de Mor Lame.

—Moussa est là.

—Où est l'os?

—Il est là-bas.

—S'est-il amolli?

—Il s'est amolli.

—Que l'on me lave! décréta Mor Lame.

Selon les rites et récitant des sourates°, on lava le cadavre de Mor Lame.

Au moment où Serigne-le-Marabout allait l'ensevelir dans le linceul blanc, long de sept coudées°, Awa s'avança:

—Serigne, dit-elle, mon mari m'avait recommandé de réciter sur son cadavre une sourate qu'il m'avait apprise pour que Dieu ait pitié de lui.

Le Marabout et sa suite se retirèrent. Alors Awa, se penchant sur l'oreille de son époux:

—Mor! Lève-toi! On va t'ensevelir et t'enterrer si tu continues à faire le mort.

—Où est l'os? s'enquit° le cadavre de Mor Lame.

—Il est là-bas.

—S'est-il amolli?

—Il s'est amolli.

—Et Moussa, où est-il?

—Il est toujours là.

—Que l'on m'ensevelisse! décida Mor Lame.

Ainsi fut fait.

Et, son corps posé sur la planche° et recouvert du cercueil qui servait pour tous les morts, on dit les paroles sacrées et on le porta au cimetière.

Pas plus qu'à la Mosquée, les femmes ne vont au cimetière les jours d'enterrement.

Mais Awa s'était souvenue, soudain, qu'elle avait encore une sourate à dire sur le corps de son époux au bord de la tombe. Elle accourut donc. Et tout le monde s'étant écarté°, à genoux près de la tête du cadavre, elle supplia:

—Mor Lame, lève-toi! Tu dépasses les bornes°. On va t'enterrer maintenant.

—Où est l'os? interrogea Mor Lame à travers son linceul.

—L'os est là-bas.

—S'est-il amolli? S'est-il bien amolli?

—Il s'est bien amolli.

—Et Moussa?

—Moussa est toujours là.

—Laisse que l'on m'enterre. J'espère qu'il s'en ira enfin.

On dit les dernières prières et l'on descendit au fond de la tombe le corps de Mor Lame, couché sur le côté droit.

Les premières mottes de terre° couvraient déjà la moitié du défunt° quand Awa demanda encore à dire une dernière prière, une dernière sourate.

whisper
prayers for the dead
cubits (1 cubit = 18 to 21 inches)
to inquire
board
to move aside
limits
clods of dirt
deceased

—Mor Lame, souffla-t-elle dans la tombe. Mor, lève-toi, on comble la tombe!

—Où est l'os? s'informa Mor Lame à travers son linceul et le sable°.

—Il est là-bas, répondit Awa dans ses larmes.

—S'est-il amolli?

—Il s'est amolli.

—Où est Moussa?

—Il est toujours là.

—Laisse combler ma tombe!

Et on combla la tombe.

Et Mor Lame, le gourmand, Mor-le-Cupide n'avait pas fini de s'expliquer avec l'Ange° de la Mort venu le quérir° et à qui il voulait faire comprendre:

—Eh! je ne suis pas mort, hein! C'est un os qui m'a amené ici!

Que Serigne-le-Marabout, approuvé par tous les vieux du village, toujours de bon conseil, décidait:

—Moussa, tu fus le frère-de-case, le plus-que-frère de feu° Mor Lame. Awa ne peut passer en de meilleures mains que les tiennes. Son veuvage° terminé, tu la prendras pour femme. Elle sera pour toi une bonne épouse.

Et tout le monde s'en fut après force *inch Allah*!

Alors Moussa, régnant° déjà en maître dans la maison de feu Mor Lame, demanda à Awa:

—Où est l'os?

—Il est là, fit la veuve docile.

—Apporte-le et qu'on en finisse. **Q 23–25** www

sand

Angel / to fetch

the late

widowhood (period of mourning)

ruling

Questions sur le texte

E. Le déroulement des contes est souvent motivé par les désirs des personnages.

1. Précisez pour chaque personnage l'objet de son désir.

les villageois de Lamène

Mor Lame

Moussa

2. Peuvent-ils tous logiquement réaliser leurs désirs? (Regardez ce qu'ils veulent au commencement de l'histoire, puis à la fin.) Pourquoi ou pourquoi pas?

F. *L'Os* est organisé comme une pièce en plusieurs actes.

1. Il y a d'abord l'exposition.

   a. Pourquoi le taureau est-il important?

   b. Pourquoi les gens de Lamène ont-ils la possibilité d'en avoir un?

2. Ensuite la situation dramatique se prépare.

   a. De quoi rêve Mor Lame?

   b. Comment se fait-il que Moussa s'y intéresse aussi?

3. Les désirs établis, la situation préparée, l'action se déroule très logiquement.

   a. Montrez la chaîne d'actions et de réactions qui mène au dénouement.

Modèle: Moussa frappe à la porte. (action)
Mor Lame ordonne qu'on ferme la porte et s'installe dans la cour. (réaction)

b. Mor Lame et Moussa se servent souvent d'un prétexte pour cacher leurs vrais motifs. Donnez des exemples de ce que chacun dit (son prétexte) et de ce que chacun veut vraiment (le vrai motif de ses actions).

4. Enfin il y a le dénouement.

a. Comment la répétition et la variation marquent-elles le dénouement?

b. Quelle est la solution?

c. En quoi est-elle ironique?

Un griot, [République du] Zaïre, 1870

Post-lecture

G. Les contes et les fables servent souvent à illustrer une morale. Cette morale dépend souvent du contexte culturel du conteur et de son public. Par exemple, les cultures africaines donnent beaucoup d'importance à la notion de communauté. Discutez de la morale de *L'Os* en comparant les personnages de Mor Lame et de Moussa et en tenant compte de deux contextes culturels—celui du narrateur et le vôtre.

H. En tirant de ce conte une pièce de théâtre, Diop espérait créer une tragédie à l'africaine. Pourtant, le public y a vu surtout une comédie. Discutez de *L'Os* avec des camarades de classe en considérant les questions suivantes: En quoi le conte est-il comique? Y a-t-il aussi des aspects tragiques?

I. Enterré, Mor Lame se retrouve en train de s'expliquer avec l'Ange de la Mort. Inventez le dialogue—c'est-à-dire les explications que Mor Lame propose et les réponses que donne l'Ange de la Mort.

J. Imaginez une version française ou américaine de ce conte.

K. Pour approfondir vos connaissances sur Birago Diop et sur la littérature orale africaine, visitez le site web **www.thomsonedu.com/french/schofer** et faites des activités et des recherches.

Phrases: Asking for information; Sequencing events; Describing health

Vocabulary: Family members; Sickness; Food

Grammar: Compound Past Tense: **passé composé;** Past Imperfect: **imparfait;** Future Tense: **futur;** Conditional: **conditionnel**

Une fâcheuse compagnie

Jacques Ferron

Jacques Ferron (1921–1985) est né au Québec, près de Trois Rivières. Il est devenu médecin, profession qu'il a pratiquée toute sa vie adulte. En même temps, il poursuit son intérêt pour la création littéraire, écrivant des pièces de théâtre *(Cheval de Don Juan, Les grands soleils, La Tête du roi)* ainsi que plusieurs recueils de textes en prose. Il trouve aussi le temps de former un parti politique assez particulier, Le Parti Rhinocéros.

Ses contes cherchent à capturer la vie quotidienne et traditionnelle du Québec et certains critiques entendent, dans ses petites histoires, la tradition orale des petits villages de la province. A sa mort, il est connu dans toute la région comme grand écrivain et homme légendaire, à cause de ses talents multiples.

La province du Québec est immense, donnant sur l'Atlantique, sur les Etats-Unis et sur les régions arctiques du nord. Deux grandes villes, Montréal et Québec, donnent un aspect cosmopolite à la région, où un esprit européen et francophone se mêle à des traditions remontant au 17ᵉ siècle. Mais plus on voyage vers l'est et le nord, plus on se trouve dans un pays sauvage et rude, où les paysans ont du mal à gagner leur vie, la pêche étant un des métiers les plus sûrs.

Pré-lecture

A. Vous exercez une profession libérale (avocat[e], médecin) ou vous êtes professeur et on vous envoie dans une région pauvre où vous trouvez une population éparse, un très mauvais climat et des habitants qui se méfient (qui sont soupçonneux) des gens «de la grande ville». Décrivez vos premiers jours au village.

jeune • maladroit • drôle • digne • prétentieux • accueillant • distant

recevoir (être reçu) cordialement (sans émotion) • éviter • embrasser • serrer la main

B. Le fait de «glisser sur une peau de banane» est un des incidents comiques les plus connus: Une personne sérieuse marche, la tête en l'air, sans voir la peau de banane par terre; elle glisse, tombe et tout le monde rit. Décrivez un incident semblable, puis montrez comment on se remet de cet incident.

Vocabulaire utile

marcher sans voir • courir • tomber • manger • avaler • sentir • se blesser

un ballon • une porte • des bêtes méchantes • de la boue

prétentieux • distrait • humilié

C. Une utopie bizarre

Vous demeurez à la campagne dans une communauté où tous les habitants—les humains et les animaux—sont égaux. Décrivez cette vie où les cochons, les chiens, les oiseaux et les moutons habitent aux mêmes endroits que les êtres humains et ont les mêmes libertés qu'eux.

Vocabulaire utile

un cochon • un chien • une vache • une poule • un canard

une maison encombrée (sale, puante) • un bruit bizarre

Lecture

Jacques Ferron

Track 9

Une fâcheuse compagnie

J'étais nouveau dans la pratique°; par un air de suffisance° je cachais les inquiétudes que me causait mon personnage. Un jour je fus appelé à St-Yvon, un des villages de la paroisse de Cloridorme, dans le comté de Gaspé-Nord°. On était en hiver; la mer formait un immense champ de glace avec, çà et là, des trouées° noires et fumantes°.

Dans les vieux comtés, où règne l'habitant casanier° et chatouilleux° sur la propriété, on ne partagera jamais avec ses voisins d'autre bétail° que les oiseaux du ciel. A Saint-Yvon, il n'en va pas de même°; on subit l'influence de la mer, qui est à tous et à chacun. Cela donne un régime moins mesquin°, favorisant l'entraide° et la société. Par exemple, chats et chiens sont au soin de° tout le monde; et les cochons aussi, hélas!

Ces derniers restent dehors durant l'hiver. On prétend° que ça les dégourdit°. Ils errent° autour des maisons, impudents et familiers°, en quête de déchets°. Par les jours ensoleillés, ils se divisent en truies° et en verrats°, mais c'est pour mieux se rapprocher; ils s'en donnent alors à cœur joie°, sans aucune retenue, comme de vrais cochons. Un passant survient-il, ils enfilent° derrière lui sans attendre d'invitation. Tombe-t-il une bordée°, ce sont eux qui tracent des sentiers° dans la neige fraîche. Tels sont les cochons de Saint-Yvon, au demeurant° fabricants de lard° comme leurs confrères des vieux comtés et criant aussi haut leur déplaisir quand vient l'heure de le livrer°. **Q 1–3** www

Je suis donc mandé° dans ce village. Je m'y amène°. L'autoneige du postillon° continue vers Gaspé. J'entre au magasin pour m'en quérir de mon patient. «Approchez», dit le marchand; et il m'indique par une fenêtre, à l'est de l'anse°, le long du plein°, la maison où celui-ci m'attend. Renseigné, je reviens au comptoir sur lequel, avant de m'approcher de la fenêtre, j'avais déposé ma trousse°. C'est une belle trousse noire et luisante°, qui a les oreilles en l'air; il ne faut pas la regarder longtemps avant de se rendre compte qu'elle est neuve.

—Acré°, dit le marchand, vous avez là, docteur, un beau portuna°!

Je suis déconcerté: pourquoi nomme-t-il ainsi ma trousse? Veut-il se moquer de moi? Avec un sourire un peu niais°, je le remercie, je le salue et j'arrive enfin à la porte, bien content de sortir du magasin. Puis, quelque peu rasséréné° par le grand air, je m'engage, portuna sous le bras, dans le sentier des cochons-voyers°. **Q 4** www

Je m'aperçus alors que mon personnage° soulevait de l'intérêt; on écartait° discrètement un rideau° pour le voir; ou bien on le

(medical) practice / self-importance

county to the north-east of Quebec City / gaps

steaming

stay-at-home

touchy

livestock

it's not that way

petty / mutual aid

in the care of

to claim

to warm up / to wander / overly familiar / in search of scraps / female pigs / male pigs / throw themselves into it / to line up / snowfall / paths / for all that / bacon

to deliver

summoned, ordered / to get oneself there / coach

bay / terrain

medical bag / shiny

regional exclamation

regional deformation of (portefeuille)

silly

calmed

pigs playing the role of employees whose job it is to plow / role (as a doctor) / to pull back / curtain regardait crûment° au travers des vitres°. Cette curiosité était assez légitime: n'étais-je pas nouveau venu dans la place? Pour qu'on se fît bonne opinion, je marchais sans hâte, avec toute la dignité possible. Et tout alla bien durant quelque temps. Puis j'entendis un grognement. Je jetai un coup d'œil°derrière moi et je vis la bête. D'abord, je me demandai, amusé:

—Qu'est-ce qui lui prend de me suivre, ce cochon?

Mon amusement, hélas! ne dura guère°; je me souvins du coin° obscur, quelque peu truffé°, que j'avais dans le cœur et que je croyais, à cette époque, être le seul à posséder. Pour rien au monde je n'en eusse avoué la présence. Et voilà qu'au moment où, par une démarche° lente de cheval de corbillard°, je cherchais à être digne de ma noble profession, cette horrible bête, de son groin° infaillible, découvrait° ce coin caché à la vue de tout un village! Que faire en l'occurrence?

—Le mieux, me dis-je, est de n'en pas faire cas°. **Q 5–6**

Je continuai donc, mais je n'étais pas heureux. Le cochon ne me laissait guère; je l'entendais grogner° à intervalles réguliers. Bientôt il me sembla que ces intervalles se rapprochaient et que de l'un à l'autre les grognements ne se ressemblaient guère. Qu'est-ce que cela pouvait signifier? Pour en avoir le cœur net°, je jetai un autre coup d'œil par dessus mon épaule: le portuna faillit° me tomber des bras: ils étaient quatre! Un, passe encore°, mais, quatre, c'était plus que mon amour-propre n'en pouvait souffrir. Je fus donc sur le point de perdre la tête et de me retourner contre ces maudits° cochons pour leur botter° le groin. La dignité m'en empêcha°. D'ailleurs, je n'étais pas à bout de ressources. «Si je m'arrête, me dis-je, ils passeront peut-être devant moi. Il s'agira alors de ne pas les suivre.»

Je me mets donc à côté du sentier; j'allume une cigarette. Les cochons n'ont rien à fumer, mais ils arrêtent aussi et rien n'indique qu'ils se laisseront persuader de prendre les devants°. Je continue alors avec l'espoir qu'ils resteront figés° sur place; ils repartent aussitôt. Il me reste, hâtant le pas, à décourager leur poursuite; peine perdue°, ils ne me lâchent° pas, ils trottent derrière moi avec de joyeux grognements. Il n'y a plus rien à faire; je suis déshonoré à jamais. Les maisons se pressent sur mon passage; tout le village a le spectacle d'un docteur en médecine suivi de quatre cochons.

J'eus le courage de continuer. J'arrivais d'ailleurs à la maison où j'étais attendu. Je frappai. On vint ouvrir. Je m'attendais au pire; par exemple à ce qu'on dise:

—Ne vous gênez pas, docteur, faites entrer vos amis.

On me reçut avec une politesse exquise. Les cochons restèrent dehors. **Q 7–8**

forthrightly, directly / windows
to glance
to not last very long
corner, nook / overfilled
move / horse pulling a hearse
snout / to uncover
to not make anything out of it
to grunt
to be reassured
to almost
I can deal with that
cursed
to kick / to prevent
to go in front of me
fixed
a waste of time and energy / to let go

Questions sur le texte

D. Une série d'événements crée des inquiétudes chez le docteur et l'intensité de ses émotions augmentent pendant l'histoire. Notez les actions et ensuite les émotions du docteur.

	ACTION	EMOTION
au magasin		
dehors		

E. Le conte est court mais très complexe, écrit principalement au passé simple, à l'imparfait et au passé composé. L'emploi du présent crée deux sortes d'effets différents.

1. Cherchez les verbes à l'imparfait et déterminez leur fonction plutôt traditionnelle.

2. Cherchez les verbes au présent et déterminez les deux fonctions différentes.

3. Cherchez les verbes au passé simple qui précèdent la transition au présent. Comment expliquez-vous cette alternance entre les deux temps du verbe (passé simple et présent)?

F. En reprenant vos réponses aux questions précédentes, retracez ce qui est réel et ce que le docteur imagine.

Post-lecture

G. Le docteur croit que les habitants du village le regardent par les fenêtres et portent des jugements sur lui. Il ne sait pas qu'ils connaissent bien les cochons. Ecrivez la réaction d'un habitant qui trouve toute la scène plutôt drôle.

H. Le docteur réagit comme si les cochons pensaient comme des êtres humains. Donnez une voix humaine à un des cochons, qui explique ce qu'il pensait, voulait et cherchait en suivant le médecin.

I. Les réactions du docteur proviennent en partie d'une crainte du caractère rude de la campagne et de ses habitants. Discutez avec vos camarades de cette attitude envers la campagne.

J. Pour approfondir vos connaissances sur la province du Québec et sur la vie de Jacques Ferron, visitez le site web **www.thomsonedu. com/french/schofer** et faites des activités et des recherches.

Phrases: Describing people; Expressing a wish or desire; Expressing an opinion; Expressing intention; Describing health

Vocabulary: Food; Sickness; Medicine

Grammar: Compound Past Tense: **passé composé;** Past Imperfect: **imparfait;** Present Tense: **présent;** Pronouns: **il, le, lui**

Au revoir les enfants

Louis Malle

Louis Malle (1932–1995) est le metteur en scène de la Nouvelle Vague le mieux connu aux Etats-Unis, où il est célèbre pour une dizaine de films tournés en Amérique, comme *Pretty Baby* (1978, avec Brooke Shields) et *Atlantic City* (1981, avec Burt Reynolds). En France, on connaît bien son œuvre aux sujets très variés: *Zazie dans le métro* (1960), une adaptation du roman de Raymond Queneau; *Lacombe Lucien* (1974), un film subtil et ambigu sur la collaboration pendant l'Occupation; et *Milou en mai* (1987), la description touchante d'une famille pendant les événements de mai 1968.

Comme tous ses autres films, *Au revoir les enfants* soulève des problèmes à la fois moraux et sociaux et invite le spectateur à remettre en question ses propres valeurs.

Note historique

Ce film se passe en 1944, pendant l'occupation de la France par les Allemands et six mois avant le débarquement des Alliés en Normandie. Pendant cette période, les Allemands, souvent avec la collaboration du gouvernement de Vichy (gouvernement français installé dans le centre de la France), arrêtaient les «indésirables»—Juifs, communistes et autres individus qu'ils jugeaient «inférieurs»—et les envoyaient dans des camps de concentration. La plupart de ces gens ne sont pas revenus à la fin de la guerre.

Pendant l'Occupation, des réseaux de résistance se sont formés à travers la France. Certains de ces groupes cherchaient à cacher les Juifs, surtout les enfants, qui étaient souvent placés dans des petites villes ou des villages, où ils seraient plus difficiles à trouver. Des groupes de Catholiques et de Protestants ont pris part à ces activités.

Pendant ce temps, d'autres Français profitaient de la guerre pour s'enrichir en collaborant avec les Allemands. Ils travaillaient à la construction de ponts ou de routes, à la fabrication de matériel de guerre, ou même dans des restaurants qui servaient surtout les occupants. Certains pratiquaient le marché noir (l'échange de produits contre de l'argent ou d'autres produits), qui était pourtant totalement illégal.

Avant de voir le film

A. Imaginez que vos parents, trop occupés par leur travail, décident de vous envoyer dans un internat (une école où les élèves restent manger et dormir). Vous êtes très attaché(e) à votre mère, mais, à 12 ans, vous avez peur d'exprimer vos émotions au moment de votre départ. Décrivez ce que vous pensez et ce que vous dites à votre mère.

Vocabulaire utile

loin • seul • trop • jeune

fâché • manquer à quelqu'un • bouder • embrasser • vexé • vouloir rester

insulter • montrer sa colère • résister

Pensées:

Paroles:

B. Imaginez maintenant que vous êtes un garçon dans un internat et que vous vous sentez «différent»: vous adorez les livres et vous êtes peu sportif. Vos jeunes camarades sont grossiers, peu cultivés et ils commencent à penser à la sexualité de façon parfois vulgaire. Ils aiment surtout montrer leurs émotions par le contact physique, souvent violent.

Vocabulaire utile

faire du bruit • se battre • hurler • mal dormir

des coups de pied • des insultes • des gros mots • des bêtises

sale • insolent • dépravé • gros • grand

1. Quelles sont vos pensées intérieures?

2. Comment vous comportez-vous avec vos camarades pendant les récréations *(on the playground)*?

C. Vous avez 12 ans. Un ennemi occupe votre pays et cherche à supprimer tous les gens qu'il considère «indésirables». Votre famille se trouve dans un restaurant au moment où la police arrive et emmène un de ces «indésirables» qui prend ses repas dans ce restaurant depuis des années et qui est accepté par tout le monde.

1. Imaginez la discussion entre les clients, le propriétaire du restaurant et un agent de police qui est resté.

Vocabulaire utile

un ami • un habitué • la ville exige • un Juif • un communiste • un intellectuel de gauche • la loi • la décadence française • les dégénérés • la nouvelle justice • injuste • persécuter • déporter • garder chez nous

2. Imaginez votre réaction face à une telle scène.

Vocabulaire utile

triste • heureux • mérité • injuste • un misérable • honorable • l'honneur • contester • se taire • avoir peur • être fier

D. Vous êtes une personne qui aime rencontrer une grande variété de gens de cultures différentes (pays, origines, religion, couleur, etc.). Votre voisin(e) est quelqu'un qui se méfie des gens qui ne partagent pas sa culture et ses idées et il (elle) les évite à tout prix.

1. Imaginez un dialogue sur ce sujet entre vous et votre voisin(e).

Vocabulaire utile

renfermé • élitiste • raciste • chauvin • curieux • libéral • ouvert • tolérant • xénophobe

la moralité • l'immoralité • l'intelligence • l'éducation • la culture nationale • la ségrégation • l'intégration

envoyer ailleurs • accepter • emprisonner • éduquer

2. Un jour, votre voisin(e) apprend qu'une personne dont les origines culturelles sont différentes des siennes vient d'être embauchée dans le service où il (elle) travaille.

   a. Imaginez sa réaction avant même d'avoir fait la connaissance de cette personne.

   b. Décrivez ses pensées après qu'il (elle) a passé trois mois avec cette personne au bureau.

Les premières scènes

E. On voit un enfant et sa mère sur le quai avant le départ du train. L'enfant se montre désagréable.

1. Que semble-t-il vouloir exprimer?

2. La scène se passe dans un train. Qu'est-ce que le paysage semble nous suggérer? (Quelle saison? Quelle émotion?)

3. La scène se passe dans une ville. De quelle sorte de ville s'agit-il? D'une grande ville ou d'une petite ville? En quelle saison se passe la scène?

4. La scène se passe dans un dortoir. Quelle est l'ambiance de ce lieu? Quelle impression Jean Bonnet fait-il à son arrivée?

En regardant le film

F. Ce film ne comporte pas, à proprement parler, beaucoup d'action, mais son intensité dramatique est renforcée par certaines révélations qui sont faites, particulièrement en ce qui concerne les personnages principaux.

1. Indiquez comment vous percevez les deux personnages principaux, au commencement et à la fin du film.

Julien:
COMMENCEMENT

FIN

Jean Bonnet:
COMMENCEMENT

FIN

2. Notez l'antipathie qui marque la relation entre Julien et Jean au début du film.

3. A la fin, montrez le cheminement, la progression, qui a mené à leur amitié.

G. Beaucoup de petites scènes qui se passent à l'internat font avancer l'action dramatique du film. Etudiez les activités des pensionnaires et des adultes, ainsi que leurs relations, dans les endroits suivants.

1. En classe: Que font les professeurs? Comment sont-ils?

2. Pendant les récréations: Que font les enfants? Où sont les adultes?

3. Au dortoir: Que font les enfants?

4. Au dortoir, au moment de dormir: Quelles révélations sont faites?

Après avoir vu le film

H. Dans une interview, Louis Malle, le metteur en scène du film, a dit qu'il avait cherché à décrire deux choses dans son film: son expérience d'enfant riche dans un internat et celle, douloureuse, de son amitié avec un garçon qui lui a été enlevé parce qu'il était juif.

1. Faites un portrait de Julien. Etudiez aussi ses rapports avec les autres enfants et évoquez sa famille. (Comment est la mère? Que fait le père? Quelles sont ses tendances politiques?)

2. Faites un portrait de Jean. Vous pouvez vous appuyer sur les paroles du film, quand il est dit que les Juifs sont «différents». Quels sont les talents personnels de Jean? En quoi peut-il être considéré comme «différent»? Quelles différences lui sont imposées par la situation (craintes, incapacité de parler, etc.)? Que savez-vous de sa famille?

3. Dans leur amitié, que partagent les deux garçons? Qu'est-ce qui les distingue? Au fond, pourquoi sont-ils amis?

I. Les personnages secondaires

1. Joseph, le garçon de cuisine, semble être un personnage sans importance avant la fin du film. Pourtant, quel est vraiment son rôle?

2. Le frère de Julien, François, joue un rôle parallèle mais opposé à celui de Joseph. Comment son attitude envers les Allemands change-t-elle progressivement tout au long du film et que fait-il à la fin?

J. La musique

On entend de la musique au commencement du film. Ensuite, quel est son rôle? (A quels moments est-ce qu'on l'entend? De quelle sorte de musique s'agit-il? Qui la joue?)

Questions générales

K. Les persécutions des Nazis restent un des moments les plus horribles de l'histoire humaine. Discutez des cas où il est justifié pour un gouvernement d'arrêter des groupes de gens. A quels moments ces actions deviennent-elles de la persécution?

L. La persécution et la mort

A la fin, Jean meurt dans un camp de concentration. Ecrivez une composition évoquant la persécution d'une minorité qui passe par les étapes suivantes:

1. mesures discriminatoires
2. poursuite par la police
3. protection chez des sympathisants
4. arrestation par la police
5. internement en camp de concentration
6. mort

M. Le film se passe pendant une guerre, mais la guerre elle-même y est peu représentée. D'après les suggestions qui sont faites dans le film (les bombardements, la carte dans la salle de classe qui indique l'avance des Alliés, la réalité des camps de concentration, etc.) et vos propres connaissances, décrivez la vie ailleurs pendant cette guerre.

N. Ecrivez un scénario sur la persécution d'une autre minorité.

O. Pour approfondir vos connaissances sur l'Occupation allemande, sur la déportation des Juifs et sur Auschwitz, visitez le site web **www.thomsonedu.com/french/schofer** et faites des activités et des recherches.

Phrases: Talking about the present; Sequencing events; Expressing compulsion, obligation

Grammar: Negation with **ne... plus, jamais;** Present Tense: **présent;** Causative **faire**

Troisième partie

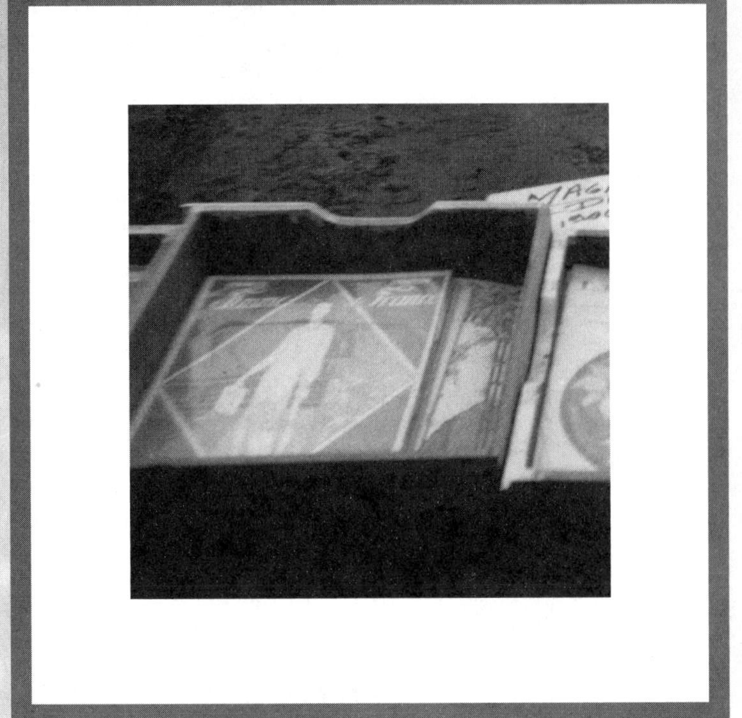

Textes plus difficiles

Pluie

ANNE HÉBERT

Anne Hébert (1916–2000) est l'une des femmes écrivains les plus connues et célébrées au Canada et en France. Auteur prolifique de pièces, de romans et de poèmes, Hébert a reçu son éducation au Canada, mais grâce à sa passion pour la poésie classique française et à plusieurs bourses qu'elle a reçues pour des séjours en France, elle se situe au centre de la littérature francophone. Il n'y a pas beaucoup de traces de son pays natal dans ses vers, sauf pour une insistance sur les éléments de la nature—la végétation, l'eau et les animaux qui rappellent le paysage québécois. En même temps, une sensibilité féminine est prodigieusement présente dans toute sa poésie, qu'un critique a décrit comme «des poèmes tracés dans l'os par la pointe d'un poignard».

Si sa poésie est intimiste et abstraite (sans détails personnels ou lieux précis), ses romans sont ancrés dans la vie réelle et quotidienne. Par exemple, *Le Premier Jardin* se compose d'une double narration: un mélange de l'arrivée des premiers Européens au Québec au 17e siècle avec la vie quotidienne de gens très modestes dans la ville de Québec de nos jours. L'action du roman se passe dans la partie historique-touristique de cette ville, à laquelle Hébert donne une signification profonde et vitale.

Parmi ses autres œuvres les plus célèbres, on peut citer *Kamarouska* (1970), *Le Tombeau des rois* (1953) et *Le Torrent* (1950).

Pré-lecture

A. En commençant par le mot *toi*, adressez-vous à la personne que vous aimez le mieux et décrivez à cette personne vos sentiments envers elle.

Modèle: Toi, inspiration de ma vie et centre de mon monde.

Toi,

Toi,

Toi,

Toi,

B. Maintenant, faites des comparaisons entre un aspect du (de la) bien-aimé(e) et des éléments de la nature.

Modèle: Tes jambes sont comme des arbres en hiver.

1.

2.

3.

C. Décrivez la pluie et les effets qu'elle peut avoir sur nous.

Modèle: La pluie est chaude. Elle nous fait du bien.

1.

2.

3.

Vocabulaire utile

nourissante • destructrice • chaude • froide • ennuyeuse • rafraîchissante

faire du bien • faire du mal • inonder • nettoyer • rafraîchir • salir • purifier

Lecture

Anne Hébert

Pluie

Track 10

to snort / manes / mythical monster with the body of a lion and the head and wings of an eagle / wet / rusty / eyelid / lower back

Pluie sur la ville qui s'ébroue°, ses chevaux de pierre aux fontaines, sabots, crinières°, beaux griffons°, fument les rues mouillées°, roulent les quais rouillés°,

Toi, ta force et ton sommeil, ton rêve sous ta paupière° fermée, amande noire au cœur de la nuit, ton bras sur mes reins°, comme une ceinture,

window pane / threads / needles / looms / to smooth down / fate / weavers / shuttle and spindles / to unwind / shaken / to shine

Pluie sur la vitre°, faufils°, aiguilles° liquides; de grands métiers° tremblent, lissent° ton sort° et le mien, tisserands° aveugles, rivières, fleuves, la nuit, navette et fuseaux°, se dévide°, forêts de feuilles fraîches secouées°,

Toi, ton rire, ton œil d'oiseau, ton visage qui luit°; l'amour s'étend sur moi,

plane trees / ferns / ant-hills, hives of activity / to knot and unknot

Pluie, au loin l'éclat jaune des platanes°, fougères° aux troncs noirs, places peuplées de colères brèves, fourmilières° brutes où la sagesse noue et dénoue° un mince fil secret,

division, separation

Toi et moi, île dans la ville, sous la pluie, mis au monde, mêlés ensemble comme la terre et l'eau avant le partage°,

Pluie sur la vitre. Si j'abandonne ton corps couché et pars en songe aussi, soulève des arches de pluie, quitte la chaleur du lit, goûte le sel des eaux marines à l'horizon roulées, toute la terre accessible, pareille à un tapis,

to bring back tirelessly / rosebush

Toi, ta parole et ton silence, ta vie et ta beauté, ton amour me ramènent inlassablement°, tel un rosier° sauvage qu'on allume dans la nuit, sous la pluie.

Questions sur le texte

D. Le poème se compose de substantifs (noms) qui donnent naissance à des comparaisons. Dans chaque vers, relevez les substantifs qui vous semblent les plus importants et qui donnent naissance à des adjectifs et à des comparaisons.

Substantif principal	Substantifs comparatifs / adjectifs
1. Pluie sur la ville	chevaux... griffons
2.	
3.	
4.	
5.	
6.	
7.	
8.	

a. Quelle sorte de progression voyez-vous dans la liste? Par exemple, quel changement «Pluie sur la vitre» semble-t-il marquer par rapport à «Pluie sur la ville»? Et «Toi et moi, île dans la ville, sous la pluie»?

b. Dans l'ensemble, quelles émotions cette énumération évoque-t-elle pour vous?

c. A la fin, de quelles manières la pluie et la personne sont-elles unifiées?

E. Quel portrait de la personne aimée ressort-il des réponses que vous avez données? Dans votre portrait, n'oubliez pas de considérer le dernier verset, surtout les mots «rosier sauvage».

Post-lecture

F. Refaites le travail que vous avez fait dans la **Pré-lecture** en vous servant du poème comme inspiration.

G. Faites le portrait d'un(e) bien-aimé(e) imaginaire en prenant comme point de départ les derniers mots du texte—«rosier» et «allumer». Décrivez vos émotions diverses, et même contradictoires, envers la personne en question.

H. Pour approfondir vos connaissances sur la vie culturelle au Québec, visitez le site web **www. thomsonedu.com/french/ schofer** et faites des activités et des recherches.

Phrases: Describing people; Expressing a wish or desire

Vocabulary: Personality; Body, body-eyes, body-hair, body-heart

Grammar: Adjective Agreement; Adjective possession; Possessive Adjectives (summary)

Le Grand Michu

EMILE ZOLA

Emile Zola (1840–1902) a été le chef de file de l'école naturaliste. Désireux d'appliquer une méthode scientifique à la description des faits humains et sociaux, il a composé une série de vingt romans qui racontent l'histoire d'une famille sous le Second Empire (1852–1870). Malgré ses prétentions scientifiques, la force de ses meilleurs romans (par exemple, *L'Assommoir* et *Germinal*) vient en fait de l'alliance de ses observations détaillées et de son imagination créatrice.

Dans *L'Assommoir,* Zola fait le portrait d'une famille à Paris, qui est détruite par l'alcoolisme; *Germinal,* dont on a tiré un film, décrit les luttes des mineurs contre leurs patrons corrompus ainsi que la vie de misère dans les mines.

Le Grand Michu se déroule dans un collège provincial au 19e siècle. A cette époque, la France était un pays agricole et les paysans habitaient dans des fermes ou des petits villages. L'Etat offrait l'enseignement élémentaire à tous les enfants, mais les collèges et les lycées n'existaient que dans les villes. Ainsi, si un jeune paysan voulait continuer ses études après l'âge de 14 ans, il fallait vivre et apprendre dans un internat (ou pensionnat). Les conditions étaient souvent rudes. On était mal nourri et les enseignants surveillaient continuellement les élèves.

Pré-lecture

A. Les revendications

De quoi les élèves de lycée se plaignent-ils? Que font-ils d'habitude pour faire connaître leurs revendications aux autorités?

se plaindre de

la nourriture • les devoirs • les professeurs • les cours • les activités

s'adresser au directeur du lycée (au proviseur) • organiser une réunion • manifester • faire la grève

B. Une révolte

Avec l'aide des expressions du **Vocabulaire utile,** définissez les mots suivants qui sont tous associés à l'idée de refus de l'autorité.

un complot:

Vocabulaire utile

une action collective • un chef • un groupe organisé

abandonner • diriger • participer en aidant • prendre la tête d'un mouvement populaire • protester contre • préparer secrètement • se révolter contre l'autorité • se révolter contre les règles

un conspirateur:

un traître:

un meneur:

un complice:

une révolution:

C. Un gourmand

Faites le portrait de quelqu'un qui mange énormément et qui ne grossit jamais.

Vocabulaire utile

manger (du matin au soir, tout ce qu'on voit) • acheter • demander • se faire inviter • mendier • menacer • voler

Maintenant imaginez cette personne privée *(deprived)* de nourriture pendant plusieurs jours.

D. Le passé simple

Donnez l'infinitif des verbes suivants, qui sont au passé simple. Cherchez le sens des verbes que vous ne connaissez pas.

Il prit	______________	j'attendis	______________
Il dit	______________	elle reparut	______________
je répondis	______________	il faillit	______________
ils finirent	______________	il fut	______________
il produisit	______________	il fit	______________

Note historique

En 1848, un mouvement révolutionnaire en France provoque l'abdication du roi Louis-Philippe Ier et la proclamation de la Deuxième République. Charles Louis Napoléon Bonaparte, neveu de Napoléon Ier, est élu président. Trois ans plus tard (1851), il dissout l'Assemblée nationale, écrase l'insurrection républicaine et il se fait proclamer empereur des Français en 1852.

Lecture

Emile Zola

Le Grand Michu

I

Une après-midi, à la récréation° de quatre heures, le grand Michu me prit à part°, dans un coin de la cour. Il avait un air grave qui me frappa d'une certaine crainte; car le grand Michu était un gaillard°, aux poings° énormes, que, pour rien au monde, je n'aurais voulu avoir pour ennemi.

«Ecoute, me dit-il de sa voix grasse° de paysan° à peine dégrossi°, écoute, tu veux en être°?»

Je répondis carrément°: «Oui!» flatté d'être de quelque chose avec le grand Michu. Alors, il m'expliqua qu'il s'agissait d'un complot. Les confidences qu'il me fit, me causèrent une sensation

recess
to take aside
strapping young man
fists

throaty / peasant
barely civilized / to be a part of the group /
straight out

délicieuse°, que je n'ai jamais peut-être éprouvée° depuis. Enfin, j'entrais dans les folles aventures de la vie, j'allais avoir un secret à garder, une bataille à livrer°. Et, certes, l'effroi inavoué° que je ressentais° à l'idée de me compromettre de la sorte°, comptait pour une bonne moitié dans les joies cuisantes° de mon nouveau rôle de complice°.

Aussi°, pendant que le grand Michu parlait, étais-je en admiration devant lui. Il m'initia d'un ton un peu rude, comme un conscrit° dans l'énergie duquel° on a une médiocre confiance. Cependant, le frémissement d'aise°, l'air d'extase enthousiaste que je devais avoir en l'écoutant, finirent par lui donner une meilleure opinion de moi.

Comme la cloche° sonnait le second coup, en allant tous deux prendre nos rangs° pour rentrer à l'étude°:

«C'est entendu, n'est-ce pas? me dit-il à voix basse. Tu es des nôtres...° Tu n'auras pas peur, au moins; tu ne trahiras pas? —Oh, non, tu verras... C'est juré°.»

Il me regarda de ses yeux gris, bien en face, avec une vraie dignité d'homme mûr°, et me dit encore:

«Autrement, tu sais, je ne te battrai pas, mais je dirai partout que tu es un traître, et personne ne te parlera plus.»

Je me souviens encore du singulier effet que me produisit cette menace. Elle me donna un courage énorme. «Bast!° me disais-je, ils peuvent bien me donner deux mille vers°; du diable° si je trahis Michu!» J'attendis avec une impatience fébrile° l'heure du dîner. La révolte devait éclater° au réfectoire°. **Q 1–5** www

delightful / to feel, have

to join / unavowed, unconfessed fear / to feel / to compromise myself in this way / burning / accomplice / So

draftee / in whose energy / quiver of joy

school bell (at the second ringing of the bell, students are expected to line up) / places in line / study hall / with us, on our side / sworn / mature

Never mind, who cares! 2000 lines of poetry (to copy as punishment) / I'll be darned / feverish / to break out / dining hall

II

Le grand Michu était du Var°. Son père, un paysan qui possédait quelques bouts° de terre, avait fait le coup de feu en 51°, lors de l'insurrection provoquée par le coup d'Etat°. Laissé pour mort dans la plaine d'Uchâne°, il avait réussi à se cacher°. Quand il reparut, on ne l'inquiéta pas. Seulement, les autorités du pays, les notables, les gros et les petits rentiers° ne l'appelèrent plus que ce brigand° de Michu.

Ce brigand, cet honnête homme illettré°, envoya son fils au collège d'A... Sans doute il le voulait savant° pour le triomphe de la cause qu'il n'avait pu défendre, lui, que les armes à la main°. Nous savions vaguement cette histoire, au collège, ce qui nous faisait regarder notre camarade comme un personnage très redoutable°.

Le grand Michu était, d'ailleurs, beaucoup plus âgé que nous. Il avait près de dix-huit ans, bien qu'il° ne se trouvât qu'en quatrième°. Mais on n'osait° le plaisanter°. C'était un de ces esprits droits°, qui apprennent difficilement, qui ne devinent° rien; seulement, quand il savait une chose, il la savait à fond° et pour toujours. Fort, comme taillé à coups de hache°, il régnait en maître pendant les récréations. Avec cela, d'une douceur extrême. Je ne l'ai jamais vu qu'une fois en colère; il voulait étrangler° un pion° qui nous enseignait que tous les républicains étaient des voleurs et des assassins. On faillit mettre le grand Michu à la porte°.

department in southeastern France / patches / had fought on the Republican side / overthrow of the government / site of a battle / to hide / people who live off the income from their investments / bandit / illiterate / educated / to defend the cause which he could defend only with a gun in his hand / fearsome / even though / the equivalent of 8th grade / to dare / to tease, make fun of / narrow (limited) mind / to guess (infer)

Ce n'est que plus tard, lorsque j'ai revu mon ancien camarade dans mes souvenirs, que j'ai pu comprendre son attitude douce et forte. De bonne heure°, son père avait dû° en faire un homme. **Q 6–9**

III

Le grand Michu se plaisait au collège, ce qui n'était pas le moindre de nos étonnements. Il n'y éprouvait qu'un supplice° dont il n'osait parler: la faim. Le grand Michu avait toujours faim.

Je ne me souviens pas d'avoir vu un pareil° appétit. Lui qui était très fier°, il allait parfois jusqu'à jouer des comédies humiliantes pour nous escroquer° un morceau de pain, un déjeuner ou un goûter. Elevé en plein air°, au pied de la chaîne des Maures°, il souffrait encore plus cruellement que nous de la maigre cuisine° du collège.

C'était là un de nos grands sujets de conversation, dans la cour, le long du mur qui nous abritait de son filet d'ombre°. Nous autres, nous étions des délicats°. Je me rappelle surtout une certaine morue° à la sauce rousse° et certains haricots° à la sauce blanche qui étaient devenus le sujet d'une malédiction° générale. Les jours où ces plats apparaissaient, nous ne tarissions pas°. Le grand Michu, par respect humain, criait avec nous, bien qu'il eût avalé volontiers° les six portions de sa table.

Le grand Michu ne se plaignait guère que de la quantité des vivres°. Le hasard°, comme pour l'exaspérer, l'avait placé au bout de la table à côté du pion, un jeune gringalet° qui nous laissait fumer en promenade. La règle était que les maîtres d'étude avaient droit à deux portions. Aussi, quand on servait des saucisses, fallait-il voir le grand Michu lorgner° les deux bouts de saucisses qui s'allongeaient côte à côte sur l'assiette du petit pion.

«Je suis deux fois plus gros que lui, me dit-il un jour, et c'est lui qui a deux fois plus à manger que moi. Il ne laisse rien, va; il n'en a pas de trop!» **Q 10–11**

IV

Or, les meneurs avaient résolu que nous devions à la fin nous révolter contre la morue à la sauce rousse et les haricots à la sauce blanche.

Naturellement, les conspirateurs offrirent au grand Michu d'être leur chef. Le plan de ces messieurs était d'une simplicité héroïque: il suffirait°, pensaient-ils, de mettre leur appétit en grève°, de refuser toute nourriture, jusqu'à ce que le proviseur° déclarât solennellement que l'ordinaire° serait amélioré°. L'approbation° que le grand Michu donna à ce plan est un des plus beaux traits d'abnégation° et de courage que je connaisse. Il accepta d'être chef du mouvement, avec le tranquille héroïsme de ces anciens Romains qui se sacrifiaient pour la chose publique°.

Songez° donc! lui se souciait bien° de voir disparaître° la morue et les haricots: il ne souhaitait qu'une chose, en avoir davantage, à

completely / as if he'd been carved with an ax / to strangle / study hall supervisor (colloquial) / They almost threw big Michu out / Early on / must have

torture

such a

proud

to swindle

outdoors / mountain chain in southeastern France / skimpy food / shaded us with its shaft of shade / demanding, difficult / codfish / red / beans / curse / to not be able to stop talking (about it) / even though he would have willingly swallowed / scarcely complained except about the quantity of food / chance / tall, skinny fellow / to cast sidelong glances at

to be enough / on strike

principal

regular food / improved / approval

self-denial

public good

Think / to care not at all (i.e., ironic statement) / to disappear without limit (all he could eat) / to top everything off / to fast, go without food / devotion / test

discrétion°! Et, pour comble°, on lui demandait de jeûner°! Il m'a avoué depuis que jamais cette vertu républicaine que son père lui avait enseignée, la solidarité, le dévouement° de l'individu aux intérêts de la communauté, n'avait été mise en lui à une plus rude épreuve°.

to chat

Le soir, au réfectoire,—c'était le jour de la morue à la sauce rousse—la grève commença avec un ensemble vraiment beau. Le pain seul était permis. Les plats arrivent, nous n'y touchons pas, nous mangeons notre pain sec. Et cela gravement, sans causer° à voix basse, comme nous en avions l'habitude. Il n'y avait que les petits qui riaient.

Le grand Michu fut superbe. Il alla, ce premier soir, jusqu'à ne pas même manger de pain. Il avait mis les deux coudes sur la table, il regardait dédaigneusement le petit pion qui dévorait.

supervisor
to shout (at)

Cependant, le surveillant° fit appeler le proviseur, qui entra dans le réfectoire comme une tempête. Il nous apostropha° rudement, nous demandant ce que nous pouvions reprocher à ce dîner, auquel il goûta et qu'il déclara exquis.

Alors le grand Michu se leva.

rotten, spoiled

«Monsieur, dit-il, c'est la morue qui est pourrie°, nous ne parvenons pas à la digérer.»

«Ah! bien, cria le gringalet de pion, sans laisser au proviseur le temps de répondre, les autres soirs, vous avez pourtant mangé presque tout le plat à vous seul.»

Le grand Michu rougit extrêmement. Ce soir-là, on nous envoya simplement coucher, en nous disant que, le lendemain, nous aurions sans doute réfléchi. **Q 12–14**

V

cowards / to give in
pride

Le lendemain et le surlendemain, le grand Michu fut terrible. Les paroles du maître d'étude l'avaient frappé au cœur. Il nous soutint, il nous dit que nous serions des lâches° si nous cédions°. Maintenant, il mettait tout son orgueil° à montrer que, lorsqu'il le voulait, il ne mangeait pas.

school desks
to fill / relative
sweets, treats / to limit oneself / bread crusts

Ce fut un vrai martyr. Nous autres, nous cachions tous dans nos pupitres° du chocolat, des pots de confiture, jusqu'à de la charcuterie, qui nous aidèrent à ne pas manger tout à fait sec le pain dont nous emplissions° nos poches. Lui, qui n'avait pas un parent° dans la ville, et qui se refusait d'ailleurs de pareilles douceurs°, s'en tint° strictement aux quelques croûtes° qu'il put trouver.

to persist with

Le surlendemain, le proviseur ayant déclaré que, puisque les élèves s'entêtaient° à ne pas toucher aux plats, il allait cesser de faire distribuer du pain, la révolte éclata, au déjeuner. C'était le jour des haricots à la sauce blanche.

with gusto / to scoff at
to start singing
breath of air / to lift up

Le grand Michu, dont une faim atroce devait troubler la tête, se leva brusquement. Il prit l'assiette du pion, qui mangeait à belles dents°, pour nous narguer° et nous donner envie, la jeta au milieu de la salle, puis entonna° La Marseillaise d'une voix forte. Ce fut comme un grand souffle° qui nous souleva° tous. Les assiettes, les verres, les bouteilles dansèrent une jolie danse. Et les pions, enjambant° les débris, se hâtèrent de nous abandonner le réfectoire. Le gringalet, dans sa fuite, reçut sur les épaules un plat de haricots, dont la sauce lui fit une large collerette blanche.

Cependant, il s'agissait de fortifier la place. Le grand Michu fut nommé général. Il fit porter, entasser° les tables devant les portes. Je me souviens que nous avions tous pris nos couteaux à la main. Et La Marseillaise tonnait° toujours. La révolte tournait à la révolution. Heureusement, on nous laissa à nous-mêmes pendant trois grandes heures. Il paraît° qu'on était allé chercher la garde°. Ces trois heures de tapage° suffirent° pour nous calmer.

Il y avait au fond du réfectoire deux larges fenêtres qui donnaient sur la cour. Les plus timides, épouvantés° de la longue impunité° dans laquelle on nous laissait, ouvrirent doucement une des fenêtres et disparurent. Ils furent peu à peu suivis par les autres élèves. Bientôt le grand Michu n'eut plus qu'une dizaine d'insurgés° autour de lui. Il leur dit alors d'une voix rude:

«Allez retrouver les autres, il suffit qu'il y ait un coupable.

Puis s'adressant à moi qui hésitais, il ajouta:

—Je te rends ta parole°, entends-tu!»

Lorsque la garde eut enfoncé une des portes, elle trouva le grand Michu tout seul, assis tranquillement sur le bout d'une table, au milieu de la vaisselle cassée°. Le soir même, il fut renvoyé à son père. Quant à nous, nous profitâmes peu de cette révolte. On évita bien pendant quelques semaines de nous servir de la morue et des haricots. Puis, ils reparurent; seulement la morue était à la sauce blanche, et les haricots, à la sauce rousse. **Q 15–17**

- *walking over*
- *to have brought over and piled up*
- *to thunder*
- *to seem / police*
- *din / to be enough*
- *frightened*
- *freedom from the danger of punishment*
- *rebels*
- *I release you from your promise*
- *broken dishes*

VI

Longtemps après, j'ai revu le grand Michu. Il n'avait pu continuer ses études. Il cultivait à son tour les quelques bouts de terre que son père lui avait laissés en mourant°.

«J'aurais fait, m'a-t-il dit, un mauvais avocat ou un mauvais médecin, car j'avais la tête bien dure. Il vaut mieux que je sois un paysan. C'est mon affaire°... N'importe°, vous m'avez joliment lâché°. Et moi qui justement adorais la morue et les haricots!» **Q 18**

- *when he died*
- *what I'm best at / Nevertheless / to leave alone, behind*

Questions sur le texte

E. Les personnages

Indiquez ce que vous avez appris sur les personnages en lisant le conte.

1. le grand Michu

   a. apparence physique

   b. caractère

   c. famille

2. le narrateur

3. le pion

4. les autres élèves

F. La révolte

Indiquez ce que vous avez appris au sujet du complot organisé par les élèves.

1. la cause

2. le but

3. la chronologie des événements

	CE QUE FONT LES ÉLÈVES	CE QUE FONT LES AUTORITÉS
le premier jour		
le lendemain		
le surlendemain		

G. La fin du conte

En quoi la fin du conte est-elle ironique—du point de vue des élèves? du point de vue du grand Michu?

H. La révolte et la révolution

Quelle influence le père de Michu a-t-il sur le rôle que joue son fils dans la révolte des élèves? Quels parallèles voyez-vous entre cette révolte et la situation politique en France au 19e siècle?

Post-lecture

I. Le narrateur de ce conte est un des élèves qui ont participé au complot. Racontez cette histoire une nouvelle fois, en adoptant le point de vue (la perspective) du grand Michu.

J. Dans un lycée de nos jours, imaginez les différentes formes d'actions sociales et politiques qu'on pourrait prendre. Quelles seraient des questions pertinentes pour les lycéens? Quels seraient les moyens de manifester leurs idées (article de journal? pamphlet? manifestation devant l'école?, etc.)?

K. Le grand Michu est un garçon que tous les élèves du lycée connaissent et dont ils se souviennent longtemps après leurs années d'école. Faites le portrait d'un garçon ou d'une fille qui a occupé une place comparable dans votre expérience scolaire.

L. Pour approfondir vos connaissances sur Emile Zola, sur son œuvre et sur l'affaire Dreyfus, visitez le site web **www. thomsonedu .com/french/schofer** et faites des activités et des recherches.

Phrases: Describing people; Describing the past

Vocabulary: Education; Personality; Body, body-hair

Grammar: Adjective Agreement; Adjective Position; Possessive Adjectives (summary); Past Imperfect: **imparfait**

Publicités: L'homme et la femme

Voici deux publicités—pour des cigarettes et pour un parfum—qui font appel à certaines images stéréotypées de l'homme et de la femme.

Pré-lecture

A. Jeux d'associations

Utilisez les mots suggérés pour parler de la mer, des couchers de soleil et de la montagne.

1. Imaginez une statue en pierre qui représente une femme. Quelles réactions et émotions évoquerait-elle en vous?

dur(e) • durable • éternel • calme • en action

la beauté • la force • la sensualité

contempler • admirer • désirer

2. Faites le même jeu d'associations pour la statue d'un homme.

B. Pour communiquer ses messages, la publicité française (et américaine...) s'appuie souvent sur des stéréotypes, des lieux communs et des banalités. L'importance des stéréotypes est très nette dans les publicités qui traitent directement des hommes et des femmes ou qui concernent un produit pour des hommes ou des femmes.

VOCABULAIRE UTILE

la force • la faiblesse • des muscles • la chair et la peau • l'essence • la décoration • une robe • un chemisier • un pantalon • une chemise • un veston

faible • fort • allongé • couché • debout • droit • actif • passif • dur • doux • vrai • faux • habillé • déshabillé • naturel • déguisé

rose pâle • rouge • mauve • blanc • marron • orange • vert • noir • jaune

agir • se reposer • s'allonger • travailler • attirer • se préparer • décorer • se laisser aller

Le vocabulaire à gauche est composé de mots stéréotypés associés aux deux sexes. D'après ces mots et d'après des idées tirées de votre propre expérience, faites la description d'un homme, puis celle d'une femme.

C. Créez une publicité en couleurs pour un produit (un vêtement, une boisson, une voiture, par exemple) destiné aux femmes. Puis créez une autre publicité destinée aux hommes.

La publicité Organza

Questions sur la publicité

Avant de répondre aux questions, regardez l'image en couleurs sur le site web **www.thomsonedu.com/french/schofer.**

D. Les couleurs évoquent des sensations et des émotions différentes.

1. Cette publicité est uniformément en jaune doré. Quelles sensations cette couleur suggère-t-elle?

2. Et si la même page était en rouge?

3. Et en vert?

E. L'espace de la publicité Organza

1. La page ne contient que la femme et la bouteille. Quels rapprochements existent entre les deux?

   les formes?

   les couleurs?

   la surface (effet sensoriel)?

2. L'espace semble représenter une chambre «ouverte» sur un lieu extérieur vague. Quel en est l'effet?

F. Si la couleur crée une seule dimension, le parfum lui-même fait appel à une femme qui regarde la page dans l'espoir qu'elle achètera ce produit. Etudiez les éléments suivants qui pourraient attirer une femme.

1. L'aspect physique de la femme dans la publicité

2. Le rapport entre la forme de la femme et celle de la bouteille

3. Le mot «Organza». Cherchez le sens de ce mot d'abord dans un dictionnaire français, ensuite dans un dictionnaire anglais. Comment le nom donne-t-il une nouvelle dimension au parfum?

Le mot «éternel». Quelles autres associations ajoute-t-il?

G. Reprenez vos réponses aux questions précédentes et composez un portrait de cette femme idéale.

H. La publicité ne parle jamais de l'odeur de ce parfum. Essayez de décrire cette odeur avec des mots: fraîche? lourde? musquée?, etc.

La publicité Royale

> **Note culturelle**
>
> Dans la publicité française, il est interdit de montrer directement des gens en train de fumer une cigarette et on n'a pas le droit de mettre une cigarette ou un paquet de cigarettes dans une photo ou une image où se trouve une personne. C'est pour cette raison que dans la publicité Royale on peut voir «allumettes» au lieu de «cigarettes» sur le paquet.

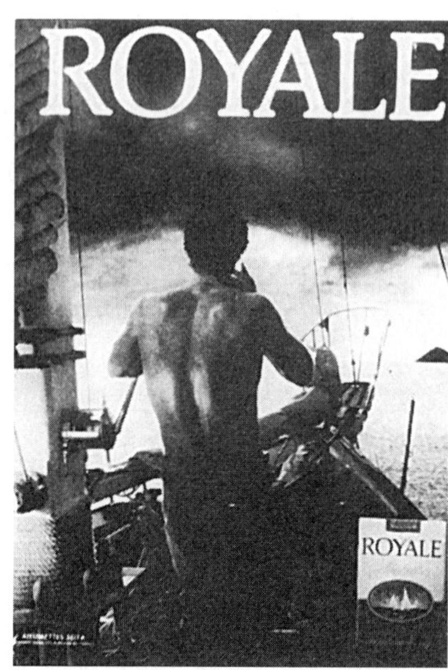

Questions sur la publicité Royale

I. Après avoir regardé la publicité en couleurs sur le site web **www.thomsonedu.com/french/schofer**, répondez aux questions sur la publicité pour la marque de cigarettes et d'allumettes Royale.

1. Comment est-ce que vous savez que l'homme fume une cigarette? (Quelles couleurs, quelles positions, quelles formes vous le suggèrent?)

2. Quand est-ce qu'on est supposé fumer une cigarette? (pendant le travail? après?, etc.)

3. L'homme fait une croisière.

   a. Où en est-il dans son voyage? Au commencement, au milieu ou à la fin?

   b. On est à quel moment de la journée?

4. De quelle manière est-ce que la publicité nous indique qu'elle vend des allumettes?

J. La publicité Royale s'adresse aux hommes.

1. A quelles sortes d'hommes (physiquement, socialement et économiquement)? Dans votre réponse, n'oubliez pas que les cigarettes s'appellent «Royale» (royal = digne d'un roi).

2. Comment le choix et la répétition des couleurs renforcent-ils l'idée de fumer (les allumettes, les cigarettes, etc.)?

Questions sur les deux publicités

K. Reprenez les stéréotypes que vous avez trouvés dans l'exercice B de la **Pré-lecture.**

1. Qu'est-ce qu'il y a de particulièrement «masculin» ou «féminin» dans la position et l'habillement de l'homme et de la femme respectivement?

2. Et dans les couleurs et les formes (les cercles, les triangles, les carrés, etc.)?

3. Et dans la représentation du paysage?

Post-lecture

L. D'après ce que vous avez appris sur la publicité, refaites votre page de publicité de la **Pré-lecture** et justifiez votre travail.

M. Vous êtes une femme et vous venez d'acheter Organza. Vous allez sortir pour la première fois en portant ce parfum. Avant de sortir, vous fantasmez sur l'effet de votre nouveau parfum. Décrivez votre fantasme. (Ou bien vous êtes un homme et vous mettez une eau de Cologne très connue.)

N. On peut lire la publicité Royale comme une petite histoire avec un commencement et une fin, mais le commencement et la fin ne sont pas explicites dans la photo. D'après les détails de la photo, racontez cette histoire. Réfléchissez par exemple aux faits suivants.

L'homme ne porte pas de chemise. Pourquoi? (Quel temps fait-il? Que vient-il de faire?) Où va-t-il? Quand va-t-il arriver à sa destination? Qu'est-ce que l'image sur le paquet de cigarettes-allumettes nous suggère au sujet de sa journée? (Quelle est la progression temporelle entre l'image sur le paquet et la grande photo?)

O. La scène pour la publicité Givenchy suggère une grande immobilité par la femme-statue. Mais on peut imaginer son histoire personnelle. Par exemple, quelles sont ses origines? Où irait-elle dans une telle robe? Avec quelle sorte d'homme?

P. Pour faire des recherches et des activités sur l'image de la femme dans la publicité, visitez le site web **www. thomsonedu.com/french/schofer.**

Phrases: Talking about the past; Talking about the immediate past
Grammar: Present Tense: **présent;** Future with **aller, futur immédiat**

Le Dormeur du val

Arthur Rimbaud

Arthur Rimbaud (1854–1891) a été un des poètes les plus exceptionnels de l'époque moderne. Il a écrit toute son œuvre poétique entre l'âge de 16 et 21 ans. Né à Charleville dans le nord de la France, il fait des études brillantes au collège, mais à un jeune âge, il se révolte contre sa famille et contre les valeurs de la bourgeoisie. Encouragé par un professeur, il commence à écrire des poèmes. Il fait de nombreux voyages et fugues à Bruxelles, à Londres et à Paris, où, en 1871, il fait la connaissance du poète Paul Verlaine. Il a une liaison scandaleuse avec son aîné (Verlaine a dix ans de plus que lui), qui se termine en 1873 à Bruxelles, où Rimbaud blesse son ami d'un coup de revolver. Ses recueils de poésie les plus connus et les plus difficiles datent des années 1873 et 1874: *Une Saison en enfer* est la narration d'une tentative de refaire le monde en brisant avec la société contemporaine; les *Illuminations* comprennent des poèmes en prose, souvent très obscurs, qui cherchent à «dérégler tous les sens». En 1875, il abandonne la poésie et commence une vie de voyages et d'aventures en Indonésie, en Arabie et en Abyssinie. Il meurt à Marseille à l'âge de 37 ans.

Le sonnet qui suit, *Le Dormeur du val,* fait partie du *Cahier de Douai* (poèmes du début de sa carrière qu'il avait demandé à un ami de détruire) et a été inspiré par la guerre franco-allemande. En juillet 1870, l'empereur Napoléon III, tombant dans le piège tendu par le chancelier allemand Bismarck, déclare la guerre à la Prusse. Après une série de défaites militaires sanglantes, l'empereur est fait prisonnier en septembre. Le poème de Rimbaud date du mois d'octobre de la même année.

Pré-lecture

A. Un décor naturel et idyllique

Décrivez un lieu naturel (réel ou imaginaire) qui vous semble tout à fait idyllique.

Vocabulaire utile

on voit • on entend • on sent

une plaine • un val (une vallée) • une montagne • une rivière • un ruisseau • un étang

l'herbe • les arbres • les fleurs • le soleil • les nuages • le vent

B. Un dormeur

Faites la description de quelqu'un qui dort.

Vocabulaire utile

dormir sur un lit • dormir dans l'herbe • dormir au soleil • dormir à la belle étoile (sous un ciel étoilé) • dormir sous les nuages

être étendu sur un lit • être étendu dans l'herbe

avoir les yeux fermés (ouverts) • avoir la bouche fermée (ouverte) • avoir la main derrière la tête, sur la poitrine, sous le corps

avoir chaud • avoir froid

dormir d'un sommeil tranquille • avoir un sommeil troublé

Lecture

Arthur Rimbaud

Le Dormeur du val

Track 11

C'est un trou de verdure° où chante une rivière
Accrochant follement aux herbes des haillons
D'argent°; où le soleil, de la montagne fière°,
Luit°: c'est un petit val qui mousse de rayons°.

Un soldat jeune, bouche ouverte, tête nue,
Et la nuque° baignant dans le frais cresson° bleu,
Dort; il est étendu dans l'herbe, sous la nue°,
Pâle dans son lit vert où la lumière pleut.

Les pieds dans les glaïeuls°, il dort. Souriant comme
Sourirait un enfant malade, il fait un somme°:
Nature, berce°-le chaudement: il a froid.

Les parfums ne font pas frissonner sa narine°;
Il dort dans le soleil, la main sur sa poitrine
Tranquille. Il a deux trous° rouges au côté droit.

hollow of greenery

Wildly hooking rags of silver (i.e., water) to the weeds / proud / to shine / to foam with rays of light / nape of the neck / watercress / clouds (poetic form)

gladioli

to take a nap

to rock (a cradle)

to make his nostrils quiver

holes

Questions sur le texte

C. La nature

Quelles qualités le poète attribue-t-il au décor naturel du poème? Quels mots et expressions contribuent à cette image de la nature?

D. Le dormeur

1. De quelle sorte de sommeil le soldat semble-t-il dormir? Quels mots et expressions contribuent à cette impression?

2. A la fin du poème, on apprend que le soldat est mort. En relisant le poème, quels mots et expressions vous annoncent indirectement cette conclusion?

E. Les couleurs

Quelles couleurs sont mentionnées dans le poème? Quels sentiments, quelles qualités chaque couleur suggère-t-elle? Comment l'opposition entre les couleurs renforce-t-elle l'opposition entre le décor naturel idyllique et la réalité du soldat?

Post-lecture

F. Pour quelles raisons Rimbaud, en écrivant un poème contre la guerre, aurait-il choisi un cadre bucolique où la guerre n'est pas directement mentionnée? A votre avis, a-t-il réussi à communiquer son point de vue anti-guerre?

G. Montrez comment le poète utilise les répétitions et les oppositions pour arriver à la conclusion ironique du poème.

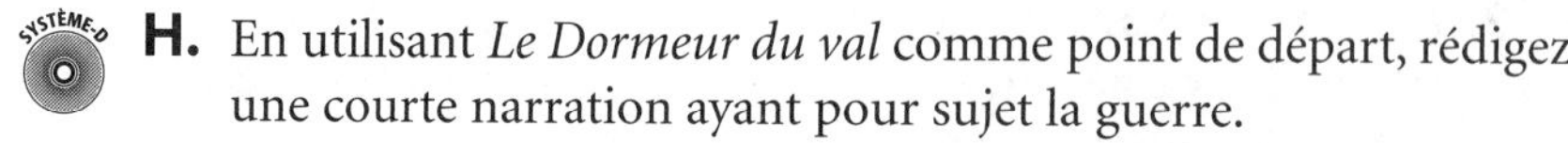

H. En utilisant *Le Dormeur du val* comme point de départ, rédigez une courte narration ayant pour sujet la guerre.

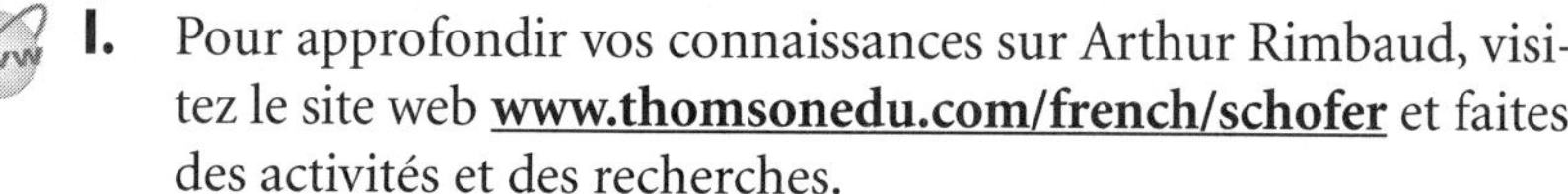

I. Pour approfondir vos connaissances sur Arthur Rimbaud, visitez le site web **www.thomsonedu.com/french/schofer** et faites des activités et des recherches.

Phrases: Comparing and distinguishing; Describing people; Writing an essay; Expressing an opinion; Writing about an author

Vocabulary: Colors; Geography; Body, face

Grammar: Present Tense: **présent;** Conjunction **que**

Le Retour de Mamzelle Annette

JOSEPH ZOBEL

Joseph Zobel (1915–) est un des écrivains antillais d'expression française les plus appréciés. Il est né à Rivière-Salée dans le sud de la Martinique. Dans son premier roman, *La Rue Cases-Nègres* (publié en 1950), il raconte sa jeunesse et en particulier le rôle qu'y jouait sa grand-mère, qui travaillait dans les champs de cannes à sucre. Après la Seconde Guerre mondiale, Zobel, accompagné de sa femme et de ses trois enfants, quitte la Martinique pour aller faire des études de littérature, d'art dramatique et d'ethnologie à Paris. En 1957, il part au Sénégal, où il est directeur de collège et ensuite producteur d'émissions éducatives et culturelles à la radio. En 1947, il prend sa retraite et s'installe dans le sud de la France, où il poursuit sa carrière d'écrivain. Zobel est l'auteur de romans *(Diab'là, Les Jours immobiles, Les Mains pleines d'oiseaux)*, de nouvelles et de poésies.

Le Retour de Mamzelle Annette fait partie d'un recueil de nouvelles intitulé *Si la mer n'était pas bleue...*, où Zobel raconte la vie de la Martinique rurale ainsi que quelques anecdotes de sa vie à Dakar. L'action de cette nouvelle se déroule dans un petit village martiniquais à une époque où les Antillais sont sous la domination des Blancs d'Europe.

Pré-lecture

Vocabulaire utile

un religieux (une religieuse) • les indigènes • les pays sous-développés

avoir mission de • prêcher l'Evangile • propager la foi • convertir quelqu'un à une religion • se convertir • se soumettre à • s'opposer à

A. Les missionnaires

Ecrivez un paragraphe sur ce que vous savez au sujet des missionnaires.

Suggestions: Qui sont les missionnaires? Où vont-ils? Quel est leur but dans la vie? Quelles sont les attitudes des autres à leur égard?

Vocabulaire utile

les cheveux • la barbe • une paire de ciseaux • un rasoir • une tondeuse • le menton • la mousse à raser • l'eau de Cologne • un gros fauteuil • la glace • la nuque • les tempes • un peigne

tailler • barbouiller • frictionner • faire pivoter • couper • faire voir

B. Un coiffeur

Décrivez le travail d'un coiffeur.

Vocabulaire utile

la vaisselle • les torchons • la poussière • les verres

laver • balayer • rendre de petits services • nettoyer • faire le ménage • ranger • essuyer • frotter

C. Une domestique

Décrivez le travail d'une domestique.

D. Les sept ans

Ecrivez un paragraphe sur les enfants de sept ans.

Suggestions: Comment passent-ils le temps? Quelle est leur attitude à l'égard des parents et à l'égard des autres grandes personnes?

Vocabulaire utile

s'amuser à • prendre plaisir à • jouer • grimper aux arbres • se salir • se bagarrer • obéir à • désobéir à • rendre des services à • faire des courses pour • se fâcher contre • avoir du respect pour • avoir de la curiosité à l'égard de • avoir peur de

Lecture

Joseph Zobel

Le Retour de Mamzelle Annette

Monsieur Ernest n'avait pas de femme. Il était des rares que la Mission n'avait pas décidés° à se marier. Moi, je n'allais pas encore à l'école, et ma mère disait qu'elle aimait mieux me voir passer mes journées à faire la petite bonne° chez Monsieur Ernest, que de me laisser gambader° par tout le bourg°, pendant qu'elle et mon père étaient au travail sur la plantation, ou libre de suivre les garçons à travers toutes les savanes° du pays environnant° et, avec

décidés: to have not convinced
bonne: maid
gambader: to leap about / *bourg:* small village
savanes: tropical grasslands / *environnant:* surrounding

eux, patauger° dans les ruisseaux°, grimper aux arbres et me batailler comme une galvaudeuse°.

Au demeurant°, faisait-elle remarquer, mes robes s'usaient° beaucoup moins et je ne me retrouvais plus chaque soir, sale, écorchée° et à demi-nue dans des vêtements crottés° et réduits en charpie°—lesquels pourtant avaient été bien raccommodés° et propres, le matin. Et puis, que c'était une vraie tranquillité d'esprit pour elle de penser, tout le temps qu'elle était à désherber les cannes° du béké°, que je devais être en train de laver la vaisselle ou les torchons° ou de balayer le pas de porte de Monsieur Ernest, au lieu de me livrer à° des extravagances qui ne lui rapporteraient que désagrément le soir. Elle estimait que c'était beaucoup mieux ainsi pour une petite fille, et tout à son honneur, à elle, qui m'avait inculqué le savoir-faire. Mon père ne partageait° pas cette façon de voir, mais de beaucoup, je me plaisais mieux° à rendre de petits services à Monsieur Ernest qu'à passer tout mon temps à jouer.

Mon père, lui, faisait valoir° que la maison de Monsieur Ernest était, en fait, un lieu de réunion° et que les clients y tenaient des propos° qui n'étaient pas toujours adaptés aux oreilles d'une petite fille de sept ans, et puis...

—Et puis, répétait mon père sur un ton de défiance, faudrait pas que Ernest, parce qu'il est mulâtre°, faudrait pas qu'il croie que c'est tout naturel que notre enfant, qui a la peau noire, lui serve de petite bonne.

Et encore:

—Pourquoi ne s'est-il pas marié avec Annette? Parce que, en réalité, il considérait Annette comme sa bonne, ni plus. Tu comprends bien que si le mulâtre renie° la négresse qui est sa mère, ce n'est pas une négresse qu'il prendra pour femme. Et moi, si j'étais une femme, jamais un mulâtre ne me...

—Assez! vociférait ma mère, ne va pas dire des insanités devant cette enfant. Si tu étais une femme, tu serais bien fière de faire pour un mulâtre, un enfant qui n'ait pas les cheveux crépus°. Tu sais qu'il n'y a rien qu'une négresse aime tant qu'un homme et un enfant à cheveux soyeux°! Le ton de la dispute montait de plus en plus, et soudain ma mère partait d'un éclat de rire, de ce rire qu'opposent les femmes° à tel argument qu'elles trouvent des plus absurdes. Et elle ajoutait:

—Eh bien, pendant que tu y es, dis simplement que tu regrettes de m'avoir épousée.

Alors mon père se levait brusquement, prenait son lourd chapeau de fibres° et sortait.

Pourtant, lui, cela lui plaisait autant qu'à° ma mère, d'entendre dire que j'étais une petite fille remarquablement propre, et diligente, et qui, tout en jouant, avait transformé la maison de Monsieur Ernest à ce point qu'on ne dirait jamais que c'est le travail d'une enfant. **Q 1–4**

La maison de Monsieur Ernest était une vieille baraque en planches° qui n'avait jamais été peinte et avait pris, de ce fait,

to flounder about / streams / tramp
After all / to wear out
scratched / muddied
reduced to shreds / mended
to weed the sugar cane / Caribbean slang for white plantation owners / towels / to indulge in
to share
to get more enjoyment
to assert
meeting place
to talk about things
mulatto (person born of white and black parents)
to deny, reject
frizzy
silky
that women bring against
straw
as much as
shanty made of boards

l'aspect de tout ce qui est abandonné à la pluie et au soleil dans la touffeur° du climat. D'ailleurs, elle n'appartenait° même pas à Monsieur Ernest. Elle faisait partie de quatre ou cinq autres que Madame Achi, une des grandes propriétaires du bourg, louait° à une dizaine de familles.

Ce qui la distinguait des autres baraques alignées du même côté de la rue, c'est que, au lieu d'être plus ou moins penchée° d'un côté, elle partait à la renverse°, gardant cependant sa toiture de tuiles moussues° comme Siméon qui, même lorsqu'il était saoul°, titubait et culbutait°, sans que son vieux képi crasseux° décollât de sa nuque°.

Il y avait, au-dessus de l'entrée, un panneau encadré sur lequel on avait peint des lettres, que les craquelures° de la peinture et la poussière° dont elles étaient imprégnées, avaient affritées° jusqu'à les rendre illisibles, mais les mots se devinaient° aisément; la porte restant toujours ouverte, tout le monde pouvait voir que c'était là que Monsieur Ernest taillait les cheveux et la barbe des hommes du bourg et des environs—du moins ceux qui ne trouvaient pas que ses tarifs° étaient trop élevés. Car il y avait dans chaque quartier un homme, ouvrier à l'usine ou tâcheron° des plantations, qui possédait une paire de ciseaux, un rasoir, parfois même une tondeuse, et qui, le dimanche matin, avant la messe° de préférence, remplissait l'office° de coiffeur, moyennant une rétribution modique°—la clientèle se composant d'ailleurs presque exclusivement de voisins et d'amis.

Mais, Monsieur Ernest était le coiffeur du bourg, comme Monsieur Edouard était le cordonnier°, Mamzelle Elodie, la couturière°, ou Madame Almatise, la pâtissière. Chez lui, il y avait des glaces° qui reflétaient presque toute la pièce, et dans lesquelles plusieurs personnes à la fois pouvaient se voir presque en entier. Monsieur Ernest barbouillait le menton et les joues de ses clients de mousse de savon de toilette et les frictionnait avec de l'eau de Cologne qui sentait bon jusque dans la rue; de plus, il possédait cet appareil prestigieux au moyen duquel, en manière de touche suprême, quand il avait fini de lui tailler les cheveux, il enveloppait la tête du client d'un nuage de parfum.

Est-ce que je me rappelle à quelle occasion j'entrai pour la première fois chez Monsieur Ernest?

Il me semble que c'était pendant cette période où il restait tous les après-midi assis sur une chaise devant sa porte, un bras enveloppé et suspendu à son cou par un madras°. Il avait fait une chute de cheval°, alors qu'il se rendait° à Desmarinières, voir son vieux père. Ce devait être à cette époque-là, en effet, que Monsieur Ernest m'a appelée la première fois, pour me demander de lui faire une petite commission°. Il ne pouvait pas tailler les cheveux ni raser les mâchoires, puisqu'il s'était cassé le bras. Il restait toute la fin de l'après-midi assis devant sa porte, sur une chaise, comme se mettent souvent les hommes lorsqu'ils causent° dehors: les cuisses chevauchant° le siège, et la poitrine tournée contre le dossier, à la place où les bonnes manières exigent°—aux enfants surtout—que s'appuie le dos. Son bras, cassé et replié en équerre° dans le madras, reposant sur le haut du dossier. Monsieur Ernest regardait

heat and humidity / to belong
to rent
leaning
to tilt backwards
roof of moss-covered tiles / drunk / to stagger and topple / his filthy (military-style) hat / to fall off the nape of his neck / chipping / dust / to cause to crumble / to be guessed
prices
worker
mass (religious ceremony) / to fill the role / in exchange for a modest payment
shoemaker / dressmaker / mirrors
cotton scarf
to fall off a horse / to go
errand
to chat
his thighs astride
to require
bent to form a right angle

passer les gens dans la rue, ceux qui s'en retournaient de leur travail et ceux que le petit bateau à vapeur°, que nous appelions le yacht, venait de ramener de la ville où ils étaient allés vendre leurs fruits, leurs légumes, de la volaille°, des œufs, et qui se hâtaient de regagner à pied leurs cases° dans les hauteurs des environs. Un beau spectacle auquel tout le bourg prenait plaisir chaque soir. **Q 5–6**

C'était probablement pendant qu'il avait son bras cassé; et un après-midi, comme je passais, il avait dû m'appeler:

—Hé petite! Qui est ton père?... Eh bien, viens me rendre un petit service.

Etre serviable° faisait partie des premiers devoirs des enfants envers les grandes personnes. Celles qui avaient des enfants assez grands pour faire les courses ne recouraient° guère aux enfants des autres; en revanche°, nous incombaient° les courses et les corvées° de toutes celles, qui, n'ayant pas d'enfants, nous requéraient° à chaque occasion.

Certes, il y avait quelques-uns d'entre nous qui ne se prêtaient pas de gaieté de cœur° à cette manière de servitude. Ils étaient réputés «malhonnêtes», car ils prenaient des airs maussades° ou, faisant semblant° de n'avoir pas entendu, s'enfuyaient°.

Moi non plus, du reste, je n'aimais pas être interpellée à tout bout de champ°, et être propulsée d'une maison à une autre pour demander ceci ou dire cela de la part de Madame Une telle ou de Monsieur Machin°.

Mais Monsieur Ernest avait un bras cassé qui pendait sur sa poitrine par une courroie° faite d'un madras passé autour du cou; et il n'avait ni femme ni enfant.

Rien d'étonnant donc que sa maison fût dans un tel désordre, lorsque j'y entrai pour la première fois.

Le salon de coiffure communiquait par le fond avec une arrière-boutique°, et, sur un côté, avec la chambre. L'arrière-boutique elle-même donnait sur° une autre pièce que Monsieur Ernest avait dû abandonner aux petits lézards° verts, aux araignées et aux cancrelats° qui y pullulaient; les poutres et les planches° avaient été minées° par l'humidité et les termites, et ce sont ces atteintes à la base° qui faisaient pencher la maison. La fenêtre était sortie de ses gonds°; le parquet, auquel manquaient des lames entières°, m'épouvantait° à cause des bêtes que j'y voyais grouiller° ou que j'imaginais dans les trous noirs, bien que j'eusse aimé fouiller° dans l'amas de chiffons, d'ustensiles hors d'usage, de caisses démolies°, et dans tout le rebut° couvert de poussière et de moisissure°: un vrai dépotoir°. **Q 7–9**

Lorsque j'entrai pour la première fois chez Monsieur Ernest, l'état du salon de coiffure, et de l'arrière-boutique surtout, me fit songer aux cris de ma mère et à la fessée° que j'aurais reçue si j'avais été à l'origine d'un tel désordre et avais accumulé tant de saleté°.

Pourtant, ce désordre, cette saleté n'étaient pas dénués° de séduction puisque d'emblée°, ils m'offraient l'occasion d'exercer un talent que je tenais de ma mère, et dont je n'avais jamais pu apprécier l'étendue et la valeur. Ma mère étant très exigeante° sur la tenue° de la maison et la propreté° de corps, me faisait plus souvent des critiques et des reproches que des compliments.

steamboat
poultry
huts
useful
to resort to
on the other hand / to fall upon / thankless tasks / to ask for
to not lend oneself happily to / sullen
pretending / to flee, run away
to be called on at every turn
Mr. or Mrs. So and So
strap
back-room (of a shop)
to lead into
lizards
cockroaches / beams and boards / damaged / damages to the base / hinges / floor, which was missing entire floor boards / to frighten / to swarm / to search / broken / scrap material / mildew / garbage dump
spankings
filth
deprived
from the start
exacting
upkeep / cleanliness

Alors, je fis comme si c'était quelque maison abandonnée que je venais de découvrir par la grâce du merveilleux, et que j'entreprenais° de nettoyer avec toute l'application et la coquetterie que je pouvais déployer° pour épater° mes camarades.

to undertake
to display / to shock

Tout ce que la poussière, la crasse° ou la rouille° avait recouvert et enlaidi°—les outils, les ustensiles, les meubles, le parquet et les lames des persiennes°—avait retrouvé un tel aspect de propreté que lorsque Monsieur Ernest expliquait que j'étais l'artisane de cette métamorphose, certains pensaient tout haut:

filth / rust
to make ugly
slats of Venetian blinds

—C'est une enfant comme ça qu'il m'aurait fallu; j'en ai une qui est même un peu plus âgée, mais y a que le jeu qui l'intéresse°.

the only thing that interests her is playing

Depuis, c'était chaque jour que ma mère recevait des compliments sur la façon dont, pour m'amuser, je faisais le ménage de Monsieur Ernest.

Encore une qui ne manquait° jamais l'occasion de vanter° mes talents: Léonor!

to miss / to praise

C'était elle qui préparait, chez elle, les repas de Monsieur Ernest, et les apportait, midi et soir, dans un plateau° recouvert d'une serviette° blanche.

tray
napkin

Or, non seulement je lavais pour elle la vaisselle, après chaque repas de Monsieur Ernest, mais je lui rapportais le tout bien propre, rangé° dans le plateau, jusque chez elle, au bas du bourg.

arranged

Elle faisait mon éloge° avec tant de conviction, qu'il ne se passait pas de jour qu'une femme ne s'arrêtât devant la porte pour allonger le cou° à l'intérieur et s'exclamer:

to praise
to stretch out one's neck

—Oh! Oh! Oh! Voyez comme la petite fille a embelli° cette maison!

to make beautiful

—Et toute seule, sans° qu'on lui ait rien demandé, rien expliqué, ajoutait Monsieur Ernest d'un air détaché.

without

—Toute seule! Et aussi bien qu'une grande personne. **Q 10–12** www

Son bras cassé maintenant guéri°, Monsieur Ernest paraissait aussi content de s'en servir qu'il prenait plaisir à montrer, à tous ceux qui venaient, le gonflement° que laissait encore la fracture.

healed
swelling

Sa clientèle était composée surtout des notables du bourg et des environs qui avaient besoin de se faire tailler les cheveux et la barbe, pour assister à un enterrement° ou à un baptême. Ils arrivaient, certains sur leur mulet qu'ils accrochaient à un fer à cheval° fixé sur le bord du toit, à l'entrée du passage étroit° qui séparait la maison de Monsieur Ernest de celle d'à côté, et ils s'installaient avec leurs bottes°, dans le gros fauteuil— semblable à un jouet pour grands enfants—que Monsieur Ernest faisait pivoter pour leur couper les cheveux tout autour, sur la nuque et les tempes.

to attend a burial
horseshoe
narrow
boots

Le soir surtout, il y avait beaucoup de monde: ceux qui attendaient leur tour, ceux qui avaient fini et restaient là pour continuer à parler et à rire, et ceux qui étaient venus, avec une mandoline, une guitare ou un banjo, faire de la musique et chanter les chansons à la mode°: le succès du dernier carnaval, nouvellement arrivé de la ville, ou quelque romance venue de France, on ne savait comment, sur quel alizé° ou roulée dans quelle vague°. Malheureusement, à ces moments, je ne pouvais guère être là; je n'avais aucune raison d'y être (une enfant ne doit pas se trouver là où plusieurs grandes

popular, in style or fashion
trade wind / wave

personnes sont assemblées!) sauf, si l'un d'entre eux m'avait appelée pour m'envoyer acheter une roquille° ou une chopine° de rhum pour offrir une tournée°. **Q 13–14**

Je prenais un tel plaisir à tout laver, essuyer°, frotter°, ranger, que j'aurais voulu que Monsieur Ernest manifestât sa satisfaction en gardant chaque chose, ou plutôt, en remettant scrupuleusement chaque chose, à la place que je lui avais assignée.

Mais Monsieur Ernest était si désordonné, que chaque matin en rentrant chez lui, j'aurais cru que, mécontent de ce que j'avais fait la veille°, il avait rageusement tout déplacé, tout éparpillé°, tout sali°.

Pourtant chaque matin, sans qu'il prêtât la moindre attention à ce que je faisais, je recommençais; et, pour finir, après que le salon de coiffure et l'arrière-boutique eurent été balayés, les outils essuyés et rangés sur la console en mahogani derrière laquelle se dressait un grand miroir, les assiettes et les verres lavés et alignés sur la table, je poussais le raffinement jusqu'à disposer dans un vieux plateau de bois de Guyane°, quatre verres, une petite cuiller et un citron vert° que j'avais été cueillir° dans la cour de Mademoiselle Mayotte (je ne lui demandais même plus la permission) afin que tout fût prêt pour le premier punch de midi.

Après quoi, j'emportais° la vaisselle du déjeuner chez Léonor, puis j'allais rejoindre mes camarades. Et quand nos jeux n'étaient pas trop animés, je profitais d'un moment de relâche° pour retourner voir si Monsieur Ernest navait pas besoin de mes services. **Q 15–16**

Tous les après-midi, Monsieur Ernest faisait la sieste. Le salon de coiffure n'en restait pas moins ouvert, mais personne n'y venait: pour tous ceux qui ne travaillaient pas à l'usine ou dans les plantations, c'était aussi l'heure de la sieste. Ayant ce privilège d'y entrer à n'importe quel moment de la journée, cela me plaisait de rester là et de vaquer à° quelques petits rangements, par exemple, sans faire le moindre bruit, de façon que Monsieur Ernest, à son réveil, eut l'impression que tous les objets qu'il avait déplacés, s'étaient d'eux-mêmes° remis à leur place.

J'en profitais aussi pour me regarder longuement dans les miroirs—surtout dans le grand panneau de glace qui surmontait la console sur laquelle s'alignaient les outils. En face, un autre, un peu plus étroit, vous faisait voir si vos cheveux étaient bien arrangés derrière votre tête, ou si votre robe n'était pas déchirée° dans le dos. J'étais drôle, jolie, admirable. Non, jamais ne me venait la tentation d'utiliser les accessoires que je rangeais: ni la poudre de talc, ni l'eau de Cologne. Et ce n'était pas par la seule crainte° que Monsieur Ernest s'en aperçût°! J'étais tout simplement persuadée que j'avais à faire à des attributs de grandes personnes, et m'en servir m'eût peut-être porté préjudice°.

J'étais souvent assise dans l'arrière-boutique à feuilleter° de ces catalogues que Monsieur Ernest recevait de France, et qui étaient illustrés de peignes, de tondeuses, de flacons de lotion, de têtes de femmes et d'hommes blancs, avec de beaux cheveux lisses° ou ondulés° et luisants°, encore plus beaux que ceux des mulâtres et des mulâtresses. Je m'arrêtais de tourner les pages pour écouter ronfler° Monsieur Ernest. Je n'étais jamais entrée dans la chambre

orange marmelade / bottle / round of drinks
to wipe / to rub
day before / to scatter about / to get dirty
French overseas department on northern coast of South America / lime / to pick / to take
respite
to attend to
by themselves
torn
fear
to notice
to harm
to leaf through
smooth
wavy / shiny
to snore

de Monsieur Ernest, d'ailleurs toujours fermée. Une fois qu'elle était restée entr'ouverte, juste le temps pour Monsieur Ernest d'aller y prendre quelque argent pour m'envoyer faire une course, j'aperçus le montant° d'un lit en fer°, garni d'anneaux et de boules de cuivre°, et le dossier d'une chaise chargée de linge°.

La bonne éducation interdisant° formellement aux enfants de pénétrer dans les pièces où les grandes personnes se mettent nues pour se laver, s'habiller et faire tout ce que les enfants ne doivent pas voir, je n'avais jamais mis les pieds dans la chambre de Monsieur Ernest, et je concevais naturellement que je ne pouvais pas y entrer.

Je restais donc là, et j'écoutais ronfler Monsieur Ernest.

Mon père aussi ronflait lorsqu'il dormait, et on aurait dit un bonhomme qui prend sa grosse voix pour faire peur aux enfants. Monsieur Ernest, lui, émettait un sifflement assourdi°, je pensais à une grosse pompe à air que je me serais amusée à actionner à vide°, en essayant d'empêcher l'échappement d'air. Mais alors que certainement je me fusse lassée° assez vite d'entendre une pompe aspirer et refouler° l'air, le bruit du souffle de Monsieur Ernest me retenait° là, immobile, attentive, jusqu'à la fin de la sieste. **Q 17–18** www

Je l'entends alors s'ébrouer°, bâiller° et s'étirer° en même temps. J'entends, au cliquetis° de la boucle de sa ceinture, qu'il remet son pantalon. Voilà la porte qui s'ouvre; il est devant moi, les cheveux en désordre, les yeux tout rapetissés°; en me voyant, il dit:

—Oh! Tu es là?

Il se penche aussitôt sur la grande cuvette de faïence° encastrée° dans la petite table peinte en blanc, au-dessus de laquelle il lave la tête de ses clients. Il se mouille° le visage, puis il peigne et brosse ses cheveux dont les mèches° noires s'enroulent sur elles-mêmes à chaque coup de brosse.

Il était parfois de fort belle humeur, et après s'être bien regardé dans les glaces, il enfouissait° la main dans la poche de son pantalon, faisant bruire° de cette monnaie qui semblait ne jamais tarir° dans la poche des hommes, et la retirait en me disant:

—Tiens, c'est pour toi.

Une pièce de deux sous que je me hâtais d'aller dépenser chez Mamzelle Pauline qui plaçait sur le rebord° de sa fenêtre, un tray garni de friandises à la noix de coco°, dont la séduction ne permettait à aucun de nous de garder, pendant plus d'une heure ou deux, la pièce de cinq centimes que la chance avait pu lui mettre dans la main.

Souvent aussi, quand il avait fini de faire la sieste, et que le premier client de l'après-midi n'était pas encore arrivé, Monsieur Ernest m'envoyait lui acheter un papier à lettre et une enveloppe chez Madame Formosanthe—si celle-ci venait de vendre de la graisse° et de débiter de la viande salée°, il lui fallait le temps de se savonner° les mains et de les essuyer avant de me servir—, et il s'asseyait à la table qui se trouvait dans l'arrière-boutique pour écrire longuement une lettre qui me valait tout un programme de plaisirs: la porter au bureau de poste, au bas du bourg, de façon que chacun me voie avec une lettre à la main; acheter un timbre et me délecter° à le lécher° pour le coller° ensuite soigneusement sur

post / iron / copper rings and balls / loaded with laundry / forbidding

muffled whistle
to make work while empty
to get tired
to take in and blow out
to keep, retain
to shake himself / to yawn / to stretch / click
shrunken

earthenware wash-bowl / embedded
to wet
locks

to bury
to make noise / to dry up

sill
coconut sweets

fat / salted
to wash with soap

to take pleasure in / to lick / to stick

l'enveloppe; enfin la livrer°, en la glissant dans la boîte aux lettres, au mystère que même le passage quotidien de la «postale» n'était parvenu à éclaircir° dans mon esprit, qui l'emportait, sans manquer son but, quel que fût° le pays et l'endroit, jusqu'à la personne dont le nom était écrit dessus.

Je ne m'étais jamais souciée de° savoir à qui Monsieur Ernest écrivait aussi souvent, si c'était chaque fois à la même personne, pas plus que, lorsque le matin, Testilla, la factrice°, lui remettait une lettre, j'aurais cherché à savoir d'où et de qui elle pouvait venir. **Q 19–20**

Pourtant lorsqu'un matin je trouvai Mamzelle Annette là, comme si elle y avait toujours été, comme une femme qui est chez elle, je me rappelai aussitôt la dernière lettre qu'avait reçue Monsieur Ernest, et combien il avait été visiblement transfiguré pendant toute la journée. Au demeurant°, personne dans le bourg n'avait eu vent° que Mamzelle Annette arriverait, sinon° ma mère et mon père l'auraient su et m'en auraient parlé d'une façon ou d'une autre.

Or, ce matin-là, je la trouvai... Non, ce fut beaucoup plus surprenant que cela!

Monsieur Ernest était en train de se raser, debout devant la grande glace dans laquelle on voyait tout ce qu'il y avait dans la pièce; moi j'avais balayé l'arrière-boutique, et je finissais de bien laver les verres avec des feuilles de haricot écrasées°—c'est ainsi que je voyais faire par toutes les femmes lorsqu'elles manquaient de° savon, ou qui prétendaient° que c'était encore mieux qu'avec du savon, car les feuilles de haricot conjurent° le mauvais esprit qui pousse à boire du rhum—et, tout à coup, juste au moment où je posais le plateau de bois de Guyane avec les verres propres au milieu de la table, j'entends une voix de femme qui dit:

—Je m'étais si profondément rendormie que je n'ai même pas senti à quel moment tu t'es levé.

Je sursaute°, fais un pas, me penche°, et je vois une grande femme, les cheveux roulés avec des papillotes°, tout enveloppée dans un peignoir° à larges fleurs. Elle, aussi, paraît un peu surprise de me voir; mais moi, j'étais si troublée, que j'en oubliai de lui dire bonjour. Monsieur Ernest qui s'en aperçut, lui dit:

—C'est la petite à Stéphanise. Tu sais? Stéphanise qui s'est mariée avec le grand Léon. Elle vient, comme ça, me rendre de petits services; elle ne va pas encore à l'école.

Et à moi:

—C'est Mamzelle Annette... Dis bonjour à Mamzelle Annette.

—C'est gentil, ça! dit-elle, avec un sourire aimable.

D'une main, elle serrait le pan° de son peignoir sur ses cuisses, et de l'autre, refermait le col° sur le volume que dessinait le contenu du peignoir sur sa poitrine°.

Elle me demanda mon nom. Je n'étais pas encore revenue de ma stupéfaction; Monsieur Ernest ajouta:

—Mamzelle Annette était en ville. Elle est arrivée hier soir.

Il se versa° de l'eau de Cologne dans une main, et tapota° vivement ses joues° en faisant la grimace.

Je pris le balai et me mis à balayer l'arrière-boutique pendant que Mamzelle Annette, derrière moi, promenait son regard sur chaque chose en disant:

to deliver
to not manage to make clear / whatever might be
to worry about
mail-carrier
For all that
to get wind of / otherwise
crushed leaves of bean plants
to lack / to claim
to ward off, exorcise
to jump (in surprise) / to bend over / curlers (made of paper) / dressing gown
flap
neck
chest
to pour out for oneself / to tap / cheeks

—Très bien, très bien.

Mais je ne savais si c'était un compliment qui s'adressait à moi ou une réflexion qu'elle se faisait à elle-même.

Quand j'eus fini de balayer, Monsieur Ernest qui, toujours devant la glace, brossait maintenant ses cheveux qu'il avait enduits° de vaseline, dit à Mamzelle Annette:

enduits: to coat with

—Si tu as quelques courses à faire, tu peux disposer d'elle. Elle est vive comme une puce°.

vive comme une puce: lively as a flea

—Je n'ai pas encore réfléchi, dit Mamzelle Annette, je ne sais pas encore ce que je vais faire aujourd'hui.

Tout en parlant, elle s'était approchée de lui. Sa bouche et ses yeux, à elle, étaient tout près de son visage, à lui, dont la peau était claire, car il venait tout juste de la lisser° avec de l'eau, du savon de toilette, du parfum. J'étais dans l'arrière-boutique, mais la glace du mur, derrière le fauteuil tournant, me renvoyait° toute la partie du salon de coiffure où ils étaient debout. Lui la fixait d'un regard de plus en plus tendu, qui semblait l'attirer et la transpercer lentement.

lisser: to smooth out
renvoyait: to send back (here, reflect)

Alors, tout d'un coup°, j'entrai dans le salon de coiffure. **Q 21–24**

tout d'un coup: all of a sudden

Ce n'est pas moi qui appris à ma mère que Mamzelle Annette était chez Monsieur Ernest. Elle et mon père l'avaient su aussitôt.

Tout le monde le savait déjà. Tout le monde en parlait:

—Elle a été en ménage avec° lui longtemps.

en ménage avec: to live with (unmarried)

Tout le monde, y compris° les enfants. Les grands, bien sûr; pas ceux de mon âge.

y compris: including

—C'est depuis la Mission qu'elle l'avait quitté.

D'ailleurs, moi, j'étais beaucoup trop jeune, et mes parents n'habitaient certainement pas encore cette maison de la Cour Bambou. Peut-être même, étions-nous encore jusqu'à Féral, avant l'incendie° qui avait brûlé notre case.

incendie: fire

Je me souvenais pourtant de la Mission.

C'étaient deux prêtres°, tous deux en soutane° blanche; mais l'un était grand avec une longue barbe grise et des cheveux blancs, et l'autre était plutôt court et gros, noir de cheveux, sans barbe ni moustache. Ils étaient venus de France, je crois, et avaient déjà été dans presque toutes les communes° du Nord—car il y a longtemps qu'on en avait entendu parler—et ils allaient dans toutes les paroisses°, dans toutes les églises. Ils prêchaient.

prêtres / soutane: priests / cassock
communes: towns
paroisses: parishes

Cela se passait le soir, à peu près comme durant les vendredis de Carême°. On allait écouter; tout le monde: les grandes personnes, les vieillards et même nous, les enfants, que toute cette foule et toute cette éloquence impressionnaient et excitaient.

Carême: Lent

Des fois, il y avait tant de monde, que l'église était comme un soulier trop court° dans lequel un grand pied s'efforce en vain d'entrer. Il y avait des soirs réservés aux hommes, des soirs pour les femmes seulement et des soirs pour tout le monde. Un soir ici, un soir à Grand-Bourg qui est à trois kms, un soir à Saint-Esprit, à quatre kms d'ici. De sorte que beaucoup de gens—et nous avec eux—assistaient aux trois prêches°, faisaient la route à pied, un soir jusqu'à Saint-Esprit, le surlendemain° à Grand-Bourg; parce que ce n'était jamais exactement le même prêche. C'était tantôt° le grand missionnaire à barbe blanche qui prêchait, tantôt celui aux cheveux noirs.

soulier trop court: too short shoe
prêches: sermons
surlendemain: two days later
tantôt: sometimes

Cela dura je ne sais plus combien—peut-être un mois—et pendant ce temps, le pays fut pareil à un grand troupeau° que les deux prêtres attiraient° des moindres hameaux°, des plantations de derrière les mornes° les plus éloignés, vers les sacrements. **Q 25–26**

Nous étions tous chrétiens; il ne manquait à° certains que la communion, la confirmation et le mariage—et, à beaucoup le mariage seulement, car la plupart vivaient en concubinage°.

Or, la Mission était venue qui dénonçait le danger de rester sans baptême, de n'avoir pas fait sa première communion et de prendre femme en dehors du° mariage—et en même temps, elle démontrait que point n'était besoin° de s'endetter°, voire de se ruiner, pour être sauvé: les beaux vêtements, les grands repas, les fêtes coûteuses étaient même réprouvés° par Dieu. Tout cela, l'abbé Leroy l'avait déjà répété maintes° et maintes fois, mais il y avait si longtemps qu'il était dans la paroisse, l'abbé Leroy, que ses conseils étaient le plus souvent écoutés d'une oreille distraite. Il était devenu rien de moins qu'un instrument commode à faire la messe, baptiser, confesser, donner la communion, administrer l'extrême onction° et faire les enterrements°, à ceux qui en voulaient, ou à la demande.

Mais eux, les deux missionnaires, étaient spécialement venus de France (c'était un peu comme s'ils avaient été envoyés par Dieu lui-même) pour donner la première communion et marier tous ceux qui étaient dans le péché°, et pour baptiser les malheureux enfants qui étaient nés du péché. D'ailleurs, même ceux qui avaient fait leur première communion et qui étaient mariés, découvraient alors qu'ils étaient aussi dans le péché, soit qu'ils ne fissent plus leurs Pâques°, ou qu'ils n'allassent même plus à la messe, le dimanche. Et ceux-là aussi se devaient de° profiter de l'occasion pour reprendre le chemin de l'église, et se mettre aux pieds du bon Dieu.

Bien sûr, il y eut d'abord des hésitations par timidité—par amour propre° aussi—parce que tel et tel se demandaient si, en réalité, la Mission n'était pas une entreprise de charité qui, tout compte fait, ne pouvait qu'humilier les pauvres nègres. Mais les missionnaires semblaient deviner° tout ce que vous pouviez penser et y répondaient avant même que vous eussiez ouvert la bouche. La Mission était une action à la gloire de Dieu, et ce qui se fait pour la gloire de Dieu ne pouvait pas nuire aux° enfants de Dieu; c'était, du reste, pécher par orgueil° qu'entretenir° de telles pensées.

Ainsi épiloguaient les grandes personnes au retour de chaque prêche pendant que, sur la route, nous, les enfants, ne pensant même plus au prêche dont la plus grande partie nous avait certainement échappé, nous ricanions° en nous amusant à répéter les expressions et les proverbes en créole dont usaient les missionnaires et qui produisaient sur l'assistance° les effets les plus comiques.

En tout cas, une grande peur de péché s'était mise dans tout le pays—une grande peur et une grande honte abolissant° jusqu'à la fierté° que les uns pouvaient affecter envers les autres.

Ce furent les plus belles fêtes dont le Bourg parle encore, ces premières communions de grandes et même de vieilles personnes parmi lesquelles certaines, étrennant° leurs vêtements de cérémonie,

- *flock (of animals)*
- *to attract / tiniest hamlets / hillocks*
- *to be missing*
- *cohabitation*
- *outside of*
- *it wasn't necessary / to go into debt*
- *condemned*
- *many*
- *last rites (to the dying) / burials*
- *sin*
- *to perform their Easter duties at church / to owe it to oneself*
- *self-esteem, self-respect*
- *to guess*
- *to harm*
- *to sin out of pride / to entertain*
- *to laugh*
- *audience, listeners*
- *to abolish*
- *pride*
- *wearing for the first time*

paraissaient transfigurées; ces grand-messes où presque tous les fidèles étaient des hommes et des femmes dans les ménages° de qui Dieu allait désormais habiter—et qui déjà s'en trouvaient embellis. C'était comme s'ils avaient été sales à l'intérieur d'eux-mêmes, et que du jour où ils avaient reçu le sacrement, la saleté avait fait place à une pureté qui rayonnait en contentement sur leur visage, en aisance dans leur allure, en douceur et en gaieté dans leur parler, s'harmonisant avec leurs vêtements neufs—les missionnaires avaient eu beau° affirmer que Dieu nous aime mieux mal vêtus et nu-pieds, pourvu que° notre cœur soit repentant et sincère, en vain!—que certains s'étaient procurés au prix de sacrifices extrêmes.

households, marriages
(to do something) in vain
provided that

Maintenant, nous étions tous baptisés et avions tous fait notre première communion—sauf ceux, dont j'étais°, qui n'avaient pas encore l'âge—et il n'y avait plus de concubinage, car tous les ménages étaient maintenant inscrits sur les registres de la Mairie, au Grand-Bourg, et sur les registres du presbytère°, où même ceux qui ne savaient pas lire et écrire, avaient tracé des croix au lieu de signatures. Surtout, ils avaient reçu le sacrement, comme en témoignait° l'anneau° qu'ils portaient au doigt, l'homme et la femme, un anneau d'argent qu'avait offert la Mission à ceux qui, mon père et ma mère étaient du lot°, n'avaient pas les moyens°; il y en avait beaucoup aussi qui avaient fait refondre° leur giletière°, leur «chaîne de peau» en or, pour se faire fabriquer les alliances.

which included me
rectory of the church
to bear witness / wedding ring
to be part of the group / to be unable to afford / to melt down / watch chain

C'était alors une grande victoire des femmes sur les hommes lesquels, n'eût été la Mission°, n'auraient jamais pris la décision de faire «bénir leur commerce°». **Q 27–30** www

had it not been for the Mission / to bless their relationship

Mais Mamzelle Annette était la seule qui n'eût pas remporté la victoire°. Elle vivait avec Monsieur Ernest depuis des années. C'était lui, paraît-il, qui lui avait fait quitter la maison de ses parents à Trénelle, où il y a des savanes bordées de haies de goyaviers° presque toujours chargés de fruits aussi gros que des poires d'avocat°, et qui mûrissaient°, tombaient et pourrissaient° dans l'herbe, sans que personne osât° les ramasser, car les zébus° qui y paissaient°, avaient des bosses° et des cornes° terrifiantes.

victory
hedges of guava-trees
avocados / to get ripe / to rot / to dare / oxen (Asiatic variety) / to graze / humps / horns

Monsieur Ernest était le seul dans le bourg qui n'eût point voulu se marier. Même, il avait blasphémé, disant du mal et se moquant de la Mission, des missionnaires, des curés de l'Eglise—certains avaient peut-être ri° avec lui, mais personne n'avait suivi son exemple—et Mamzelle Annette l'avait quitté. Elle n'avait pas voulu être la seule à rester dans le péché.

to laugh

—C'est parce que tu es une négresse noire et qu'il est un mulâtre qu'il ne veut pas t'épouser, lui répétaient des amis. Certains l'avertissaient° des autres risques qu'elle encourait encore:

to warn

—Si tu restes avec lui, c'est sûr qu'avant le prochain carnaval tu seras mise en chanson°.

to become the subject of a song

—Chanson qui passera de génération en génération, même après ta mort, Annette. Telle° Augustine, par exemple, à qui un certain Léopold, pas encore décidé à l'épouser, avait d'abord offert une seule boucle d'oreille, et, de peur qu'elle ne le quittât°, lui avait donné l'autre faisant la paire... vingt ans après, dit la chanson. C'est depuis que le proverbe dit: Patiente comme Augustine.

Just like
for fear she might leave him

maintained / to weigh
extracted, eradicated
to become a servant
to pray

Mais ce fut surtout le sentiment d'être la seule par qui le péché serait maintenu° dans le bourg, qui pesa° le plus à Mamzelle Annette et la détermina à quitter Monsieur Ernest, afin que le péché fût complètement extirpé° du bourg. Elle s'était repentie aux pieds de Dieu en reprenant la communion, et était partie à la ville, se mettre en condition° chez les blancs.

Ainsi, elle avait quand même remporté la victoire, et Monsieur Ernest était resté sans femme.

Evidemment, il avait beaucoup perdu en estime; sans compter tout le regret que lui procurait la situation dans laquelle il se trouvait.

Les missionnaires avaient dit qu'ils prieraient° pour que ceux qui avaient refusé de sortir du péché se sentent un beau jour un cœur tout neuf.

Comme ils étaient forts, ces missionnaires! Ils étaient repartis, mais un beau jour, longtemps après, le cœur de Monsieur Ernest avait changé. **Q 31–33**

lips
to be almost as bright as his
to draw (from a well)
to shudder
to turn away
From that day on

... Tout d'un coup, j'entre dans le salon de coiffure. Les lèvres° de Mamzelle Annette étaient encore plus près du visage de Monsieur Ernest; ses yeux semblaient rivaliser d'éclat avec les siens°. D'éclat et de douceur.

—Monsieur Ernest, j'en ai fini, dis-je. S'il n'y a plus rien que je puisse faire pour vous, je m'en vais puiser° de l'eau pour remplir la jarre de ma maman.

Mamzelle Annette tressaillit° comme si elle avait oublié que j'étais là; elle se détourna° et répondit vivement:

—Non, non... Plus besoin de rien, merci.

De ce jour°, je ne remis jamais plus le pied chez Monsieur Ernest. **Q 34–35**

Questions sur le texte

E. La relation de Monsieur Ernest et de Mamzelle Annette n'occupe qu'une assez petite partie du conte. Elle pose pourtant certains problèmes de compréhension. Donnez votre avis sur les questions suivantes et expliquez vos réponses.

1. Pourquoi Mamzelle Annette est-elle partie?

2. Pourquoi est-elle revenue?

3. Quelle est l'attitude de Mamzelle Annette envers la petite fille, d'après la manière dont elle la traite?

F. Si la relation de M. Ernest et de Mamzelle Annette n'occupe que les dernières pages du conte, il faut essayer de découvrir l'importance de l'autre histoire—celle de M. Ernest et de la petite fille.

1. Pourquoi M. Ernest avait-il besoin de la petite fille?

2. Pourquoi la petite fille se plaisait-elle à travailler chez M. Ernest?

3. Pourquoi, après le retour de Mamzelle Annette, la petite fille n'a-t-elle «jamais plus remis le pied chez Monsieur Ernest»?

G. A première vue, les deux histoires semblent reliées surtout par un rapport de cause à effet: Mamzelle Annette revient, la petite fille s'en va. Il est pourtant possible qu'il y ait d'autres liens entre les deux histoires.

1. **Les personnages.** Comparez les personnages des deux histoires en considérant les éléments suggérés.

	COULEUR DE LA PEAU	FAÇON DE VIVRE	ATTITUDE ENVERS LA MISSION
Monsieur Ernest			
Mamzelle Annette			
la petite fille			
son père			
sa mère			

2. **Les mots.** Le conte comprend des descriptions très concrètes. Néanmoins certains mots abstraits reviennent: l'ordre, le désordre, la propreté, la saleté, la pureté, le péché.

a. Comment certains de ces mots s'appliquent-ils à l'histoire de Monsieur Ernest et de la petite fille? (Quel est le rôle de la petite fille dans la vie de Monsieur Ernest?)

b. Comment certains de ces mots s'appliquent-ils à l'histoire de Monsieur Ernest et de Mamzelle Annette? (Quelle personne joue en partie ici le rôle de la petite fille?)

c. Comment ces mots s'appliquent-ils à la fin du conte? (Qu'est-ce qui triomphe—l'ordre/la propreté/la pureté ou le désordre/la saleté/le péché? Comment?)

H. Les deux histoires sont racontées par un narrateur qui adopte la perspective d'un des personnages—la petite fille.

1. Quels problèmes ce procédé narratif pose-t-il pour le lecteur? (Dans quel sens peut-on dire que le lecteur ne reçoit qu'une version partiale et incomplète des deux histoires?)

2. Dans quelle mesure ces problèmes influent-ils sur la compréhension de la fin du conte?

Post-lecture

I. Après avoir trouvé Mamzelle Annette chez M. Ernest, la petite fille rentre chez elle. Imaginez la scène en montrant comment elle raconte à ses parents ce qu'elle a vu et comment ces derniers réagissent.

J. M. Ernest est un personnage qui a gardé une place très nette dans le souvenir du narrateur. Choisissez une personne que vous avez connue pendant votre jeunesse et composez un récit pour présenter cette personne.

K. Proposez une interprétation de cette histoire. Quelques questions pour vous aider: Quelle est l'attitude de l'auteur à l'égard de M. Ernest et à l'égard de la Mission? Comment peut-on savoir ce que l'auteur pense? (Considérez les personnages, les motifs et le procédé narratif.)

L. Pour approfondir vos connaissances sur Joseph Zobel, visitez le site web **www.thomsonedu.com/french/schofer** et faites des activités et des recherches.

Phrases: Describing people; Describing the past

Vocabulary: Personality; Body, body-hair

Grammar: Adjective Agreement; Adjective Position; Possessive Adjectives (summary); Past Imperfect: **imparfait**

Tragédie

Jean-Michel Ribes

Jean-Michel Ribes (1946–) est né à Paris dans une famille artistique. Attiré par le théâtre à un très jeune âge, Ribes forme sa propre troupe et écrit des pièces qu'il met en scène lui-même. A partir de l'âge de 24 ans, il devient de plus en plus reconnu sur la scène parisienne. Les titres de ses pièces révèlent un théâtre eccentrique et drôle: *Je suis un steak* (1970), *Odyssey pour une petite tasse de thé* (1973), *Tout contre un petit bois* (1976), *Théâtre sans animaux* (2001). Quand il n'est pas au théâtre, Ribes consacre son temps au cinéma et à la télévision.

Tragédie n'est pas une tragédie, mais plutôt une comédie qui se déroule autour de la présentation d'une vraie tragédie, *Phèdre* de Jean Racine (1677). Cette œuvre classique du dix-septième siècle reprend l'histoire grecque du roi Thésée et de sa femme, Phèdre, qui tombe amoureuse d'Hippolyte, le fils de Thésée. Malgré le fait qu'Hippolyte n'est pas le fils de Phèdre, cet amour est considéré comme incestueux et interdit. Quand la reine avoue son péché, elle déclenche une série d'actions tragiques menant à sa mort. Selon la tradition, cette œuvre est considérée comme la plus belle pièce de langue française et le rôle de Phèdre comme le plus difficile à jouer. Pour une comédienne française, la possibilité de jouer ce rôle serait le comble d'une carrière.

Pré-lecture

A. Vous discutez avec un(e) camarade des différences entre deux sortes de musique—par exemple, classique et moderne, jazz et pop. Imaginez cette discussion où vous et votre camarade avez des points de vue opposés.

Vocabulaire utile

les valeurs traditionnelles • les goûts contemporains

ennuyeux • énervant • mélodieux • cacophonique

endormir • exciter

VOCABULAIRE UTILE

partir • rester à la maison • accompagner • laisser seul

égoïste • entêté • ennuyeux • prétentieux • paresseux

B. Imaginez une scène entre une femme et son mari. Elle voudrait aller voir sa famille; lui, qui déteste la famille de sa femme, préfère rester chez lui regarder la télévision. Créez leur dialogue.

C. Voici quelques vers de la célèbre tragédie de Racine, où Phèdre s'adresse à Hippolyte, le fils de son mari. Tout en faisant semblant de parler de Thésée, elle réussit à déclarer indirectement son amour à Hippolyte.

> Oui, Prince, je languis°, je brûle° pour Thésée.
> Je l'aime, non point tel que l'ont vu les enfers°,
> Volage° adorateur de mille objets divers,
> Qui va du dieu des morts déshonorer la couche°;
> Mais fidèle°, mais fier°, et même un peu farouche°,
> Charmant, jeune, traînant° tous les cœurs après soi,
> Tel qu'on dépeint nos dieux ou tel que je vous voi°.

to languish / to burn
underworld
Fickle, Inconstant
bed
faithful / proud / shy, timid
dragging
vois

1. Lisez ces vers à haute voix afin d'apprécier le rythme et la rime des vers.

2. Relevez les mots qui semblent faire allusion au jeune Hippolyte (plutôt qu'à son père).

3. Ensuite relevez les mots qui décrivent l'amour de Phèdre.

Lecture

Jean-Michel Ribes

Track 12

Tragédie

PERSONNAGES

Louise
Jean-Claude
Simone

Ils sont chics. Costumes de gala. Louise, tendue, marche vite. Jean-Claude, visage fermé, traîne° derrière elle. Escaliers, couloirs, ils cherchent un nom sur une porte.

°to drag along

LOUISE. «Bravo», tu lui dis juste «bravo», c'est tout.

JEAN-CLAUDE. *(Soupirs.)*

LOUISE. Je ne te demande pas de te répandre° en compliments, je te demande de lui dire juste un petit bravo...

°to pour out

JEAN-CLAUDE. *(Soupirs.)*

LOUISE. Attention, qui sonne° quand même, pas appuyé° d'accord, mais qu'elle ne soit pas obligée de te faire répéter...

°to be loud enough to be heard / emphatic

JEAN-CLAUDE. Je ne peux pas.

LOUISE. Tu ne peux pas dire «bravo»?

JEAN-CLAUDE. Non.

LOUISE. Même un petit bravo?

JEAN-CLAUDE. Non.

LOUISE. C'est quoi? C'est le mot qui te gêne?

JEAN-CLAUDE. Non, c'est ce qu'il veut dire.

LOUISE. Oh! ce qu'il veut dire, ce qu'il veut dire, si tu le dis comme «bonjour», déjà il veut beaucoup moins dire ce qu'il veut dire.

JEAN-CLAUDE. Ça veut quand même un peu dire «félicitations», non?

LOUISE. Oui mais pas plus. Vraiment pas plus.

JEAN-CLAUDE. J'ai haï cette soirée, tu es consciente de ça, Louise?! J'ai tout détesté, les costumes, les décors, la pièce et Elle, surtout Elle!

LOUISE. Justement, comme ça tu n'es pas obligé de lui dire que tu n'as pas aimé, tu lui dis juste «bravo», un petit bravo et c'est fini, on n'en parle plus, tu es débarrassé et moi j'enchaîne°... Tiens, sa loge° est là!

JEAN-CLAUDE. Je n'y arriverai pas. **Q 1–2**

LOUISE. Jean-Claude, tu as vu où elle nous a placés, au sixième rang d'orchestre, au milieu de tous les gens connus, elle n'était pas obligée, on n'est pas célèbres, on est même le contraire, elle a fait ça pour nous faire plaisir.

JEAN-CLAUDE. Je n'ai éprouvé° aucun plaisir.

LOUISE. C'est bien pour ça que je ne te demande pas de lui dire «merci», là d'accord, «merci» ça pourrait avoir un petit côté hypocrite surtout si tu t'es beaucoup ennuyé, mais «bravo», franchement! «Bravo» c'est rien, un sourire°, même pas, un demi-sourire, une lèvre qui se retrousse à peine°...

JEAN-CLAUDE. Je te dis que je n'y arriverai pas.

LOUISE. Alors, dis-le deux fois.

JEAN-CLAUDE. Deux fois?!

LOUISE. Oui, «bravo, bravo». Deux fois ça glisse tout seul, on ne se rend presque pas compte qu'on l'a dit, ça file, on n'a même pas le temps de penser à ce que ça veut dire. C'est un peu comme «oh pardon!». Quand tu dis «oh pardon!» tu n'as pas l'impression de demander vraiment pardon, de réclamer une absolution pour ta faute, non c'est une petite phrase qui t'échappe, et pourtant le type° sur qui tu viens de renverser ta bière et qui a envie de t'égorger°, en t'entendant dire «oh pardon!» s'apaise° aussitôt, comprenant que ce n'est pas un goujat° qui lui a taché° sa veste, mais un homme bien élevé, et le devient à son tour en te répondant «je vous en prie». Phrase dont lui non plus ne saisit pas le sens, sinon, l'idée de se courber mains jointes° devant toi en priant° lui ôterait toute envie de la prononcer. Et pourtant, il l'a dite! Et vous vous séparez, sans insultes ni guerre, presque amis, prouvant que dix mille ans de civilisation n'ont pas été vains, puisqu'ils ont réussi à remplacer chez l'homme le réflexe de l'égorgement par celui de la courtoisie et c'est pour ça, Jean-Claude, que j'aimerais que tu dises un petit bravo à Simone, juste pour qu'elle ne pense pas que mon mari a échappé à la civilisation... Est-ce que tu comprends? **Q 3–4**

JEAN-CLAUDE. Qu'est-ce qui te prend à parler comme ça, sans t'arrêter? On vient d'entendre ta sœur pendant presque trois heures et demie, parler, parler, parler, j'ai cru mourir, et toi maintenant tu t'y mets!? C'est une histoire de fou? C'est contagieux ou quoi? Si tu dois continuer, dis-le-moi tout de suite, parce que je te préviens, avec toi ce ne sera pas comme avec Simone, je sors, je fous le camp° de ce théâtre et je ne reviens pas, tu m'entends, Louise, je ne reviens plus jamais...je suis à bout°...

LOUISE. Tout ça parce que je te demande d'être poli avec ta belle-sœur!

JEAN-CLAUDE. Parce qu'elle l'a été elle, sur scène?! parce que c'est de l'art, c'est poli?... parce que c'est classique, c'est poli? parce que ça rime, c'est poli? C'est ça?

LOUISE. Tu n'es quand même pas en train de m'expliquer que Racine est mal élevé?!?

JEAN-CLAUDE. Ta sœur m'a torturé, Louise, tu m'entends, torturé pendant toute la soirée.

to pick up the conversation / dressing room
to experience
smile
to barely turn up
guy
to slit your throat / to calm down / boor / to put a spot on
to bend over with hands together / praying
to clear out (vulgar)
to have had it

LOUISE. Tu es au courant, j'espère, qu'au Japon la grandeur suprême pour le samouraï° blessé à mort est de dire «bravo» à son adversaire.

JEAN-CLAUDE. C'est un mauvais exemple. Je hais le Japon.

LOUISE. Dommage, un peu d'Extrême-Orient aurait pu t'aider.

JEAN-CLAUDE. M'aider à quoi?

LOUISE. A mieux comprendre, à mieux TE comprendre, en oubliant deux petites minutes ta tête d'Occidental buté°.

JEAN-CLAUDE. Louise, ne va pas trop loin, je t'ai prévenue, je suis à bout!

LOUISE. Parce que figure-toi, quand le samouraï blessé à mort dit «bravo» à son adversaire, ce n'est pas pour le féliciter, c'est pour l'humilier.

JEAN-CLAUDE. Ah bon!

LOUISE. Bien sûr. C'est la vengeance suprême. Ton sabre a meurtri° mon corps, mais mon âme est intacte, et elle te dit «bravo». Voilà la victoire, la vraie! «Bravo»... Car en vérité en disant bravo à son adversaire c'est à lui-même qu'il se dit bravo, bravo d'avoir dit bravo à son bourreau°... Maintenant si tu refuses de te dire bravo en disant bravo à Simone, c'est ton affaire...

JEAN-CLAUDE. Un homme qui n'a pas hurlé pendant cette représentation ne peut pas se dire bravo, Louise! Quand je pense que j'ai supporté ce supplice° sans broncher°, comme un lâche°, sans rien dire, pendant très exactement deux cent vingt-trois minutes et dix-sept secondes!

LOUISE. Ah oui! ça j'ai vu, tu l'as regardée ta montre!

JEAN-CLAUDE. Tout le temps! A un moment j'ai même cru qu'elle s'était arrêtée, pendant sa longue tirade avec le barbu, le mari, ça n'avançait plus. Je me suis dit, la garce° elle nous tient, huit cents personnes devant elle, coincées° dans leur fauteuil, elle nous a bloqué les aiguilles° pour que ça dure plus longtemps!... Je ne sais pas comment j'ai tenu°, je ne sais pas...

LOUISE. Oui, enfin n'exagère pas, tu n'es pas mort.

JEAN-CLAUDE. Non, c'est vrai... et tu sais pourquoi, Louise? parce que je me suis mis à répéter sans arrêt un mot, un seul mot, un mot magique: entr'acte°! ENTRACTE!... Mais il n'est jamais venu, jamais! Cinq actes sans une seconde d'interruption, Louise, tu appelles ça la civilisation? **Q 5–6** www

LOUISE. Quinze ans d'attente, Jean-Claude, quinze ans que Simone attend d'entrer à la Comédie-Française°! Ça y est, c'est fait, elle est engagée! Et miracle, on lui offre le rôle dont elle rêve depuis toujours! Ce soir pour la première fois de sa vie elle vient de jouer *Phèdre* dans le plus prestigieux théâtre d'Europe, et toi, son beau-frère, tu refuses de lui dire «bravo», juste un petit bravo! Qu'est-ce que tu es devenu? un animal?

JEAN-CLAUDE. Elle vient de jouer *Phèdre* pour la première fois de sa vie!? Tu te moques ou quoi? Et le jour de notre mariage, tu as oublié peut-être? Elle en a déclamé° un morceau en plein milieu du repas, comme ça, sans prévenir personne, même qu'après les enfants ont pleuré et qu'aucun invité n'a voulu danser et que mon père a gueulé° sur le tien°! Elle nous a foutu° une ambiance de merde avec sa vocation et ses alexandrins°!

- *Japanese warrior*
- *stubborn*
- *to wound*
- *executioner*
- *torture / to flinch / coward*
- *harpy*
- *stuck*
- *hands (on clock)*
- *to hold on, continue*
- *intermission*
- *most famous theater in France*
- *to declaim, spout*
- *to yell / yours (father) / to impose (vulgar) / 12-syllable lines of poetry*

LOUISE. C'est maman qui lui avait demandé, pour nous faire une surprise.

JEAN-CLAUDE. La surprise ça a failli° être que je quitte la table, Louise, la table du plus beau jour de notre vie! Il fallait que je t'aime pour rester immobile, vingt minutes, le couteau planté dans le gigot, pendant que l'autre hystérique beuglait° sa poésie en se caressant les seins°! Et vingt ans après elle remet ça, l'intégrale° en plus, et tu voudrais que je lui dise «bravo» à cette grosse vache!

LOUISE. Jean-Claude!!

JEAN-CLAUDE. Quoi Jean-Claude! Elle a pris vingt kilos, Simone, vrai ou faux?!

LOUISE. C'est humain, c'est l'angoisse d'attendre ce rôle, quinze ans d'angoisse, forcément elle a compensé par la nourriture... mais franchement ce n'est pas ça qui compte.

JEAN-CLAUDE. Quand on est habillée en toge°, ça compte quand même un peu!

LOUISE *(toise° Jean-Claude et calmement lui demande).* Pourquoi tu es venu, Jean-Claude?

JEAN-CLAUDE. Pardon?

LOUISE. Pourquoi tu m'as accompagnée à cette générale?

JEAN-CLAUDE *(hurle°).* Parce que ça fait trois mois que tu me bassines° jour et nuit avec la première de ta sœur qu'il ne faut manquer sous aucun prétexte, la soirée du 24 février a été soulignée en rouge sur tous les calendriers, tous les agendas, c'est devenu une fête familiale... Chez nous, cette année, on aura eu Pâques, Noël et *Phèdre*! Et à ce propos, je te signale que ni ton père, ni ta mère, ni ton frère ne sont là ce soir!

LOUISE. Elle n'avait que deux places pour la première!

JEAN-CLAUDE. Et pourquoi ça tombe sur nous?! POURQUOI!!! **Q 7–8** www

LOUISE. Et o?

JEAN-CLAUDE. Hein?

LOUISE. O? Est-ce que tu peux lui dire juste «o»? Elle sort de sa loge, c'est toi qu'elle regardera le premier j'en suis sûre, tu la serres aussitôt dans tes bras et tu lui dis «o», tu n'as même pas besoin de le dire fort, tu lui susurres° dans l'oreille: O!

JEAN-CLAUDE. O...?

LOUISE. Oui, je pense que dans «bravo» ce qui compte surtout c'est le o, les autres lettres sont pour ainsi dire inutiles... Tu as entendu pendant les rappels° à la fin de la pièce, les gens applaudissaient en criant bravo *(elle les imite),* vo! vo! vo!... Voilà, «vo! vo», ce serait parfait.

JEAN-CLAUDE. Tu me demandes de dire «vo» à ta sœur?

LOUISE. S'il te plaît.

Un temps.

JEAN-CLAUDE. Vo?

LOUISE. Oui.

Un temps.

JEAN-CLAUDE. Louise, est-ce que le moment n'est pas venu de faire le point sur notre couple.

LOUISE. J'en étais sûre! La fuite°, la tangente, l'esquive°, une fois de plus tu cherches à échapper à ce que je te demande, jamais le moindre effort pour me comprendre, pour me satisfaire!

to almost (do something)
to moo, bellow
breasts / the whole play
Greek toga
to eye scornfully
to shout
to bore
to whisper
curtain calls
flight / dodge

JEAN-CLAUDE. Parce que tu en fais des efforts?

LOUISE. Beaucoup, Jean-Claude, beaucoup!

JEAN-CLAUDE. Je rêve!

LOUISE. Je te signale par exemple que je t'ai proposé d'enlever 75% du mot «bravo»!

JEAN-CLAUDE. Après m'avoir fourgué° quatre heures et demie de ta sœur!

LOUISE. Trois heures et demie!

JEAN-CLAUDE. Et l'heure qu'on est en train de passer à piétiner° devant sa loge, ça compte pour du beurre!?

LOUISE. Elle se lave! Tu ne vas quand même pas compter de la même façon Simone dans *Phèdre* et Simone dans sa douche!!

JEAN-CLAUDE. C'est toi que je compte en ce moment, Louise! Toi qui m'épuises° autant qu'elle sur scène! qui t'additionnes à ta sœur, j'ai la double ration! Je réalise que dans un théâtre vous êtes les mêmes, aussi assommantes° l'une que l'autre!

LOUISE *(haineuse°)*. Détrompe-toi°, Jean-Claude, je suis très loin d'être comme Simone, très loin! Parce que moi, dis-toi bien que si un jeune homme aux cheveux bouclés°, les mollets sanglés par des lanières de cuir°, traversait un jour ma vie, je pars avec lui illico°! illico! sans hésiter, sans me retourner, je file avec Hippolyte... à Skiathos, à Skopélos, à Mykonos°... où il voudra, et je te plante° là, toi et ton cerveau de cœlacanthe°! **Q 9–10**

(Jean-Claude, impassible, ne répond pas. Il reste muet, fixant le mur. Décontenancée, Louise fait un pas vers lui.)

LOUISE. Tu ne dis rien?

JEAN-CLAUDE. Non.

LOUISE. Ça ne te fait rien?

JEAN-CLAUDE. Quoi?

LOUISE. Ce que je t'ai dit.

JEAN-CLAUDE. Non.

LOUISE. Même dans une île grecque?

JEAN-CLAUDE. Non. *(Un temps.)* «Cerveau de cœlacanthe», c'était dans *Phèdre.*

LOUISE. Non.

JEAN-CLAUDE. On aurait dit.

LOUISE. C'est normal, ça vient du grec *koilos*, «creux», et *akantha*, «épine»... C'est un gros poisson... c'est notre ancêtre... avant le singe°...

JEAN-CLAUDE. Ah quand même...

LOUISE. Pardonne-moi je ne pensais pas ce que je disais... Tu ne m'aimes plus? *(Jean-Claude ne répond pas.)* Et tu me le dis à la Comédie-Française?

JEAN-CLAUDE. J'ai l'impression que ni toi ni moi on gardera un bon souvenir de cet endroit.

Il s'éloigne. Louise sursaute°.

LOUISE. Où tu vas?

JEAN-CLAUDE. Dehors, boire une bière.

LOUISE. Tu reviendras?

JEAN-CLAUDE. Je ne pense pas.

LOUISE. Fais attention de ne pas la renverser° sur ton voisin...

JEAN-CLAUDE. J'essaierai...

to unload (on someone)
to stand around
to wear out, tire out
deadly
hateful / Think again
curly
with leather straps around his calves / right away / Greek islands / to leave standing / brain of a primitive fish
monkey
to jump, be startled
to spill it (beer)

Il se dirige vers la sortie.

LOUISE *(bouleversée°, crie).* Jean-Claude!

Jean-Claude disparaît sans répondre. Louise éclate en sanglots°, elle s'appuie contre le mur et, détruite, se laisse glisser jusqu'à terre. **Q 11**

La porte de la loge s'ouvre. Simone apparaît radieuse dans un peignoir de soie.

SIMONE. Ah ma chérie, tu es là! Alors ça t'a plu? *(Les pleurs de Louise redoublent.)* Oh, ma pauvre chérie, tu es toute bouleversée.

LOUISE *(hoquetant°).* C'est parce que... c'est parce que...

SIMONE. Parce que c'est une pièce qui parle très fort aux femmes, je sais.

LOUISE. Non c'est parce que... parce que...

SIMONE. Parce que c'est bouleversant de voir sa sœur applaudie pendant vingt minutes...

LOUISE. Jean-Claude m'a quittéééé...

SIMONE. Ton mari?

LOUISE. Ouiiii...

SIMONE. Quand, il t'a quittée?

LOUISE. Là, maintenant, il est partiii...

SIMONE. Avant la fin de la pièce!?

LOUISE. Nooon...

SIMONE. Ah, tu m'as fait peur!...

LOUISE. Jean-Clauuudee...

SIMONE *(réalisant soudain).* C'est incroyable, ma chérie!... Jean-Claude te quitte le soir de ma première de *Phèdre* et tu te souviens ce que je vous ai joué le jour de votre mariage?

LOUISE. Bien sûr que je m'en souviens, pauvre connasse! *(Elle recule° vers la sortie.)*

Salope! Ordure! Putain! Merdeuse°!

Elle disparaît au bout du couloir. Simone reste un instant interdite° puis se met à courir derrière sa sœur en criant.

SIMONE. Chérie, ma chérie, qu'est-ce qu'il se passe! Qu'est-ce que j'ai dit de mal? Louise... Et moi tu ne me dis rien...? Tu ne me dis pas «bravo»?... Louise... même pas un petit bravo? **Q 12–13**

shattered
to burst out sobbing
hiccoughing
to back up
series of vulgar insults
dumbounded

Paris, janvier 2001

Questions sur le texte

D. Notez les opinions et les commentaires de Jean-Claude à propos de...

1. la pièce qu'il vient de voir

2. sa belle-sœur, Simone

3. sa femme, Louise

Dans son esprit, laquelle des deux femmes semble prédominer? Quel portrait en découle?

E. Maintenant notez les opinions et les commentaires de Louise à propos de...

1. son mari, Jean-Claude

2. sa sœur, Simone

3. la pièce

A qui prête-t-elle surtout attention? Dans quel but?

F. Selon le dictionnaire, l'égoïsme est «un attachement excessif à soi-même qui fait que l'on subordonne l'intérêt des autres à son propre intérêt». Relevez des exemples de l'égoïsme fondamental de chacun des personnages.

1. Jean-Claude

2. Louise

3. Simone

G. Le mot «bravo» apparaît à travers la pièce entière, mais sa signification change continuellement. Notez ces changements et précisez ce qu'ils suggèrent en ce qui concerne les rapports entre Jean-Claude et Louise.

Post-lecture

H. Dans l'introduction, nous avons qualifié la pièce de comédie, mais on pourrait dire que c'est une tragédie ou même un mélodrame (où il y a des changements brusques dans le ton et dans l'action). Discutez des raisons pour lesquelles on peut considérer la pièce comme une comédie, comme un mélodrame et comme une tragédie.

I. En pyschologie, on parle parfois de «triangle»—une situation où un couple se définit par rapport à une troisième personne. Par exemple, une mère et un père ne discutent jamais de leurs problèmes directement; ils s'occupent plutôt de leur fils et discutent de ces problèmes à lui; au moment où le fils quitte la maison, le couple cesse d'exister. Discutez du concept du triangle en ce qui concerne *Tragédie.*

J. Reprenez vos réponses à l'exercice B (**Pré-lecture**) et créez une petite pièce dans le genre de *Tragédie.*

K. Pour approfondir vos connaissances sur Jean-Michel Ribes et sur le Festival d'Avignon, visitez le site web **www.thomsonedu.com/french/schofer** et faites des activités et des recherches.

Phrases: Comparing & distinguishing; Expressing an opinion; Making transitions; Weighing the evidence; Writing about drama

Vocabulary: Family members; Personality

Grammar: Possessive Adjectives; Subjunctive; Verb + Infinitive; Verb + **à** + Infinitive; Verb + **de** + Infinitive

Il n'y a pas d'exil

Assia Djebar

Assia Djebar (1936–), romancière et cinéaste algérienne, est née à Cherchell, petite ville dans les environs d'Alger. Elle fait des études en Algérie, puis à Paris, où son premier roman *(La Soif)* connaît beaucoup de succès. Elle se marie avec un membre de la résistance algérienne, qu'elle accompagne en Afrique du Nord, où ses interviews avec des réfugiés algériens servent de base à un roman-reportage *(Les Alouettes naïves).* Pendant les années 70, elle se consacre au théâtre et au cinéma avant de reprendre son travail littéraire à partir de 1980. Ses films *(La Nouba des femmes du mont Chenoua; La Zerda et les chants de l'oubli)* et ses romans *(L'Amour, la fantaisie; Ombre sultan; Loin de Médine; La Femme sans sépulture)* examinent les problèmes des colonisés et des femmes.

Il n'y a pas d'exil est tiré d'un recueil de contes dont le titre *(Femmes d'Alger dans leur appartement)* s'inspire du célèbre tableau de Delacroix. Comme la narratrice de ce conte, Assia Djebar s'est réfugiée en Tunisie pendant la guerre d'Algérie, qui opposait colonisateurs (les Français) et colonisés (les Algériens) et à la suite de laquelle l'Algérie a gagné son indépendance (1962).

Vocabulaire utile

se sentir: seul • triste • dépaysé • déprimé • aliéné • abandonné • incapable d'agir • victime

bâtir une nouvelle vie • se faire rapatrier (retourner dans son pays d'origine) • retrouver sa famille et ses amis • oublier le passé • mener dans son nouveau pays la vie qu'on menait avant

Pré-lecture

A. Imaginez qu'à cause d'une guerre, vous vous trouviez exilé(e) dans un pays autre que le vôtre. Quels sont vos sentiments? Quels sont vos désirs?

B. Dans une société musulmane traditionnelle, quel est, d'après ce que vous savez, le rôle des femmes?

Elles peuvent...

Elles ne peuvent pas...

Vocabulaire utile

faire le ménage • faire le marché • se promener seules • sortir sans voile • avoir un travail en dehors de la maison • préparer les repas • s'instruire • pleurer les morts • enterrer les morts • choisir leur mari

C. Il y a des révolutions politiques (comme en 1789 en France) et des révolutions sociales (comme la révolution industrielle).

1. Décrivez brièvement une révolution politique dont vous avez entendu parler.

2. Décrivez brièvement une révolution sociale qui a déjà eu lieu ou qui est en train de se dérouler.

Vocabulaire utile

se révolter (contre) • se libérer de: l'injustice • l'oppression • l'intolérance • l'incompréhension

réclamer • demander • exiger: le droit de • la liberté • la justice • l'égalité • une meilleure vie

Lecture

Assia Djebar

Il n'y a pas d'exil

Ce matin-là, j'avais fini le ménage un peu plus tôt, vers neuf heures. Mère avait mis son voile°, pris le couffin°; sur le seuil° de la porte, elle avait répété comme tous les jours depuis trois ans:

—Il a fallu que nous soyons chassés de notre pays pour que je sois obligée d'aller faire le marché comme un homme.

—Nos hommes ont aujourd'hui autre chose à faire! avais-je répondu comme tous les jours, depuis trois ans.

—Que Dieu nous préserve!

J'accompagnai Mère jusqu'aux escaliers, puis je la regardais descendre lourdement à cause de ses jambes:

—Que Dieu nous préserve! repris-je pour moi-même, en rentrant.

Les cris commencèrent vers dix heures, une heure après environ. Ils venaient de l'appartement voisin et se transformèrent bientôt en hurlements°. Toutes les trois, mes deux sœurs, Aïcha, Anissa et moi-même, la reconnûmes° à la manière qu'avaient les femmes de l'accueillir°: c'était la mort.

Aïcha, l'aînée, se précipita à la porte, l'ouvrit pour mieux entendre:

—Que le malheur soit loin de nous! murmura-t-elle. La mort a rendu visite aux Smain.

A ce moment, Mère entra. Elle posa le couffin par terre, s'arrêta le visage bouleversé° et se mit à frapper sa poitrine° de ses mains, spasmodiquement. Elle poussait de petits cris étouffés° comme lorsqu'elle allait se trouver mal.

Anissa, bien qu'elle fût° la plus jeune d'entre nous, ne perdait jamais son sang-froid°. Elle courut fermer la porte, enleva le voile de Mère, la prit par les épaules et la fit asseoir sur un matelas°.

—Ne te mets donc pas dans cet état pour le malheur des autres! dit-elle. N'oublie pas que tu as le cœur malade! Que Dieu nous garde toujours à l'abri!°

Tout en répétant la formule° plusieurs fois, elle allait chercher de l'eau, et en aspergeait° Mère, qui, maintenant, geignait°, étendue de tout son long sur le matelas. Puis Anissa lui lava entièrement le visage, sortit de l'armoire une bouteille d'eau de Cologne, la déboucha° et la lui mit sous les narines°.

—Non! disait Mère. Apporte-moi du citron.

Et elle se remettait à geindre.

Anissa continuait à s'affairer°. Moi, je la regardais. J'ai toujours été lente à réagir°. Je m'étais mise à écouter les pleurs° du dehors qui n'avaient pas cessé, qui ne cesseraient sans doute pas, au moins jusqu'à la nuit. Il y avait cinq ou six femmes chez les Smain, et toutes se lamentaient en chœur, chacune s'installant pour toujours,

veil / straw basket / threshold
wails
to recognize
to greet, receive
overwhelmed / to beat on one's chest / choked back
even though she was
composure
mattress
May God keep us safe!
ritual saying
to splash / to moan
to open (a bottle) / nostrils
to bustle about
slow to react / crying

semblait-il, dans cet éclatement confondu de leur douleur°. Après, bien sûr, elles auraient à préparer le repas, à s'occuper des pauvres, à laver le mort... Il y a tant de choses à faire, le jour d'un enterrement°. **Q 1–3**

Pour l'instant, les voix des pleureuses°, toutes pareilles, sans qu'on puisse même en distinguer une par un accent plus déchiré°, faisaient un seul chant long, hoquetant°, et je sus qu'il recouvrirait° la journée entière comme un brouillard° d'hiver.

—Qui donc est mort chez eux? demandai-je à Mère qui s'était presque calmée.

—Leur jeune fils, dit-elle, en humant° fortement le citron. Une voiture l'a écrasé° juste devant la porte. Je rentrais, quand mes yeux l'ont vu se tordre° une dernière fois comme un ver°. L'ambulance l'a emmené à l'hôpital, mais il était déjà mort.

Puis elle se remit à soupirer°.

—Les pauvres gens! disait-elle. Ils l'ont vu sortir tout bondissant de vie° et voici qu'on va le leur ramener dans un drap ensanglanté°!

Elle se souleva à demi°, répéta: «tout bondissant de vie!» Puis elle retomba sur le matelas et ne prononça plus que les formules rituelles pour écarter° le malheur. Mais la voix basse qu'elle prenait toujours pour s'adresser à Dieu avait un accent un peu dur, véhément.

—C'est un jour qui sent mauvais! dis-je, toujours debout devant Mère, et immobile. Je l'avais deviné° dès ce matin, mais je n'avais pas compris que c'était l'odeur de la mort.

—Ajoute: Que Dieu nous préserve! dit Mère vivement. Puis elle leva les yeux sur moi. Dans la chambre, nous étions seules, Anissa et Aïcha étaient retournées aux cuisines.

—Qu'as-tu donc? dit-elle. Tu sembles pâle. Aurais-tu mal au cœur°, toi aussi?

—Que Dieu nous préserve! dis-je en quittant la chambre. **Q 4–5**

A midi, ce fut Omar qui rentra le premier. Les pleurs continuaient toujours. J'avais veillé au° repas en écoutant le thrène° et ses modulations. Je m'y habituais. Je pensais qu'Omar allait poser des questions. Mais non. On avait dû le renseigner dans la rue.

Il entraîna° Aïcha dans une chambre. Je les entendis ensuite chuchoter°. Ainsi, quand quelque événement important survenait, Omar en parlait à Aïcha d'abord, parce qu'elle était l'aînée, et la plus grave. Auparavant°, dehors, Père avait fait de même avec Omar, car il était le seul fils.

Il y avait donc quelque chose de nouveau; et cela n'avait rien à voir avec° la mort qui avait rendu visite aux Smain. Je n'avais nulle curiosité.

Aujourd'hui est le jour de la mort, tout le reste devient indifférent.

—N'est-ce pas? dis-je à Anissa qui sursauta°.

—Qu'y a-t-il donc?

—Rien, dis-je sans m'étendre° car je connaissais ses réponses toujours interloquées°, lorsque je me mettais à penser haut°. Ce matin encore...

Mais pourquoi soudain ce désir insolent de me fixer dans un miroir, d'affronter mon image longtemps, et de dire, tout en laissant couler° mes cheveux sur mes reins°, pour qu'Anissa les contemple?

confused outbreaks of their pain (grief)
burial
crying women
torn, broken up
hiccuping / to cover over
fog
inhaling
to run over
to twist / worm
to sigh
bounding, jumping (full of life) / bloody / to sit up halfway
to keep away
to guess
nausea
to attend to / funeral chant
to drag off
to whisper
Previously
to have nothing to do with
to jump, start (be startled)
without expanding (on what I answered) / taken aback / to think out loud
to flow / loins

—Regarde. A vingt-cinq ans, après avoir été mariée, après avoir perdu successivement mes deux enfants, après avoir divorcé, après cet exil et après cette guerre, me voici en train de m'admirer et de me sourire, comme une jeune fille, comme toi...

—Comme moi! disait Anissa; et elle haussait les épaules°. **Q 6–8**

Père rentra un peu tard, parce que c'était vendredi et qu'il allait faire la prière du «dhor» à la mosquée. Il demanda aussitôt la cause de ce deuil°.

—La mort a visité les Smain, dis-je en accourant vers lui pour lui baiser la main. Elle leur a pris leur jeune fils.

—Les pauvres gens! fit-il après un silence.

Je l'aidai à s'installer à sa place habituelle, sur le même matelas. Ensuite, en posant le repas devant lui et en veillant à ce que rien ne tarde°, j'oubliai un peu les voisins. J'aimais servir Père; c'était, je crois, le seul travail domestique qui me plaisait. Maintenant surtout. Depuis notre départ, Père avait beaucoup vieilli. Il pensait trop aux absents, bien qu'il° n'en parlât jamais, à moins qu'une lettre n'arrivât d'Algérie et qu'il demandât à Omar de la lire.

Au milieu du repas, j'entendis Mère murmurer:

—Ils ne doivent guère° avoir envie de manger aujourd'hui!

—Le corps est resté à l'hôpital, dit quelqu'un.

Père ne disait rien. Il parlait rarement au cours des repas.

—Je n'ai guère faim, dis-je en me levant, pour m'excuser.

Les pleurs, au-dehors, semblaient plus étouffés°, mais je distinguais quand même leur mélopée°. Leur douce mélopée. C'est le moment, me dis-je, où la douleur devient accoutumance°, et jouissance° et nostalgie. C'est le moment où l'on pleure avec presque de la volupté, car ce présent de larmes est un présent sans fin. C'était le moment où le corps de mes enfants se refroidissait° vite, si vite et où je le savais...

A la fin du repas, Aïcha vint dans la cuisine où je me trouvais seule. Elle alla auparavant° fermer la fenêtre qui donnait sur les terrasses voisines, par où les pleurs me parvenaient°. Moi, je les entendais toujours. Et, c'est étrange, c'était cela qui me rendait si calme aujourd'hui, un peu morne°.

—Des femmes viennent cet après-midi pour te voir et te demander en mariage, commença-t-elle. Père dit que le prétendant° est convenable à tous égards°.

Sans répondre, je lui tournai le dos et me dirigeai vers la fenêtre.

—Qu'as-tu donc? fit-elle un peu vivement.

—J'ai besoin d'air, dis-je en ouvrant toute grande la fenêtre, pour que le chant entre. Cela faisait déjà quelque temps que dans mon esprit la respiration de la mort était devenue «le chant».

Aïcha resta un moment sans répondre.

—Lorsque Père sortira, tu veilleras à soigner un peu ta toilette°, dit-elle enfin. Ces femmes savent bien que nous sommes des réfugiés parmi tant d'autres, et qu'elles ne vont pas te trouver parée° comme une reine. Mais il faudrait quand même que tu sois à ton avantage°.

—Elles se sont arrêtées de pleurer, constatai-je°, ou peut-être sont-elles déjà fatiguées, dis-je en rêvant à cette fatigue étrange qui nous saisit au plus profond de la douleur.

hausser les épaules to shrug one's shoulders
deuil mourning
rien ne tarde nothing be late, take too long
bien que even though
ne doivent guère must hardly
étouffés muffled
mélopée monotonous chant
accoutumance habituation
jouissance pleasure
se refroidir to grow cold
auparavant first of all
parvenir to reach
morne gloomy
prétendant suitor
convenable à tous égards suitable in all respects
toilette outfit
parée decked out
être à son avantage to look your best
constater to notice

—Occupe-toi donc des femmes qui vont venir! répliqua Aïcha d'une voix un peu plus haute. **Q 9–11**

Père était parti, ainsi qu'Omar, lorsque Hafça arriva. C'était une Algérienne comme nous, qu'on avait connue là, une jeune fille de vingt ans et qui était instruite°. Institutrice°, elle ne travaillait que depuis qu'elle et sa mère s'étaient, elles aussi, exilées. «Une femme honorable ne travaille pas hors de sa maison», disait sa mère autrefois. Elle le disait encore, mais avec un soupir d'impuissance°. Il fallait bien vivre, et chez elles, maintenant, il n'y avait pas d'homme.

educated / Elementary school teacher
powerlessness

Hafça trouva Mère et Anissa en train de préparer les pâtisseries comme si celles-ci étaient nécessaires pour des réfugiés comme nous. Mais le sens du protocole, chez Mère, tenait de l'instinct; un héritage de sa vie passée qu'elle ne pourrait abandonner facilement.

—Ces femmes que vous attendez, demandai-je, qui sont-elles?

—Des réfugiées comme nous, s'écria Aïcha. T'imagines-tu peut-être que nous te donnerons en mariage à des étrangers?

Puis avec énergie:

—Rappelle-toi, dit-elle, le jour du retour dans notre patrie, nous rentrerons tous, tous, sans exception.

—Le jour du retour, s'exclama soudain Hafça dressée° au milieu de la pièce, les yeux élargis° de rêves. Le jour du retour dans notre pays! répéta-t-elle. Que je voudrais alors m'en revenir à pied, pour mieux fouler° la terre algérienne, pour mieux voir toutes nos femmes, les unes après les autres, toutes les veuves°, et tous les orphelins°, et tous les hommes enfin, épuisés°, peut-être tristes, mais libres—libres! Et je prendrai un peu de terre dans mes mains, oh! une toute petite poignée° de terre, et je leur dirai: «Voyez, mes frères, voyez ces gouttes de sang° dans ces grains de terre, dans cette main, tant l'Algérie a saigné° de tout son corps, de tout son immense corps, tant l'Algérie a payé de toute sa terre pour notre liberté et pour ce retour. Mais son martyr parle maintenant en termes de grâce. Voyez donc, mes frères...»

standing tall
widened
to tread upon
widows
orphans / worn out
fistful
drops of blood
to bleed

—Le jour du retour, reprit doucement Mère dans le silence qui suivit... si Dieu le veut! **Q 12–13**

C'est alors que les cris avaient repris par la fenêtre ouverte. Comme un orchestre qui entame° brusquement un morceau°. Puis Hafça, sur un autre ton:

to start playing / musical piece

—Je suis venue pour la leçon, rappela-t-elle.

Aïcha l'entraîna dans la pièce voisine.

Pendant leur conciliabule°, je ne savais que faire. Les fenêtres de la cuisine et des deux autres chambres donnaient sur° les terrasses. J'allais de l'une à l'autre, les ouvrais, les refermais, les rouvrais à nouveau. Tout cela sans me presser et comme si je n'écoutais pas le chant.

confab, consultation
to look or open out on

Anissa avait surpris mon manège°.

to walk in and discover what someone was doing

—Cela se voit que ce ne sont pas des Algériens, dit-elle. Ils ne sont guère habitués au deuil.

—Chez nous, à la montagne, répondit Mère, les morts n'ont personne pour les pleurer avant qu'ils ne refroidissent.

—Les pleurs ne servent à rien°, fit Anissa stoïque, qu'on meure° dans son lit ou sur la terre nue pour sa patrie.

to serve no purpose, be useless / whether one dies

—Qu'en sais-tu? lui dis-je soudain. Tu es trop jeune pour le savoir.

—Ils vont bientôt l'enterrer, chuchota Mère.

Puis elle leva la tête et me regarda. J'avais fermé à nouveau la fenêtre derrière moi. Je n'entendais plus rien.

—On va l'enterrer aujourd'hui même, répéta Mère un peu plus haut. C'est notre coutume.

—On ne devrait pas, dis-je. C'est une détestable coutume que de livrer° ainsi à la terre un corps où s'allume encore la beauté! Une bien détestable coutume... Il me semble qu'on l'enterre encore tout frissonnant°, encore... (mais je ne fus plus maîtresse° de ma voix).

—Ne pense plus à tes enfants! dit Mère. La terre qu'on a jetée sur eux leur est une couverture d'or°. Ma pauvre fille, ne pense plus à tes enfants! répéta Mère.

—Je ne pense à rien, dis-je. Non vraiment, je ne veux penser à rien. A rien! **Q 14**

Il était déjà quatre heures de l'après-midi quand elles entrèrent. De la cuisine où j'étais cachée, je les entendis après les habituelles formules de politesse, s'exclamer:

—Quels sont donc ces pleurs?

—Que le malheur soit loin de nous! Que Dieu nous préserve!

—J'ai la chair de poule°, disait la troisième. J'avais oublié ces temps-ci la mort et les larmes. Je les avais oubliées bien que notre cœur fût toujours endolori°.

—C'est la volonté de Dieu! reprenait la seconde.

Mère expliquait la cause de ce deuil° d'une voix placide, tout en les faisant entrer dans la seule pièce que nous avions pu meubler décemment. Anissa, près de moi, faisait déjà les premières remarques sur la physionomie° des femmes. Elle interrogeait Aïcha qui les avait accueillies° avec Mère. Moi, j'avais rouvert la fenêtre, et je les regardais échanger leurs impressions.

—A quoi rêves-tu donc? disait Anissa toujours l'œil sur moi.

—A rien, dis-je mollement°; puis, après un arrêt: je pensais aux différents visages du destin°. Je pensais à la volonté° de Dieu. Derrière ce mur, il y a un mort et des femmes folles de douleur. Ici, chez nous, d'autres femmes parlent de mariage... Je pensais à cette différence.

—Arrête-toi de «penser», coupa vivement Aïcha. Puis à Hafça qui entrait: c'est à elle que tu devrais donner des cours, non à moi. Elle passe son temps à penser. A croire qu'elle a lu autant de livres que toi.

—Et pourquoi ne voudrais-tu pas? demandait Hafça.

—Je n'ai pas besoin d'apprendre le français, répondis-je. A quoi cela pourrait-il me servir? Père nous a toutes instruites dans notre langue. «Cela seul est nécessaire», a-t-il coutume de dire.

—Il est utile de connaître d'autres langues que la sienne, dit Hafça lentement. C'est comme de connaître d'autres gens, d'autres pays.

Je ne répondis pas. Peut-être avait-elle raison. Peut-être qu'il fallait apprendre et ne pas perdre son temps à laisser son esprit° errer°, comme moi, dans les couloirs déserts du passé. Peut-être qu'il fallait prendre des leçons et étudier le français, ou n'importe quoi d'autre. Mais moi, je n'éprouvais jamais le besoin de secouer° mon corps ou mon esprit... Aïcha, elle, était différente. Comme un homme: dure et travailleuse. Elle avait trente ans. Elle n'avait pas vu

to hand over
shivering / to no longer be in control
blanket, cover of gold
goose bumps
aching
mourning
facial appearance
to greet, welcome
unenthusiastically
fate, destiny / will
mind
to wander
to shake

depuis trois ans son mari, incarcéré° toujours à Barberousse° depuis les premiers jours de la guerre. Elle s'instruisait pourtant et ne se contentait pas° du travail du ménage. Maintenant, après seulement quelques mois des leçons d'Hafça, Omar ne lui lisait plus les rares lettres de son mari qui pouvaient parvenir. Elle réussissait à les déchiffrer° seule. Quelquefois je me prenais à° l'envier. **Q 15–18**

imprisoned / prison named for the Turkish pirate who controlled Algeria in the early 16th century / to limit oneself / to figure out / to begin to

—Hafça, dit-elle, c'est l'heure pour ma sœur d'aller saluer ces dames. Entre donc avec elle.

Mais Hafça ne voulait pas. Aïcha insistait et je les regardais dans leur menu° jeu de politesse.

little, small

—Est-ce qu'on sait si on est venu chercher le corps? demandai-je.

—Comment? Tu n'as pas entendu les récitants tout à l'heure? faisait Anissa.

—C'était donc pour cela que les pleurs avaient cessé un instant, dis-je. C'est étrange comment, dès qu'on récite quelque part des versets du Coran°, aussitôt les femmes s'arrêtent de pleurer. Et pourtant, c'est le moment le plus pénible°, je le sais. Tant que° le corps est là, devant vous, il semble que l'enfant n'est pas tout à fait mort, qu'il ne peut être mort, n'est-ce pas?... Puis arrive l'instant où les hommes se lèvent, et c'est pour le prendre dans un drap°, sur leurs épaules. C'est ainsi qu'il part, vite, comme le jour où il est venu... Pour moi, que Dieu me pardonne, ils ont beau alors réciter° des versets du Coran, la maison reste vide, après leur départ, toute vide...

verses of the Koran (Holy Book of Islam) / difficult to bear / As long as

sheet

even though they recite

Hafça écoutait, en penchant° la tête vers la fenêtre. Elle se retourna vers moi en frissonnant°. Elle me parut alors plus jeune encore qu'Anissa.

leaning

shivering

—Mon Dieu, dit-elle d'une voix émue°. Je viens d'avoir vingt ans et pourtant je n'ai jamais rencontré la mort. Jamais de ma vie entière!

full of emotion

—Tu n'as perdu aucun des tiens° dans cette guerre? demandait Anissa.

none of your family

—Si, dit-elle. Mais les nouvelles arrivent toujours par lettre. Et la mort par lettre, voyez-vous, je ne peux y croire. J'ai un cousin germain° qui a été guillotiné parmi les premiers à Barberousse. Eh bien, je ne l'ai jamais pleuré parce que je ne peux croire qu'il est mort. Il était pourtant comme mon frère, je le jure. Mais je ne peux croire qu'il est mort, comprenez-vous? disait-elle avec une voix qu'enveloppaient déjà les larmes.

first cousin

—Ceux qui sont morts pour la Cause ne sont pas vraiment morts! répondait Anissa avec un sursaut de fierté°.

burst of pride

—Pensons donc au présent! Pensons à aujourd'hui, disait Aïcha d'une voix sèche°. Le reste est dans la main de Dieu. **Q 19**

dry, harsh

Elles étaient trois: une vieille qui devait être la mère du prétendant et qui, à mon arrivée, mit précipitamment ses lunettes; deux autres femmes, assises côte à côte, et qui se ressemblaient. Hafça, qui était entrée derrière moi, s'assit à mes côtés. Je baissais° les yeux.

to lower

Je connaissais mon rôle pour l'avoir déjà joué; rester ainsi muette, paupières° baissées et me laisser examiner avec patience jusqu'à la fin: c'était simple. Tout est simple, avant, pour une fille qu'on va marier.

eyelids

Mère parlait. J'écoutais à peine. Je savais trop les thèmes qu'on allait développer: Mère parlait de notre triste condition de réfugiés; ensuite, on échangerait les avis pour savoir quand sonnerait la fin: «... encore un ramadhan° à passer loin de son pays... peut-être était-ce le dernier... peut-être, si Dieu veut! Il est vrai que l'on disait de même l'an dernier, et l'an d'avant... Ne nous plaignons pas trop°... La victoire est de toute façon certaine, tous nos hommes le disent. Nous, nous savons que le jour du retour viendra... Il nous faut songer° à ceux qui sont restés... Il nous faut penser au peuple qui souffre... Le peuple algérien est un peuple aimé de Dieu... Et nos combattants sont comme du fer°...» Puis on reviendrait au récit de la fuite°, aux différents moyens que chacun avait empruntés pour quitter sa terre où le feu brûle... Puis on évoquerait la tristesse de l'exil, le cœur qui languit du pays°... Et la peur de mourir loin de sa terre natale... Puis... mais que Dieu soit loué° et qu'il soit exaucé°!

Moslem holy month / *Let's not feel too sorry for ourselves* / *to think* / *iron* / *flight, escape* / *to be homesick* / *praised / fulfilled*

Cette fois, cela dura un peu plus longtemps; une heure peut-être ou plus. Jusqu'au moment où l'on apporta le café. J'écoutais alors à peine°. Je songeais, moi aussi, mais à ma manière, à cet exil et à ces jours sombres.

scarcely, hardly

Je pensais que tout avait changé, que le jour de mes premières fiançailles°, nous étions dans ce long salon clair de notre maison, sur les collines d'Alger; qu'il y avait alors prospérité pour nous, prospérité et paix; que Père riait, et qu'il remerciait Dieu de sa demeure° pleine... Et moi, je n'étais pas comme aujourd'hui, l'âme grise°, morne et cette idée de la mort palpitant° faiblement en moi depuis le matin... Oui, je songeais que tout avait changé et que, pourtant, d'une certaine façon, tout restait pareil°. On se préoccupait encore de me marier. Et pourquoi donc? me dis-je soudain. Et pourquoi donc? répétais-je avec en moi, comme de la fureur, ou son écho. Pour avoir les soucis° qui eux ne changent pas en temps de paix comme en temps de guerre, pour me réveiller au milieu de la nuit et m'interroger sur ce qui dort au fond du cœur de l'homme qui partagerait ma couche°... Pour enfanter° et pour pleurer, car la vie ne vient jamais seule pour une femme, la mort est toujours derrière elle, furtive, rapide, et elle sourit aux mères... Oui, pourquoi donc? me dis-je. **Q 20–23**

engagement / *residence, dwelling* / *gray (dull) soul / beating* / *the same* / *worries* / *to share one's bed / to give birth*

Le café était servi maintenant. Mère faisait les invitations.

—Nous n'en boirons pas une gorgée°, commençait la vieille, avant d'avoir obtenu votre parole° pour votre fille.

—Oui, disait l'autre, mon frère nous a recommandé de ne pas revenir sans votre promesse de la lui donner comme épouse.

J'écoutais Mère éviter de répondre, se faire prier° hypocritement et de nouveau les inviter à boire. Aïcha se joignait à elle. Les femmes répétaient leur prière°... C'était dans l'ordre.

Le manège° dura° encore quelques minutes. Mère invoquait l'autorité du père.

—Moi, je vous la donnerais... Je vous sais des gens de bien... Mais il y a son père.

—Son père a déjà dit oui à mon frère, reprenait l'une des deux femmes qui se ressemblaient. La question n'a plus à être débattue qu'entre nous°.

drop (literally: throatfull) / *word (here: promise)* / *to make them beg for her* / *request* / *game, ploy / to last* / *to be discussed only between us*

—Oui, disait la seconde, la parole est à nous maintenant. Réglons la question.

Je levai la tête; c'est alors, je crois, que je rencontrai le regard de Hafça. Or, il y avait, au fond de ses yeux, une étrange lueur°, celle de l'intérêt sans doute ou de l'ironie, je ne sais, mais on sentait Hafça étrangère°, attentive et curieuse à la fois, mais étrangère. Je rencontrai ce regard.

glimmer / *distant, foreign*

—Je ne veux pas me marier, dis-je. Je ne veux pas me marier, répétais-je en criant à peine.

Il y eut beaucoup d'émoi° dans la chambre: Mère qui se souleva° en poussant un soupir. Aïcha que je vis rougir°. Et les deux femmes, qui se retournèrent d'un même mouvement lent et choqué, vers moi:

commotion, agitation / to sit up / to get red in the face

—Et pourquoi donc? disait l'une d'elles.

—Mon fils, s'exclama la vieille avec quelque hauteur°, mon fils est un homme de science. Il va partir dans quelques jours en Orient.

haughtiness

—Certainement! disait Mère avec une touchante précipitation°. Nous savons qu'il est un savant°. Nous le connaissons pour son cœur droit°... certainement...

haste / *scientist* / *honest, straightforward (literally: straight heart)*

—Ce n'est pas pour ton fils, dis-je. Mais je ne veux pas me marier. Je vois l'avenir tout noir devant mes yeux. Je ne sais comment l'expliquer, cela vient sans doute de Dieu... Mais je vois l'avenir tout noir devant mes yeux! répétais-je en sanglotant° tandis qu'°Aïcha me sortait en silence. **Q 24–26**

sobbing / *while*

Après, mais pourquoi raconter la suite°, sinon que je me consumais de honte°, et que je ne comprenais pas. Hafça seule était restée près de moi, après le départ des femmes.

what followed / *shame*

—Tu es fiancée, dit-elle d'une voix triste. Ta mère a dit qu'elle te donnait. Accepteras-tu?—et elle me fixait avec des yeux suppliants°.

imploring

—Qu'importe!° dis-je, et je pensais réellement en moi-même: qu'importe! Je ne sais ce que j'ai eu° tout à l'heure. Mais elles parlaient toutes du présent, et de ses changements, et de ses malheurs. Moi, je me disais: à quoi donc cela peut-il servir de souffrir ainsi loin de notre pays si je dois continuer, comme avant, comme à Alger, à rester assise et à jouer... Peut-être que lorsque la vie change, tout avec elle devrait changer, absolument tout. Je pensais à tout cela, dis-je, mais je ne sais même pas si c'est mal ou bien... Toi qui es intelligente et qui sais, peut-être comprendras-tu...

What difference does it make! / what was the matter with me

—Je comprends! disait-elle avec une hésitation comme si elle allait commencer à parler et qu'elle préférait ensuite se taire°.

to grow silent

—Ouvre la fenêtre, dis-je. Le soir va finir.

Elle alla l'ouvrir puis elle revint près de mon lit où j'étais restée étendue° à pleurer, sans cause, de honte et de fatigue tout à la fois. Dans le silence qui suivit, je contemplais, lointaine, la nuit qui engloutissait° peu à peu la pièce. Les bruits de la cuisine où se tenaient° mes sœurs semblaient venir d'ailleurs.

stretched out / *to swallow up* / *were*

Puis Hafça se mit à parler:

—Ton père, dit-elle, parlait une fois de l'exil, de notre exil actuel°, et il disait, oh! je m'en souviens bien, car personne ne parle comme ton père, il disait: «il n'y a pas d'exil pour tout homme aimé

current

de Dieu. Il n'y a pas d'exil pour qui est dans la voie° de Dieu. Il n'y a que des épreuves°».

Elle continua encore, mais j'ai oublié la suite, sauf° qu'elle répétait très souvent «nous» d'un accent passionné. Elle disait ce mot avec une particulière énergie, si bien que je me mis à me demander, vers la fin, si ce mot nous désignait nous deux seules, et non pas plutôt° les autres femmes, toutes les femmes de notre pays.

A vrai dire, même si je l'avais su, qu'aurais-je pu répondre? Hafça était trop savante° pour moi. Et c'est ce que j'aurais voulu lui dire quand elle se tut° dans l'attente° peut-être de mes paroles.

Mais ce fut une autre voix qui répondit, une voix de femme qui, par la fenêtre ouverte, montait claire comme une flèche° vers le ciel, qui se développait, déployait son vol°, un vol ample comme celui de l'oiseau après l'orage, puis qui retombait en cascades soudaines.

—Les autres femmes se sont tues°, dis-je. Il ne reste plus que la mère pour pleurer... Ainsi° est la vie, ajoutais-je après un moment. Il y a ceux qui oublient ou simplement qui dorment. Et ceux qui se heurtent° toujours contre les murs° du passé. Que Dieu les ait en sa pitié!

—Ce sont les véritables exilés, dit Hafça. **Q 27–28**

path, way
tests, trials
except
rather
learned
to fall silent / expectation
arrow
to spread out its flight
to be silent
Such, Thus
to bang up against / walls

Tunis, mars 1959

Assia Djebar, «Il n'y a pas d'exil» in *Femmes d'Alger dans leur appartement,* © Éditions Albin Michel, 1980

Questions sur le texte

D. Le conte fait allusion à plusieurs événements qui ont précédé l'action principale. Reconstituez, dans la mesure du possible, le passé des personnages suivants.

1. la mère et le père

2. Aïcha

3. Hafça

4. la narratrice *(je)*

E. La plupart des personnages de ce conte sont des femmes. Qu'est-ce qui caractérise chacune des femmes suivantes? Qu'est-ce qui la distingue des autres personnages féminins?

1. la mère

2. Anissa

3. Aïcha

4. Hafça

F. La narratrice *(je)* semble être différente des autres personnages féminins. Découvrez tout au long du conte les réactions de la narratrice qui la distinguent des autres, qui la mettent à part.

G. L'action principale du conte (ce qui se passe chez la narratrice) est accompagnée en contrepoint d'une seconde action (ce qui se passe chez les voisins). Quelles ressemblances et quelles oppositions y a-t-il entre les deux actions?

H. Comme le suggère le titre, un des thèmes principaux du conte est *l'exil.*

1. Que veut dire le père en affirmant qu'«il n'y a pas d'exil»?

2. Hafça et la narratrice *(je)* ne sont pas d'accord avec lui. Pour elles, qui sont «les véritables exilés»?

3. D'après vous, dans quel sens les personnages du conte sont-ils tous des exilés? Y a-t-il des personnages qui sont plus en exil que d'autres? Lesquels? Pourquoi?

Post-lecture

I. Un personnage féminin autre que la narratrice—par exemple, Aïcha ou Anissa ou Hafça—écrit une lettre dans laquelle elle raconte les événements du conte. Rédigez cette lettre en interprétant les actions et les réactions de la troisième sœur (la narratrice/*je*) du point de vue du personnage que vous avez choisi.

J. Rédigez un essai dans lequel vous parlez de vos propres idées sur l'exil. Vous pouvez fonder votre discussion sur vos réactions à ce conte ou, si vous préférez, sur vos propres expériences d'exil.

Suggestions: Que pensez-vous des personnages du conte? Y en a-t-il un ou plusieurs à qui vous vous identifiez? Y en a-t-il d'autres de qui vous vous sentez éloigné(e)? Dans quelle mesure avez-vous connu dans le passé ou connaissez-vous actuellement l'exil? S'agit-il d'un exil physique ou psychologique?

K. L'action de ce conte a lieu en pleine guerre d'Algérie. Essayez d'imaginer ce qui est arrivé aux personnages du conte après la guerre. Quelle sorte de vie est-ce qu'ils ont (re)trouvée en retournant en Algérie? Pourquoi?

L. Pour approfondir vos connaissances sur Assia Djebar, visitez le site web **www.thomsonedu.com/french/schofer** et faites des activités et des recherches.

Phrases: Writing a letter (informal); Talking about past events; Describing people; Expressing an opinion; Sequencing events

Vocabulary: Body-gestures; Countries; Nationality; Upbringing

Grammar: Past Imperfect: **imparfait;** Compound Past Tense: **passé composé;** Verbs with Auxiliary **être;** Participle Agreement: **participe passé**

La Main

COLETTE

Colette (1873–1954), la femme de lettres la plus importante de la première moitié du vingtième siècle en France, a publié plus de quarante volumes de contes, de romans, de reportages, de dialogues et de souvenirs. Après une enfance heureuse auprès de sa mère en Bourgogne, elle se marie avec un mondain parisien plus âgé, qui l'exploitera en signant de son propre nom les premiers romans d'inspiration autobiographique de sa femme *(Claudine à l'école, Claudine à Paris, Claudine en ménage, Claudine s'en va)*. Séparée puis divorcée, Colette gagnera sa vie comme mime avant de se remarier avec le co-directeur d'un journal parisien. Elle continue à publier sous le nom de son premier mari, en particulier *Chéri,* roman bientôt adapté à la scène. Ce n'est qu'après son divorce d'avec son second mari, qu'elle commence à signer ses livres de son propre nom. A partir des années trente, elle connaîtra le succès et la gloire. Parmi ses œuvres les plus connues sont *La Fin de Chéri, Sido, La Chatte* et aussi *Gigi.*

Paru pour la première fois dans le recueil de contes *La Femme cachée* (1925), *La Main*, comme beaucoup des écrits de Colette, explore avec lucidité les problèmes de l'amour.

VOCABULAIRE UTILE

un doigt • un pouce • une phalange • l'index • le petit doigt • l'ongle • la peau • la paume • un poil

long • court • mince • maigre • gros • gras • charnu • blanc • bronzé • rose • bleu • poilu • lisse • rugueux • lourd • léger

Pré-lecture

A. Décrivez une main—la vôtre ou celle d'une personne que vous connaissez.

B. Maintenant comparez cette main à un autre objet ou à un être vivant.

La main que je vois est... comme... Ses doigts (Ses ongles, Sa peau) font (fait) penser à...

> **VOCABULAIRE UTILE**
>
> une fleur • un singe • un crabe • une araignée • un cygne
>
> doux • dur • mou • attirant • dégoûtant • beau • laid • agité • docile • endormi • éveillé
>
> des ailes • des pinces • des pétales • des pattes

C. En France, on dit parfois que les mains d'une personne révèlent sa personnalité. Décrivez la personnalité d'une personne d'après ses mains.

> **VOCABULAIRE UTILE**
>
> gentil • cruel • modeste • orgueilleux • scandaleux • convenable • crapuleux • angélique • protecteur • destructeur • affreux • délicieux • délicat • monstrueux

Lecture

Colette

La Main

Il s'était endormi sur l'épaule de sa jeune femme, et elle supportait orgueilleusement° le poids de cette tête d'homme, blonde, sanguine°, aux yeux clos°. Il avait glissé son grand bras sous le torse° léger, sous les reins° adolescents, et sa forte main reposait à plat° sur le drap°, à côté du coude droit de la jeune femme. Elle sourit de voir cette main d'homme qui surgissait là, toute seule et

proudly
ruddy / closed
torso, upper body / kidneys, small of the back / flat / sheet

éloignée de son maître. Puis elle laissa errer° ses regards dans la chambre à demi-éclairée. Une conque voilée° versait sur le lit une lumière couleur de pervenche°. **Q 1–3**

«Trop heureuse pour dormir», pensa-t-elle.

Trop émue° aussi, et souvent étonnée° de sa condition nouvelle. Depuis quinze jours seulement, elle menait la scandaleuse vie des jeunes mariées, qui goûtent la joie d'habiter avec un inconnu dont elles sont amoureuses. Rencontrer un beau garçon blond, jeune veuf°, entraîné au tennis et à l'aviron°, l'épouser un mois après: son aventure conjugale n'enviait presque rien à un enlèvement°. Elle en était encore°, lorsqu'elle veillait° auprès de son mari, comme cette nuit, à fermer les yeux longuement, puis les rouvrir pour savourer, étonnée, la couleur bleue des tentures° toutes neuves, au lieu du rose abricot qui filtrait le jour naissant dans sa chambre de jeune fille. **Q 4–8**

Un tressaillement° parcourut° le corps endormi qui reposait près d'elle, et elle resserra° son bras gauche autour du cou de son mari, avec l'autorité charmante des êtres faibles. Il ne s'éveilla pas.

«Comme il a les cils° longs», se dit-elle.

Elle loua° aussi en elle-même la bouche, lourde et gracieuse, le teint° de brique° rose, et jusqu'au front, ni noble ni vaste, mais encore pur de rides°.

La main droite de son mari, à côté d'elle, tressaillit à son tour, et elle sentit vivre, sous la cambrure° de ses reins, le bras droit sur lequel elle pesait° tout entière.

«Je suis lourde°... je voudrais me soulever et éteindre cette lumière. Mais il dort si bien...»

Le bras se tordit° encore, faiblement, et elle creusa les reins° pour se faire plus légère.

«C'est comme si j'étais couchée sur une bête», songea-t-elle.

Elle tourna un peu la tête sur l'oreiller, regarda la main posée à côté d'elle.

«Comme elle est grande! C'est vrai qu'il me dépasse de toute la tête°». **Q 9–10**

La lumière, glissant sous les bords d'une ombelle° de cristal bleuâtre, butait° contre cette main et rendait sensibles° les moindres reliefs de la peau, exagérait les nœuds° puissants des phalanges, et les veines que la compression du bras engorgeait°. Quelques poils roux°, à la base des doigts, se courbaient tous dans le même sens, comme des épis° sous le vent, et les ongles plats, dont le polissoir n'effaçait pas les cannelures°, brillaient, enduits de vernis° rosé.

«Je lui dirai qu'il ne mette pas de vernis à ses ongles, pensa la jeune femme. Le vernis, le carmin°, cela ne va pas à une main si... une main tellement... »

Une secousse° électrique traversa cette main et dispensa° la jeune femme de chercher un qualificatif. Le pouce se raidit°, affreusement long, spatulé°, et s'appliqua étroitement contre l'index. Ainsi la main prit soudain une expression simiesque° et crapuleuse°.

to wander
seashell-like lamp
periwinkle (small blue flower)
filled with emotion / surprised, astonished

widower / rowing
was practically like an elopement / She was still at the stage / to stay awake / curtains

shuddering, shivering / to run through / to tighten, squeeze
eyelashes
to praise
complexion / brick
without any wrinkles

arch
to weigh
heavy

to twist, bend / to draw up the back

he's a whole head taller than I am / parasol-shaped flower / to bump into, rest against / perceptible / knots / to block / reddish / blades (of wheat) / whose grooves (imperfections) the nail buffer did not erase / coated with nail polish / crimson / jolt, jerk / to exempt, spare / to stiffen, harden / spatula-shaped / monkey-like / villainous

—Oh! fit tout bas la jeune femme, comme devant une inconvenance°. Q 11

Le sifflet d'une automobile qui passait perça le silence d'une clameur si aiguë° qu'elle semblait lumineuse. Le dormeur ne s'éveilla pas, mais la main, offensée, se souleva, se crispa° en forme de crabe et attendit, prête au combat. Le son déchirant° décrut° et la main, détendue° peu à peu, laissa retomber ses pinces°, devint une bête molle, pliée de travers°, agitée de sursauts° faibles qui ressemblaient à une agonie°. L'ongle plat et cruel du pouce trop long brillait. Une déviation° du petit doigt, que la jeune femme n'avait jamais remarquée, apparut, et la main vautrée° montra, comme un ventre rougeâtre, sa paume charnue.

—Et j'ai baisé cette main!... Quelle horreur! Je ne l'avais donc jamais regardée?

La main, qu'un mauvais rêve émut°, eut l'air de répondre à ce sursaut, à ce dégoût. Elle réunit ses forces, s'ouvrit toute grande, étala° ses tendons, ses nœuds et son pelage° roux, comme une parure de guerre°. Puis repliée lentement, elle saisit une poignée de drap, y enfonça ses doigts recourbés°, serra°, serra avec un plaisir méthodique d'étrangleuse°...

—Ah! cria la jeune femme. Q 12–13

La main disparut, le grand bras, arraché à son fardeau°, se fit en un moment ceinture protectrice°, chaud rempart contre toutes les terreurs nocturnes. Mais le lendemain matin, à l'heure du plateau sur le lit°, du chocolat mousseux° et des rôties°, elle revit la main, rousse et rouge, et le pouce abominable arc-bouté° sur le manche° d'un couteau.

—Tu veux cette tartine°, chérie? Je la prépare pour toi.

Elle tressaillit et sentit sa chair se hérisser°, en haut des bras et le long du dos.

—Oh! non... non...

Puis elle cacha sa peur, se dompta° courageusement, et commençant sa vie de duplicité°, de résignation, de diplomatie vile et délicate, elle se pencha, et baisa humblement la main monstrueuse. Q 14–15

unseemliness
sharp, shrill
to clench, tense up
harrowing / to decrease, fade / relaxed / pincers, claws / crooked / jumps, starts / death pangs / curvature / sprawled
to move emotionally
to spread out, display / fur / battle array
curved / to squeeze
strangler
pulled (torn) from its burden / protective belt
breakfast in bed / frothy / toasts / buttressed / handle
slice of bread
to feel one's flesh bristle
to tame, master oneself
duplicity (deceit, double, duality)

Questions sur le texte

D. Cette histoire comprend une série de petites actions reliées qui forme une chaîne logique. Pourtant, le narrateur n'explique pas toujours les rapports de cause à effet entre les actions. C'est donc au lecteur d'interpréter ces rapports. Tracez la chaîne d'actions à travers l'histoire en proposant, là où il convient, des interprétations.

Modèle: elle voit sa main → elle sourit (elle est heureuse, elle l'aime, elle est surprise)

E. Pendant l'histoire, la main de l'homme subit une série de transformations.

1. Suivez à travers le texte les descriptions de cette main.

   Modèle: «son grand bras» / «cette main d'homme» / ...

2. Qu'est-ce que ces descriptions révèlent sur les pensées de la femme? sur les rêves de l'homme?

F. Trois couleurs—bleu, rose, rouge—dominent l'histoire.

1. Quels objets sont associés à chacune de ces couleurs?

2. Quelles significations chacune de ces couleurs a-t-elle pour la femme et pour le sens de l'histoire?

G. La transformation de la main et les hallucinations de la femme peuvent surprendre le lecteur, mais au commencement de l'histoire, il y a de petites suggestions qui expliquent ce cauchemar *(nightmare)*. D'après les deux premiers paragraphes, cherchez à reconstruire le passé des deux personnages et les raisons possibles pour cette métamorphose de la main.

Post-lecture

H. A la fin du texte, la femme commence «sa vie de duplicité». Les différents sens du mot «duplicité» tournent autour des idées de double et de dualité. Montrez que le texte entier, les transformations métaphoriques de la main y comprises, repose sur cette idée de duplicité.

Suggestions: Quel est le rôle du chiffre «deux» dans le texte? Sur quelles oppositions l'histoire est-elle fondée? Dans quelle mesure est-il possible de parler de la double personnalité et de l'homme et de la femme?

I. Ecrivez une histoire où une main, un bras ou une autre partie d'un corps prennent vie pendant la nuit.

J. Pour approfondir vos connaissances sur Colette et sur le statut de la femme en France pendant la première moitié du vingtième siècle, visitez le site web **www. thomsonedu.com/french/schofer** et faites des activités et des recherches.

Phrases: Talking about past events; Sequencing events; Describing people; Describing objects; Describing the past

Vocabulary: Body, face; Tales and legends

Grammar: Compound Past Tense: **passé composé;** Past Imperfect: **imparfait;** Present Tense: **présent**

La Maison face à la mer

Marie-Célie Agnant

Marie-Célie Agnant (1953–) est née à Port-au-Prince en Haïti, mais elle vit au Québec depuis 1970. Après avoir travaillé comme professeur de français, traductrice et interprète, elle se consacre entièrement à l'écriture. Elle a publié des romans *(La Dot de Sara, Le Livre d'Emma)*, des nouvelles *(Le Silence comme le sang)* et des livres pour jeunes personnes *(Alexis d'Haïti; Alexis, fils de Raphaël).*

La Maison face à la mer a paru pour la première fois dans *Le Silence comme le sang* (1997). Le conte a pour cadre une petite ville haïtienne, Sapotille, à l'époque de François Duvalier (1957–1971). Celui-ci a exercé un pouvoir dictatorial sur le pays grâce aux Tontons Macoutes, une milice armée formée de volontaires de la sécurité nationale et renommée pour sa violence et sa cruauté.

Pré-lecture

A. Votre enfance

Décrivez votre enfance en tenant compte des questions suivantes. A quoi se résumait votre monde? (Quels endroits se trouvaient au centre de votre monde?) Qui fréquentait votre monde? (Quelles personnes avaient de l'importance pour vous?) En quoi consistait votre vie? (Quelles étaient vos activités principales?)

VOCABULAIRE UTILE

amer • déçu • craintif • déprimé • désillusionné • honteux • névrosé

B. Un mauvais souvenir

Racontez brièvement un incident de votre enfance dont vous gardez un mauvais souvenir. Y pensez-vous souvent? Pourquoi? Dans quelles circonstances? Quelles émotions ce souvenir évoque-t-il chez vous aujourd'hui?

VOCABULAIRE UTILE

disparaître • être emmené au milieu de la nuit • être interrogé • être emprisonné (mis en prison) • être tué

C. La vie sous un dictateur

Imaginez ce qui peut arriver à quelqu'un qui habite dan un pays gouverné par un dictateur tyrannique.

Lecture

Marie-Célie Agnant

La Maison face à la mer

Les fenêtres donnent sur la plage. Après le drame, nous y avons mis des rideaux très épais° qui sont tombés à tout jamais. La mer elle-même n'assistera plus au spectacle de notre malheur ni à celui de notre délivrance. Pour nous, c'est sans doute une autre façon d'atténuer les ombres° qui, obstinément, se dressent sur la grève° entre la mer et nous. Le jour, tout va bien. Dans le va-et-vient du quotidien°, il est moins nécessaire de faire semblant°. Cependant, dès que vient le soir, dans l'obscurité, nous pensons à eux. Nous pensons aussi à lui, là-haut à Rochelle, dans ce petit palais qu'il s'est fait construire au milieu des bois. Me revient alors la même phrase, pénible° et lancinante°, avec les mêmes mots: *Tout s'est terminé ou plutôt tout a débuté en cette veille de la Saint-Sylvestre° où il s'arrêta pour venir en aide à un motocycliste...*

Derrière les fenêtres closes, je vis avec Adrienne, ma mère. Nous sommes deux ombres, deux fantômes, dérivant° sur des rives° de l'absence. Nous sommes les cendres° d'une existence dont nul ne se souvient plus. La plupart des familles qui, comme nous, ont vécu ce qui s'est passé en cette veille de la Saint-Sylvestre sont parties, emportant avec elles ce qui leur restait de lambeaux° et de miettes°. Ont-elles pu oublier? Du moins°, trouver la paix? **Q 1**

Nous ne quitterons pas Sapotille. Lorsque j'étais enfant, le monde pour moi se résumait à cette ville, ses maisons aux grandes galeries° et leurs cours ombragées°. La nôtre, la cour de notre maison, c'était mon royaume. Il y avait le grenadier°, ses fleurs rouges et ses fruits. C'était mon palais des merveilles. Il y avait le bassin° où naviguaient des bateaux qui n'étaient rien d'autre que les feuilles des arbres. Et le grand pied de fruit à pain° avec ses feuilles en parasol. C'était le roi de mon royaume. Il y avait tous mes sujets, mes frères, et bien sûr, Philippe, à qui je pensais, assise à califourchon° sur les branches du grenadier. Le grenadier est toujours là. J'écarte le rideau pour y jeter un coup d'œil furtif°.

Lorsque j'étais enfant, le monde c'était l'église de Sapotille et son clocher° qui domine la butte° Jacob et surplombe l'océan. Sapotille, dont les maisons sont rongées° par le sel de la mer qui, lors des grandes marées°, écorche leurs flancs°. Sapotille que je n'ai jamais quitté demeure encore pour moi le monde à qui j'ai donné tout ce que mon cœur pouvait contenir d'amour, de haine° et de passion.

A maman et à moi, qui n'avons plus rien à chérir°, même pas des initiales gravées sur une pierre dans un cimetière, les rues défoncées°, le murmure infini de la grève et les souvenirs, c'est tout ce qu'il nous reste, nous ne pouvons les abandonner. Les souvenirs

thick curtains
shadows
shore
everyday life / to pretend
painful / haunting, insistent
New Year's Eve
wandering / banks (of a river) / ashes
scraps
crumbs / At least
arcades / shaded
pomegranate tree
pool
breadfruit
astride, stradding
to glance stealthily
bell tower / mound, small hill / eaten away / tides / rubs away their sides
hatred
to cherish, hold dear
torn up

jailers / to torture
to pursue
silent, mute
powerful (people) / madness / to bury
pain, suffering / raw
dust
malicious, evil
small islands
from then on
curled up
insanity
youngest child / to spare accidentally, inadvertently / attic
to hide / hairy calves
there was nothing left to do but to flee
stubborn swell
breath

sont d'affreux geôliers° et d'ignobles tyrans. Ils nous tenaillent°, nous poursuivent°, nous possèdent et règlent notre existence depuis ce jour. A cause d'eux, maman et moi, nous sommes devenues muettes°, comme des pierres, ne sachant d'autre langage que celui qu'ils nous dictent. **Q 2–3**

Quelquefois maman écrit. Elle avait rêvé jadis d'être écrivain. Mais dans ce pays où il n'y a toujours eu de place que pour les puissants° et leur démence°, Adrienne avait dû enterrer° très tôt ce désir des mots. Elle avait sagement rangé ses cahiers et ses crayons. Mais quand la douleur° devient trop crue°, elle les sort, en chasse la poussière° et écrit pour essayer d'atténuer ce chagrin qui, comme une fièvre maligne°, a pris possession de toute son existence. *Tout s'est terminé ou plutôt a débuté en cette veille de la Saint-Sylvestre où il s'arrêta pour venir en aide à un motocycliste...*

Derrière les fenêtres closes, Adrienne et moi, deux îlots° à la dérive de la grande île, Sapotille, cette ville qui continue à vivre, à respirer, nous ne savons trop comment. Longtemps, nous nous sommes interrogées, longtemps nous nous sommes demandé comment tout cela a bien pu arriver, et surtout comment avons-nous pu trouver la force de continuer. Comment l'être humain, nous demandions-nous, peut-il survivre à tant d'horreurs? Nous ne voulons plus aller au fond des choses désormais°. C'est inutile. Il ne nous reste plus qu'à être. Le désir d'une fin qui nous délivrerait de tout est la seule chose vivante dans cette maison qui regarde la mer. Il est là, palpitant, blotti° en nous, tel un enfant que nous ne finissons plus de porter.

Tous les autres, ceux qui ne sont pas morts, sont partis, abandonnant Sapotille à cette saison interminable de peur et de déraison°. Ils s'en sont allés sur la pointe des pieds. Le dernier à partir, Guy, le benjamin°, celui qu'ils ont épargné par mégarde°, parce que ce jour-là il s'était endormi dans le grenier°, a traversé la frontière, dans des habits de femme enfilés à la hâte. Une longue jupe de paysanne pour cacher° ses mollets velus°. Il avait essayé de tenir avec nous. Mais il a fini lui aussi par faire ce choix terrible: partir. Puisqu'on ne saurait exorciser le passé, puisque tous les autres étaient morts et qu'il était là, lui, là-haut avec ses gardes et ses chiens, sa piscine et ses chevaux, puisqu'on n'y pouvait rien, il ne restait plus qu'à fuir°. Voilà les derniers mots que Guy nous avait dits avant de s'enfoncer dans la nuit de l'oubli, il y a trente ans déjà. **Q 4–6**

Lui, là-haut, il s'appelle Philippe. Philippe Breton. Je vous dis son nom afin que, comme moi, vous vous souveniez. Il a été mon fiancé, il a grandi avec nous. Avec mes frères, Carl, Jacques, Guy et les autres, et avec moi, moi qui l'aimais depuis... je ne sais plus. Tout ce dont je me souviens aujourd'hui, trente ans après que tout soit fini, c'est ce qui jusqu'au dernier jour de ma vie remontera en moi, du plus profond de moi, cette houle têtue° qui me soulevait lorsque dans le grenier Philippe me couvrait de son souffle°. Enfant, je rêvais déjà à lui dans les branches du grenadier. A dix-huit ans, j'aimais Philippe, de cet amour des dix-huit ans que l'on ne sait point nommer.

Enfant, jouant aux billes°, Philippe s'était écorché les genoux sur les mêmes cailloux que mes fils, écrit encore ma mère. *Les frères de Marisa, ils étaient six, s'étaient mesurés à° lui sur le chemin de l'école. Ils avaient ensemble couru sur la plage, plongé dans la mousse° blanche des vagues°, s'éclaboussant° et riant. Souvent, il avait mangé à notre table, le midi, à côté de mes fils. Avec mon aîné, Jacques, il avait passé des soirées entières à lire dans le grenier. Combien de fois le sommeil les avait-il surpris tous les deux, épuisés°, les paupières lourdes°...*

Combien de fois je les avais contemplés avant de me résoudre à les réveiller, pour surprendre Philippe, l'air hébété° et confus au milieu des bouquins° qu'il voulait lire tous en même temps. Cette bibliothèque, dans le grenier, appartenait à mon père et seuls Jacques et Philippe avaient ainsi le droit de s'y installer. A l'époque, Philippe était un garçon doux, respectueux, empressé° et bûcheur°, qualités que mon père, professeur attentif, savait apprécier.

«Ce garçon ira loin», disait papa, plein d'admiration et me jetant un regard à la dérobée°. «Quel dommage que Guy et Antoine ne soient pas comme lui!» poursuivait-il, lui qui sans cesse déplorait la bohème° de ses deux plus jeunes fils. Mon père, Daniel Saint-Cyrien, était aussi avocat, mais il avait cessé toute pratique, car il avait compris, comme il aimait le dire, que les jours n'allaient plus être les mêmes, ni à Sapotille ni dans aucune autre région du pays; ceux qui avaient décidé de tout contrôler étaient ainsi résolus à transformer les habitants du pays en spectateurs de leur propre existence. **Q 7–8** www

Tout s'est terminé ou plutôt a débuté en cette veille de la Saint-Sylvestre. Je venais d'avoir dix-neuf ans et Philippe, vingt-quatre. Revenant d'une visite, mon père, qui débouchait° du carrefour° des Quatre-Chemins, tomba sur un motocycliste en panne.

—Comment, Philippe, toi, à cette heure?

—N'approchez pas, monsieur Saint-Cyrien! laissa tomber Philippe, d'une voix froide et pleine de défi°.

Malgré l'obscurité, mon père se rendit compte° que Philippe avait non seulement les yeux injectés de sang, mais que ses mains et ses vêtements étaient aussi couverts du rouge le plus vif. Il essayait maladroitement de dissimuler° un revolver dont mon père aperçut l'éclat de la crosse° dans la pénombre°. Il ne pouvait retrouver le visage de ce Philippe intelligent et bûcheur qu'il connaissait depuis toujours. A quelques pas de lui, se tenait un être défiguré° par la haine, prêt à lui tirer dessus°.

—Toi aussi, Philippe?

—Maintenant que vous savez, monsieur Saint-Cyrien, que comptez-vous faire?

Mon père tourna les talons° et s'en fut°, le cœur soulevé de tristesse et de dégoût°.

Le lendemain, il se réveilla plus tôt que d'habitude, et nous parla longuement à mes frères et à moi. Maman savait déjà. Elle avait la tête d'un condamné à mort, les yeux cernés° et rougis par une nuit sans sommeil.

Sans détours°, papa nous parla de Philippe et des gens comme lui que l'on recrutait partout et que l'on dressait à tuer°. Il nous expliqua

marbles
to have a confrontation with
foam / waves / splashing
exhausted, worn out / heavy eyelids
dazed
books (slang)
eager to please / hard-working, an academic grind
secretly
bohemian lifestyle
to come out of
crossroads, intersection
defiance
to realize
to hide
shine of the handle / half-light
disfigured / to shoot at
to turn on one's heels / to go away, leave / disgust
with dark shadows under one's eyes
Straight out
to teach how to kill

leur rôle dans ce climat de terreur qui s'était abattu° sur Sapotille et le pays tout entier. «L'odeur fétide° de la corruption, du crime et des trahisons° sans nombre a désormais envahi nos demeures», nous dit-il pour terminer. «Viendra un jour où ces types° mangeront sans hésiter la chair° de leur propre mère.»

Il y avait longtemps déjà que Philippe, prétextant préparer des examens, ne venait plus que rarement à la maison. «Je savais, poursuivit mon père, que cette désertion cachait quelque chose d'étrange, mais je priais° le ciel, avec l'espoir idiot que tout ce qu'on chuchotait° à son sujet n'était que calomnies°...» Il me regarda droit dans les yeux. Nous nous étions tout dit. **Q 9–10**

De ce moment, détresse et rage confondues remplacèrent dans mon corps le sang. Je vivais avec la sensation d'une ombre épaisse s'étalant° sur mon cœur. Mes frères, nerveux, venaient dans ma chambre à pas de loup°, m'apporter les nouvelles. Nous parlions à voix basse. Ils avaient déjà perdu plusieurs de leurs amis. Personne ne savait si ceux qui disparaissaient étaient en prison ou s'ils avaient été tués. Ils n'étaient plus là, simplement. Leurs parents, lorsqu'ils n'avaient pas été emmenés eux aussi, se barricadaient, effrayés°, sans savoir où aller ni à qui s'adresser. Tout comme nous, ils attendaient chez eux en tremblant à chaque fois que passait un camion dans la nuit.

Ils arrivèrent au milieu de la nuit, armés jusqu'aux dents. Certains portaient des cagoules° noires. Philippe était-il parmi eux? Je ne voulais pas le savoir. Je n'oublierai jamais le regard désespéré de maman, le mouchoir qu'elle s'enfonçait° dans la bouche pour ne pas hurler°. Ils emmenèrent° Jacques, Daniel, Carl, Victor et Antoine, et bien sûr, papa. «Nous allons simplement vous conduire au poste°, vous poser quelques questions.» Nous savions qu'aucun de ceux que l'on emmenait ne revenait, mais nous nous sommes accrochées° à cette phrase du commandant.

Combien de jours et de nuits passèrent? Ils ne revinrent ni l'un ni l'autre, jusqu'à ce jour... cet attroupement sur la grève, ces lambeaux de chemises qui flottaient, ces corps bouffis° et méconnaissables° que la mer vomissait. Des habitants de Sapotille, des mères en pleurs, descendirent en courant jusqu'à la plage, pour essayer d'identifier les corps. Adrienne et moi, nous sommes demeurées° à la fenêtre. Le soleil sur la mer avait ce jour-là couleur de sang.

Comment dire le tumulte et les cris qui s'élevaient de la plage? Comment dire ce chaos qui depuis lors s'est installé dans notre vie?

Tard dans la nuit, les dernières femmes retournèrent chez elles. Silencieuses, elles remontèrent la butte Jacob et s'en furent avec dans la tête la voix de la mer, comme un tocsin°. Puis tout s'arrêta, les jours, les heures... et nous nous sommes installées pour toujours, maman et moi, dans le tournis° de l'absence, face à la mer que nous avons fini d'interroger.

Le jour, lorsque du bas de la ville nous arrivent les bruits du marché et les échos de la vie qui joue à faire semblant d'avoir oublié, le jour, dans le tumulte du quotidien, nous jouons aussi à faire semblant. Mais dès que vient le soir, surtout l'approche de décembre, quand revient la Saint-Sylvestre, nous retrouvons dans

to befall
fetid, rotten
betrayals
guys (slang)
flesh
to pray
to whisper / slanderous remarks
spreading out
stealthily
scared
ski masks, balaclavas
to stuff
to shout / to take away
headquarters
to hold or grab onto
swollen
unrecognizable
to remain, stay
alarm bell
dizziness

chaque son, dans chaque geste, chaque éclat de lumière, ce carrousel infernal de morts-vivants et de spectres° qui hanteront° à jamais Sapotille et notre maison face à la mer. Q 11

ghosts / to haunt

Questions sur le texte

D. L'histoire

Au centre du conte est un drame survenu trente ans avant le moment où Marisa (la narratrice, celle qui dit *je*) en parle. En présentant aux lecteurs le drame et les événements qui l'entouraient, elle navigue entre le présent et différents moments du passé. Reconstruisez les éléments principaux de la chronologie de l'histoire; parlez des personnages et de leurs actions.

1. Avant le drame: l'enfance et l'adolescence de Marisa

2. Le drame: la veille de la Saint-Sylvestre

3. Juste après le drame: les semaines qui ont suivi la veille de la Saint-Sylvestre

4. Depuis le drame: la vie actuelle de Marisa et de sa mère

E. Les sentiments

Décrivez les sentiments et les émotions qui dominent chaque étape de cette chronologie.

1. Avant le drame

2. Le drame

3. Juste après le drame

4. Depuis le drame

F. Les métaphores

En se décrivant et en décrivant sa mère, la narratrice utilise des métaphores. Qu'est-ce que chaque métaphore suggère à propos de Marisa et de sa mère?

1. «Nous sommes deux ombres, deux fantômes...»

2. «Nous sommes les cendres d'une existence dont nul ne se souvient plus.»

3. «... Adrienne et moi, deux îlots à la dérive de la grande île, Sapotille...»

Post-lecture

G. Le titre du conte suggère une opposition entre la maison et la mer. Discutez avec des camarades de classe de la valeur symbolique de cette opposition.

Suggestions: Qu'est-ce qu'on associe traditionnellement à la maison? à la mer? Jusqu'à quel point le conte de Marie-Célie Agnant renforce-t-il ces associations? Y a-t-il des moments où le conte provoque des associations non traditionnelles?

H. L'expression «la maison face à la mer» sert à la fois de point de départ (le titre) et de point d'arrivée (les derniers mots) du conte. Choisissez un endroit qui pourrait servir de point de départ et de point d'arrivée d'un conte basé sur vos propres souvenirs (par exemple, «la maison au bout de la rue», «l'appartement au-dessus de la pharmacie», etc.).

I. Dans *La Maison face à la mer,* une situation historique est racontée non pas directement du point de vue des acteurs principaux mais plutôt indirectement de la perspective de quelques personnes qui en sont victimes. Choisissez un événement ou une situation historique que vous connaissez. Rédigez une courte narration qui le (la) présente indirectement.

J. Pour approfondir vos connaissances sur Marie-Célie Agnant et sur l'ère Duvalier en Haïti, visitez le site web **www.thomsonedu.com/french/schofer** et faites des activités et des recherches.

Phrases: Talking about past events; Sequencing events; Describing people; Describing the past

Grammar: Compound Past Tense: **passé composé;** Past Imperfect: **imparfait;** Present Tense: **présent**

Chocolat

Claire Denis

Claire Denis, née à Paris en 1948, a passé une partie de son enfance au Cameroun, en Afrique centrale. Elle a tourné son premier film, *Chocolat,* en 1988. Depuis, elle a réalisé des films très variés: des comédies, des films d'aventure et des films qui traitent de la marginalité. Un de ces derniers films (*Beau Travail,* 2000) dépeint l'Afrique de la perspective de la Légion étrangère, un corps militaire formé par des étrangers, qui est réputé pour son courage. Denis les montre sous une lumière paisible et non-violente.

Chocolat se passe au Cameroun, un pays habité par des peuples différents depuis plus de 5 000 ans. L'histoire nous raconte que les Musulmans ont occupé le nord du pays au 15e siècle et que les Portugais s'y sont installés au 19e. Les Allemands ont suivi, et finalement les Français et les Anglais, qui ont partagé le pays en 1922, après la Première Guerre mondiale. Enfin, le Cameroun a gagné son indépendance en 1960. Le pays est marqué par une géographie et un climat très variés. Vers le Golfe de Guinée, qui s'ouvre sur l'océan Atlantique, le pays est plutôt tropical et chaud, mais plus on va vers le nord, plus il devient aride, avec, plus loin encore, des plateaux entourés de montagnes. Le film, en partie autobiographique, raconte l'histoire d'une femme française qui retourne au Cameroun après l'indépendance dans l'espoir de retracer son enfance pendant l'époque coloniale.

Avant de voir le film

A. Cherchez dans une encyclopédie ou sur le web des renseignements sur le Cameroun.

B. Imaginez l'état d'esprit d'une Française qui retourne dans un pays où elle a passé son enfance, une enfance généralement heureuse. Quels sentiments éprouve-t-elle? Pourquoi?

Vocabulaire utile

la nostalgie • la crainte • l'hésitation • l'enthousiasme • la joie • la déception • la compréhension • l'amertume • la reconnaissance

se souvenir • regarder • écouter • observer • éprouver des sentiments nouveaux • retrouver un passé perdu

C. Maintenant, imaginez un Afro-américain qui décide de retrouver ses racines en quittant les Etats-Unis pour s'installer au Cameroun, un pays qu'il ne connaît pas du tout. Quels sentiments éprouve-t-il et quels sentiments les autres éprouvent-ils envers lui?

Vocabulaire utile

se sentir: différent • jugé • indifférent • ouvert • dépaysé • rejeté • intégré • jaloux • charitable • perdu • aliéné

D. Dans le sud américain avant 1865 (époque de l'esclavage) et dans les colonies européennes, les gens de couleurs différentes occupaient plus ou moins les mêmes espaces: salon, salle à manger, terrasse, et même les chambres. Pourtant, à l'intérieur de cette contiguïté spatiale, ils gardaient des distances. Décrivez une courte scène du point de vue d'un Noir américain qui sert le dîner à des Blancs. Insistez sur les paroles, les gestes et aussi sur les sentiments qui ne sont pas exprimés.

Vocabulaire utile

ouvert• restreint • égalitaire • supérieur • hautain • intime • affable • méchant

rire • raconter • commander • exiger • attaquer • donner des ordres

Les premières scènes: Au présent

E. Les premières scènes de ce film sont assez énigmatiques. Notez ce que les détails suivants semblent vous suggérer.

1. la mer

2. la jeune femme sur la plage et dans la voiture (Que dit-elle? Que révèle-t-elle?)

3. les deux Noirs

4. la main tendue

5. le paysage vu de la voiture

6. l'enfant qui apprend la langue natale au père

F. Dans l'ensemble, comment cette femme a-t-elle l'air d'être (nerveuse, dépaysée, bien dans sa peau)?

Les premières scènes: Retour en arrière *(flashback)*

G. Soudain, on se trouve dans le passé. Qu'est-ce qui relie ce passé avec la scène précédente?

H. Qu'est-ce qui indique le contexte «colonial» de la scène?

I. Dans le camion, comment la famille est-elle installée? (Qui est dans la cabine? Qui est à l'arrière?)

J. Comment les fourmis suggèrent-elles le lien entre les races?

En regardant le film

K. Notez les moyens par lesquels les Européens essaient de vivre comme s'ils étaient chez eux (en Europe) et comment ils réagissent aux différents aspects de la nature autour d'eux (les bêtes, la nuit, le soleil, les bruits, etc.).

L. Notez le rapport entre les indigènes et les différents aspects de la nature (les bêtes, la nuit, le soleil, par exemple).

M. L'espace

Cherchez à déterminer dans quelle mesure il existe des espaces réservés à chaque groupe, comment on doit se conduire lorsqu'on est dans l'espace de l'autre et comment se produisent les transgressions de ces espaces.

N. Les personnages principaux

1. France, la jeune fille:

   a. Elle semble tout le temps regarder ce qui l'entoure. Qu'est-ce qu'elle voit? Qu'est-ce qu'elle ne voit pas?

   b. Quand est-elle dans le monde français? Quand est-elle dans le monde africain?

2. Protée, le serviteur:

   a. Quelles sont les coutumes et les habitudes françaises qu'il a adoptées?

   b. Par quels moyens garde-t-il son identité?

3. Aimée, la mère: En quoi sa conduite semble-t-elle changer à chaque départ de son mari?

4. Marc, le père: Lorsqu'on pense à une situation coloniale, on imagine un homme autoritaire et phallocrate. Dans quelle mesure Marc correspond-il à ce stéréotype?

O. Les personnages secondaires

Notez en quoi chaque personnage représente un type différent dans son attitude envers l'Afrique en général et envers Protée en particulier.

P. Dans quelle mesure Luc Ségalen correspond-il à un de ces stéréotypes? Dans quelle mesure transgresse-t-il les limites de cette société?

Après avoir vu le film

Q. France semble revenir au Cameroun pour retrouver la maison de son enfance. Pourtant, à la fin du film, avez-vous l'impression qu'elle a vu cette maison?

1. Si votre réponse est oui, pourquoi est-ce que nous ne voyons pas son retour là-bas?

2. Sinon, quelle est l'importance de son retour au Cameroun?

3. Dans ce pèlerinage, quelle est l'importance du souvenir qu'elle garde de Protée et du moment où il brûle exprès sa main et celle de France?

R. Reprenez les aspects énigmatiques du début du film et indiquez leur signification par rapport à la fin du film.

1. la mer (Où est-on à la fin du film?)

2. la jeune femme sur la plage et dans la voiture (Que dit-elle? Que révèle-t-elle plus tard dans le film, quand elle est une jeune fille?)

3. les deux Noirs (Qui sont-ils vraiment?)

4. la main tendue

5. le paysage vu de la voiture

6. l'enfant qui apprend la langue natale au père (Pourquoi?)

S. L'espace

1. L'intérieur de la maison: A qui appartient cet espace et quelles en sont les règles?

2. Et l'extérieur?

3. Dans ce jeu de l'espace, quelle est l'importance de la véranda?

4. Comment Aimée et Luc transgressent-ils les règles de l'espace?

5. Comment France crée-t-elle son propre monde entre l'espace colonial et l'espace africain?

T. Comment les Français et les autres étrangers réagissent-ils face à la nature?

U. Commentez les rapports entre France et ses parents et ceux entre France et Protée.

V. Vers la fin du film, il y a deux scènes avec des avions. Quelle est la signification de ces deux scènes pour la compréhension du film?

W. Ce film traite aussi des rapports entre la civilisation et la nature. A votre avis, qui est le plus civilisé (et le plus noble) dans le film: Protée ou les Français? Et le plus grossier?

X. Claire Denis joue beaucoup avec les noms, comme France, Aimée, Protée, Marc, et surtout le titre, *Chocolat.* Quel sens voyez-vous à ces jeux sur les mots? Dans quelle mesure peuvent-ils sembler ironiques?

Post-lecture

Y. Marc est un personnage qu'on voit peu dans le film, mais nous savons qu'il tient un journal. Rédigez un extrait—le récit d'une journée, par exemple—de ce journal.

Z. France parle très peu pendant son voyage, mais elle observe beaucoup et elle a certainement des réactions intérieures. Rédigez une partie de son journal.

AA. De par sa position sociale, Protée est obligé de cacher ses pensées et ses sentiments. Après l'indépendance, il rencontre Marc et France. Que leur dit-il? Que lui répondent-ils?

BB. Pour approfondir vos connaissances sur Claire Denis et sur le cinéma français et francophone de nos jours, visitez le site web www. thomsonedu.com/french/schofer et faites des activités et des recherches.

Phrases: Talking about past events; Expressing an opinion; Expressing a wish or desire

Vocabulary: Traveling; Means of transportation; Countries

Grammar: Compound Past Tense: **passé composé;** Past Imperfect: **imparfait;** Present tense: **présent**